Österreichisches Studienzentrum
für Frieden und Konfliktlösung (Hg.)
Projektleiter: Ronald H. Tuschl

Krisenherd Naher und Mittlerer Osten

DIALOG

Beiträge zur Friedensforschung

Band 53

LIT

Österreichisches Studienzentrum
für Frieden und Konfliktlösung (Hg.)
Projektleiter: Ronald H. Tuschl

Krisenherd
Naher und Mittlerer Osten

Eine Region am Rande des Flächenbrands mit realistischer Friedensperspektive?

Friedensbericht 2007

LIT

Gedruckt auf alterungsbeständigem Werkdruckpapier entsprechend
ANSI Z3948 DIN ISO 9706

Bibliografische Information der Deutschen Nationalbibliothek
Die Deutsche Nationalbibliothek verzeichnet diese Publikation in der Deutschen Nationalbibliografie; detaillierte bibliografische Daten sind im Internet über http://dnb.d-nb.de abrufbar.

ISBN 978-3-7000-0614-5 (Österreich)
ISBN 978-3-8258-0138-0 (Deutschland)

Krotenthallergasse 10/8
A-1080 Wien
Tel. +43 (0) 1 / 409 56 61
Fax +43 (0) 1 / 409 56 97
e-Mail: wien@lit-verlag.at
http://www.lit-verlag.at

LIT VERLAG Dr. W. Hopf
Berlin 2007
Auslieferung/Verlagskontakt:
Fresnostr. 2
48159 Münster
Tel. +49 (0)251–62 03 20
Fax +49 (0)251–23 19 72
e-Mail: lit@lit-verlag.de
http://www.lit-verlag.de

Auslieferung:
Österreich: Medienlogistik Pichler-ÖBZ GmbH & Co KG
IZ-NÖ, Süd, Straße 1, Objekt 34, A-2355 Wiener Neudorf
Tel. +43 (0) 2236/63 535 - 290, Fax +43 (0) 2236/63 535 - 243, e-Mail: mlo@medien-logistik.at
Deutschland: LIT Verlag Fresnostr. 2, D-48159 Münster
Tel. +49 (0) 2 51/620 32 - 22, Fax +49 (0) 2 51/922 60 99, e-Mail: vertrieb@lit-verlag.de

Inhalt

VORWORT

Der Blick auf den Krisenherd Naher und Mittlerer Osten bietet ein betrübliches und diffuses Bild, das nur wenig Grund zum Optimismus zulässt: Nach der Räumung Gazas und der Machtübernahme der Hamas hat sich der seit Jahrzehnten bestehende israelisch-palästinensische Konflikt noch weiter verschärft. Israel führte einen Zweifronten-Krieg im geräumten Gaza-Streifen und im Libanon und begründet seine Invasion mit seinem Recht auf Selbstverteidigung. Durch die israelische Invasion gegen die Hisbollah wurde die Infrastruktur im Libanon erheblich zerstört. Unzählige Kriegstote und Hunderttausende auf der Flucht zeugen von der unsäglichen Dramatik des Krieges. Im Irak bietet sich ein ebenso drastisches Bild von jener ehemaligen Regionalmacht, die einst unter der Diktatur Saddam Husseins stand. Nach der endgültigen Niederlage und Hinrichtung des irakischen Diktators und der ersten eingesetzten Regierung steht nun das Land am Rande des Bürgerkriegs und versinkt in der Schreckensherrschaft des alltäglichen Terrors. Das Nachbarland Iran, das als einzige Regionalmacht übrig geblieben ist, bietet der Weltmacht USA die Stirn, indem der proiranischen Hisbollah im Libanon ideelle und militärische Unterstützung geboten wird und zudem der Atom-Streit zwischen den USA und dem Iran militärisch zu eskalieren droht.

Dem Nahost-Krisengipfel in Rom folgten eine Reihe von diplomatischen Initiativen von Seiten der EU, der UNO und der USA, die allerdings schon im Vorfeld keinen Konsens in Hinblick auf eine langfristige Lösung des Grundkonflikts herbeiführen konnten: Zu tief sind die Gräben zwischen den Konfliktparteien und zu diametral scheinen die internationalen Interessenslagen zu sein, um dem jahrzehntelang bestehenden Konfliktherd im Nahen und Mittleren Osten, der nun flächendeckend zu eskalieren droht, absehbar ein Ende zu bereiten.

Welche Ursachen, Folgen und Wirkungen haben die jeweiligen Konfliktherde rund um den angeblichen Kernkonflikt Israel/Palästina? Bleibt die Region ein Pulverfass oder gibt es eine Chance auf eine langfristige Lösung? Wird es dem Libanon gelingen, seine multiethnische Gesellschaft befrieden zu können? Gibt es für den vom Bürgerkrieg erschütterten Irak eine Hoffnung auf eine demokratische Zukunft? Droht der iranischen Führung ein ähnliches Schicksal wie dem Diktator Saddam oder ist dieses Land ein Faktor für Stabilität und Frieden in dieser Region? Welche Rolle nehmen internationale Akteure wie die EU oder die USA bei einer kurz-, mittel- und langfristigen Lösung des regionalen Konflikts ein? Welche Rolle spielen dabei die regionalen und internationalen Medien als meinungsbildende Faktoren in dieser Konfliktregion, und welcher Mittel bedienen sich Israelis und Araber im Informationskrieg?

All diesen Fragen wurde auf der diesjährigen *State-of-Peace-Konferenz 2007* in Stadtschlaining auf den Grund gegangen, um friedenspolitische Antworten auf den Krisenherd Naher und Mittlerer Osten geben zu können.

Stadtschlaining, im März 2007

Ronald H. Tuschl (Projektleiter)

Teil 1.

Krisenherd Naher und Mittlerer Osten: Ein Blick auf Ursachen, Folgen und Wirkungen von Konflikten in dieser Region

1.1 Blickpunkt Israel und Palästina: Krise ohne Ende oder Chance auf Lösung eines jahrzehntelangen Konflikts?

Sommerkriege 2006. Asymmetrische Kriege und die Zurechnung von Legitimität in der Staatengemeinschaft

Margret Johannsen

Im Sommer 2006 war der Nahe Osten Schauplatz von zwei großen israelischen Militäroperationen, deren Merkmale und Echo in der „Staatengemeinschaft“ eine eingehendere Betrachtung wert sind, lehren sie uns doch einiges über deren Positionierung zum Nahostkonflikt in seiner kriegerischen Gestalt. Der hier vorliegende Kriegstyp wurde vor zwanzig Jahren noch „low intensity warfare“ genannt; heute heißt er gewöhnlich „asymmetrisch“.[1] Einleitend sollen einige empirische Daten diese Asymmetrie illustrieren, bevor sich die Analyse der internationalen Dimension zuwendet und daraus friedenspolitische Folgerungen ableitet.

1 Stellvertretend für die in den letzten fünfzehn Jahren stark angewachsene Literatur zum Thema „asymmetrische Kriege“ vgl. van Creveld, Martin: The Transformation of War, The Free Press New York 1991 (deutsch: Die Zukunft des Krieges, Gerling Akademie Verlag München 1998) und Münkler, Herfried: Der Wandel des Krieges, Velbrück Wissenschaft Weilerswist 2006.

1. Zweifrontenkrieg gegen den Gazastreifen und den Libanon

In den Militäroperationen „Sommerregen", „Gerechter Lohn/Richtungswechsel" und „Herbstwolken"[2] führte Israel zeitweise Krieg an zwei Fronten, die wie fast immer in nahöstlichen Gewalteruptionen politisch miteinander verknüpft waren. Am 27. Juni begann die „Operation Sommerregen" gegen den Gazastreifen. Sie war noch im Gange, als am 12. Juli die „Operation Gerechter Lohn", später umbenannt in „Operation Richtungswechsel" bzw. der „Juli-Krieg" gegen den Libanon begann. Der zweite Libanonkrieg endete am 8. September mit der Aufhebung der israelischen See- und Luftblockade, nachdem am 14. August ein von den Vereinten Nationen vermittelter israelisch-libanesischer Waffenstillstand in Kraft getreten war, der den bewaffneten Auseinandersetzungen allerdings nicht sofort ein Ende gesetzt hatte.[3] Der „Operation Sommerregen" folgte in den nächsten Monaten eine Reihe weiterer örtlich und zeitlich begrenzter israelischer Militäroperationen gegen den Gazastreifen, deren größte die am 1. November begonnene und sechs Tage dauernde „Operation Herbstwolken" war. Ein seit dem 26. November geltender israelisch-palästinensischer Waffenstillstand, der auf den Gazastreifen beschränkt war, blieb brüchig.[4]

In den fünf Monaten vom Beginn der „Operation Sommerregen" am 27. Juni bis zum Inkrafttreten des Waffenstillstands am 26. November starben nach Angaben der israelischen Menschenrechtsorganisation B'Tselem im Gazastreifen infolge israelischer Militäraktionen 417 Palästinenser; 217 von ihnen waren nicht aktiv in Feindseligkeiten verwickelt, als sie getötet wurden.[5] Auf israelischer Seite starben zwei Zivilisten infolge palästinensischen Raketenbeschusses sowie vier Soldaten.[6] Vergleicht man die Op-

---

2 „Sommerregen", „Gerechter Lohn/Richtungswechsel" und „Herbstwolken" sind die militärischen Codenamen der israelischen Militäroperationen. Die Operation „Gerechter Lohn/ Richtungswechsel" wird im Libanon auch Juli-Krieg genannt.

3 Einen Tag nach Inkrafttreten des Waffenstillstands feuerte die Hisbollah ein Dutzend Raketen auf israelische Stellungen im Südlibanon. Fünf Tage nach Inkrafttreten des Waffenstillstands forderte eine israelische Kommandoaktion tief im Innern des Libanon vier Todesopfer; die israelischen Luftraumverletzungen hielten überdies an. Beides begründete Israel mit der Notwendigkeit, den Waffenschmuggel der Hisbollah zu unterbinden.

4 Vgl. United Nations Office for the Coordination of Humanitarian Affairs, Gaza Strip Situation Report 13. December 2006, in: http://www.ochaopt.org/documents/OCHA_Gaza_Situtaion_Report_13_Dec_2006_eng_edited.pdf, Version vom 11.3.2007.

5 Drei von ihnen wurden Opfer so genannter gezielter Tötungen. Israels Oberster Gerichtshof urteilte am 13. Dezember 2006, dass „gezielte Tötungen" nicht immer gemäß Völkergewohnheitsrecht rechtswidrig seien. Vgl. http://www.btselem.org/english/Legal_Documents/HCJ_769_02_20061214_Targeted_killing_Ruling.pdf, Version vom 11.3.2007.

6 Zwei Soldaten starben zwei Tage vor Beginn der „Operation Sommerregen", als ein palästinensisches Kommando den israelischen Grenzposten Kerem Schalom angriff und die Militäroperation gegen den Gazastreifen auslöste. Vgl. die Statistik der israelischen

ferbilanz auf beiden Seiten, so fällt zunächst eine krasse quantitative Asymmetrie ins Auge: Auf einen getöteten Israeli kommen 70 getötete Palästinenser. Diese Asymmetrie spiegelt die erdrückende Übermacht des israelischen Militärs. Darüber hinaus ist bemerkenswert, dass auf palästinensischer Seite die Hälfte der Todesopfer Nicht-Kombattanten waren. Die große Zahl so genannter „Unschuldiger" unter den Getöteten legt den Schluss nahe, dass das israelische Militär ihren Tod in Kauf nahm.

Im Zweiten Libanonkrieg starben nach Angaben des libanesischen *Higher Relief Council*[7] 1.191 Libanesen. Unter den Toten waren 46 libanesische Soldaten, zwischen 250 und 530 Hisbollah-Milizionäre[8] und 31 Angehörige anderer Milizen. Darüber hinaus starben im Libanon sechs Angehörige der UNO-Beobachtertruppe UNIFIL. Auf israelischer Seite verloren 162 Menschen infolge von Kampfhandlungen ihr Leben, davon 119 Soldaten und 43 Zivilisten.[9] Vergleicht man die Zahl der Todesopfer auf beiden Seiten, so fallen hier zwei Asymmetrien ins Auge. Zum einen hatte der Libanon siebenmal so viele Tote zu beklagen wie Israel; zum anderen waren auf libanesischer Seite die meisten der Getöteten Zivilisten, auf israelischer Seite hingegen drei Viertel Soldaten. Wie in der „Operation Sommerregen" sind auch diese Asymmetrien die Folge der haushohen militärischen Überlegenheit Israels, wenngleich die Hisbollah dem Gegner deutlich mehr Schaden zufügen konnte als es die palästinensischen Militanten vermochten. Rund eineinhalb Millionen Menschen flüchteten vor dem Krieg. Zwei Drittel der Flüchtlinge waren Libanesen, die zumeist aus ihren Wohnorten südlich des Litani und aus den zerbombten Vororten Beiruts vertrieben wurden; ein Drittel waren Israelis, die es vorzogen, nicht in Bunkern, sondern südlich der Kampfzone Schutz vor den Raketen der Hisbollah zu suchen.

Menschenrechtsorganisation B'Tselem, in: http://www.btselem.org/english/statistics/Casualties.asp, Version vom 10.3.2007.

7 Vgl. Presidency of the Council of Ministers. Higher Relief Council, Lebanon Under Siege, in: http://www.lebanonundersiege.gov.lb/english/F/Main/index.asp?, Version vom 13.3.2007.

8 Die Zahl ist umstritten. Hisbollah gibt die Zahl ihrer getöteten Kämpfer mit 250 an, Israel mit 530. Die divergierenden Angaben sind politisch motiviert. Hisbollah war daran interessiert, ihre Verluste gering erscheinen zu lassen, um ihre Kriegführung als Erfolg ausgeben zu können und Zweifel an ihrer fortbestehenden Kampfkraft zu zerstreuen; Israel war bestrebt, den Vorwurf zu entkräften, hauptsächlich Zivilisten angegriffen zu haben.

9 Vgl. Israel Ministry of Foreign Affairs: Israel-Hizbullah conflict. Victims of rocket attacks and IDF-casualties, in: http://www.mfa.gov.il/MFA/Terrorism-+Obstacle+to+Peace/Terrorism+from+Lebanon-+Hizbullah/Israel-Hizbullah+conflict-+Victims+of+rocket+attacks+and+IDF+casualties+July-Aug+2006.htm, Version vom 11.3.2007.

2. Asymmetrische Kriege gegen die Zivilbevölkerung

Dass es vor allem die Zivilbevölkerung der militärisch unterlegenen Partei war, die den Preis für die bewaffneten Auseinandersetzungen zu entrichten hatte, ist ein Phänomen, das aus der Kriegsrealität der letzten 60 Jahre wohlbekannt ist. In der Mehrzahl der Kriege nach dem Zweiten Weltkrieg waren es nicht zwei Staaten, die aufeinander trafen, sondern ein Staat und ein nicht-staatlicher Akteur.[10] Im Vergleich zu konventionellen zwischenstaatlichen Kriegen resultieren aus der „ungleiche(n) Vergesellschaftungsform der Kriegsgegner"[11] Besonderheiten, von denen der Modus des Konfliktaustrags und seine Legitimität im Mittelpunkt der folgenden Ausführungen stehen.

Auch die israelischen Militäroperationen des Sommers 2006 gehören zu diesem asymmetrischen Kriegstyp, der seit nahezu drei Jahrzehnten Israels bewaffnete Auseinandersetzungen kennzeichnet. Der „Yom-Kippur-Krieg" bzw. „Oktober-Krieg" (1973) zwischen Israel und Ägypten/Syrien war der bisher letzte der großen zwischenstaatlichen Kriege Israels. Seither setzt Israel seine Streitkräfte zur Aufrechterhaltung von Besatzung und zur Bekämpfung von Guerillaorganisationen ein. Bereits die israelischen Offensiven im Libanon „Operation Litani" (1978) und „Operation Frieden für Galiläa" (1982), die sich gegen die in der libanesischen Hauptstadt Beirut residierende Palästinensische Befreiungsorganisation (PLO) und deren aus den palästinensischen Flüchtlingslagern rekrutierte Milizen richteten, waren Beispiele für den so genannten „kleinen Krieg"[12] bzw. „neuen Krieg".[13] Bei diesem Kriegstyp entscheidet nicht die militärische, ökonomische und technologische Überlegenheit des kriegführenden Staates über Sieg oder Niederlage, die Kontrahenten sehen einander nicht als legitime Gegner an, und die Differenz zwischen Kombattanten und Zivilbevölkerung wird unscharf, mit der Folge, dass das zur „Zivilisierung" des Krieges

---

10 Vgl. Schreiber, Wolfgang: Die Kriege in der zweiten Hälfte des 20. Jahrhunderts und danach, in: Arbeitsgemeinschaft Kriegsursachenforschung (AKUF), Das Kriegsgeschehen 2000. Daten und Tendenzen der Kriege und bewaffneten Konflikte, hg. von Rabehl, Thomas/Schreiber, Wolfgang, Opladen 2001, S. 11-46.

11 Daase, Christopher: Das humanitäre Völkerrecht und der Wandel des Krieges, in: Hasse, Jana/Müller, Erwin/Schneider, Patricia (Hrsg.), Humanitäres Völkerrecht, Baden-Baden, S. 132-157, hier S. 135.

12 Vgl. Daase, Christopher: Kleine Kriege – Große Wirkung. Wie unkonventionelle Kriegführung die internationale Politik verändert, Baden-Baden 1999.

13 Vgl. Kaldor, Mary: Neue und alte Kriege, Frankfurt a.M. Suhrkamp Verlag 2000; Münkler, Herfried: Die neuen Kriege, Reinbek bei Hamburg 2002.

entwickelte humanitäre Völkerrecht bzw. Kriegsvölkerrecht[14] an Bindungskraft verliert. In diesen Kriegen werden häufig die völkerrechtlichen Regeln unterlaufen, vor allem solche, die das Kriegsgebiet und den Kombattantenstatus betreffen.

Die fortschreitende Zersetzung der Kriegsregeln, die den humanitären Kern des Kriegsvölkerrechts bedroht, findet ihren Niederschlag auch in der politischen Kultur. Dafür gibt es in der israelischen Kriegsgeschichte mehrere Beispiele, von denen das markanteste mit dem Namen Ariel Scharon verknüpft ist. Der Mann, der im Gefolge der „Operation Frieden für Galiläa" zum Rücktritt gezwungen und für unfähig erklärt wurde, jemals wieder das Amt des Verteidigungsministers zu bekleiden, weil er die Massaker in den bei Beirut gelegenen palästinensischen Flüchtlingslagern Sabra und Schatila politisch zu verantworten hatte, gewann im Jahre 2001 die israelischen Wahlen und wurde Ministerpräsident. In den deutschen Massenmedien wurde breit darüber spekuliert, ob der Gewählte sich als ein israelischer de Gaulle entpuppen werde. Dass Israels neuem Regierungschef der Ruch des Kriegsverbrechers anhing, erschien verglichen mit diesem Medienhype als eher belanglos.[15]

Auslöser der israelischen Militäroperationen im Sommer 2006 war der Überfall eines palästinensischen Kommandos am 24. Juni auf einen israelischen Militärposten an der Grenze zum Gazastreifen, bei der ein Soldat gefangen genommen wurde, gegen dessen Freilassung das Kommando die Entlassung eines Teils der über 9.000 palästinensischen Häftlinge[16] aus israelischem Gewahrsam verlangte. Zwei Wochen später folgte der Überfall eines Kommandos der Hisbollah an der israelisch-libanesischen Grenze auf eine israelische Militärstreife und die Gefangennahme von zwei israelischen Soldaten. Die Hisbollah-Führung gab die Operation als Akt der Solidarität mit den bedrängten Waffenbrüdern im Gazastreifen aus. Sie verlangte Verhandlungen über einen Austausch der beiden Soldaten mit arabischen Gefangenen in israelischer Haft und konnte erwarten, auf diese Weise das Profil der Hisbollah als Organisation des nationalen libanesischen

---

14 Vgl. Schmahl, Stefanie: Der Menschenrechtsschutz in Friedenszeiten im Vergleich zum Menschenrechtsschutz im Krieg, in: Hasse et al. (Hrsg.), Humanitäres Völkerrecht, a.a.O., S. 41-77, hier S. 53ff.

15 Vgl. Kimmerling, Baruch: Politizid. Ariel Sharons Krieg gegen das palästinensische Volk, Kreuzlingen/München 2003, S. 143. Avnery zufolge ist Scharon selbst der Urheber des Vergleichs mit de Gaulle. Vgl. Uri Avnery, Nimm eine Karte, in: Znet, 1. März 2003, in: http://www.zmag.de/artikel.php?id=480, Version vom 15.3.2007.

16 B'Tselem gibt die Zahl der palästinensischen Häftlinge in israelischen Gefängnissen und Internierungslagern der Armee am 5. März 2007 mit 9.213 an. Die Statistik von B'Tselem beruht auf Regierungsangaben. Vgl. http://www.btselem.org/English/Statistics /Detainees _and_Prisoners.asp, Version vom 11.1.2007.

Widerstandes zu schärfen.[17] Anders als bei einem früheren Anlass, als Israel für die Herausgabe der Leichen von zwei israelischen Soldaten 400 libanesische Häftlinge freizulassen bereit war, schloss die israelische Regierung diesmal Verhandlungen über eine Freilassung der verschleppten Soldaten aus und setzte umgehend seine Militärmaschinerie in Bewegung. Das lässt den Schluss zu, dass es weniger um das Leben der drei jungen Männer ging als um übergeordnete politische Ziele.

Die Militäroperationen gegen den Gazastreifen und den Libanon sollten Israel erklärtermaßen dazu verhelfen, die dortigen Milizen handlungsunfähig zu machen, d.h. sie zu töten oder zu vertreiben und ihre Einrichtungen zu zerstören, aber auch, ihre Verankerung in der Bevölkerung bzw. ihre Popularität zu untergraben – all dies, um die israelische Abschreckung wiederherzustellen. Davon versprach Israel sich innen- wie außenpolitisch Nutzen: *Innenpolitisch* ging es der Regierung darum, das vom damaligen Regierungschef Ariel Scharon als „Trennung“ (*disengagement*) bezeichnete Projekt abzusichern, das die einseitige, sprich: aus eigener Machtvollkommenheit und nicht als Ergebnis von Verhandlungen vorgenommene, Räumung besetzten palästinensischen Territoriums vorsieht und dies mit der geplanten Annexion von weiterhin besetzten Teilen des Westjordanlandes verbindet. Scharons Nachfolger Ehud Olmert führte das Projekt unter dem Namen *hitkansut* weiter, der positiver konnotiert ist und so viel wie „Zusammenrücken“, „Sammlung“, „Integration“, „Konvergenz“ oder „Konsolidierung“ bedeutet, und gewann damit die Wahlen am 28. März 2006. *Außenpolitisch* bezweckte Israel eine Schwächung Irans, der als Sponsor der Hisbollah galt und dem aus israelischer Sicht die militärischen Kapazitäten der libanesischen Schiitenorganisation als Instrument zur Abschreckung eines Angriffs Israels oder der USA auf die iranischen Nukleareinrichtungen diente.[18]

3. Krieg gegen die Zivilbevölkerung

Aus *völkerrechtlicher* Sicht war die israelische Kriegführung nicht deshalb fragwürdig, weil es so viel mehr Tote auf der palästinensischen bzw. libanesischen als auf der israelischen Seite gab, sondern weil viele Angriffe zivilen Zielen galten, von denen auch Israel nicht behauptete, dass sie sämtlich militärischen Zwecken wie Deckung und Tarnung oder dem Waffennachschub dienten. Das gilt etwa für Wohnviertel im Gazastreifen und

---

17 Zu den libanesisch-israelischen Streitfragen vgl. Johannsen, Margret: Waffenruhe im Libanon: Ruhe vor dem nächsten Sturm? Hamburger Informationen zur Friedensforschung und Sicherheitspolitik, Ausgabe 39, August 2006, S. 3f.

18 Vgl. Schiff, Ze’ev: Israel’s War With Iran, in: Foreign Affairs, 85, November/Dezember 2006, S. 23-31.

in Beirut, in denen keine Raketenbatterien standen, für die Flughäfen in Gaza und Beirut, die nicht als Drehscheibe für Waffenschmuggel dienten, für das einzige Elektrizitätswerk des Gazastreifens. Legt man die Normen des Kriegsvölkerrechts zugrunde, die im Kern darauf abzielen, „alle Personen, die nicht aktive Kombattanten sind, gegen Schädigungshandlungen zu schützen, gleichviel, ob diese absichtlich oder nur wissentlich vorgenommen werden",[19] so verstießen etliche der israelischen Bombardements gegen das Völkerrecht, weil sie sich entweder gegen zivile Objekte ohne militärischen Wert richteten oder gegen militärische Objekte in ziviler Umgebung ohne deren größtmögliche Schonung. Auch solche Bombardements, die nicht den Zweck verfolgen, die Moral der Zivilbevölkerung zu brechen oder willkommene Fluchtbewegungen auszulösen, sondern „nur" zu so genanntem Kollateralschaden (das deutsche „Unwort des Jahres" 1999) führen, stellen Kriegsverbrechen dar, falls die Wirkung vorhersehbar und der Schaden vermeidbar oder im Vergleich zur Bekämpfung des militärischen Ziels erheblich war, kurz, falls das Gebot der Verhältnismäßigkeit verletzt wurde.[20]

Die Verwendung von Streubomben in großem Umfang gegen libanesisches Territorium gibt ebenfalls Anlass zu Zweifeln an der völkerrechtsgemäßen Kriegführung Israels.[21] Das Völkerrecht verbietet den Einsatz von Waffen, die ununterscheidbar Kombattanten wie Zivilisten treffen. Eben dieses Merkmal aber trifft für die von den israelischen Streitkräften eingesetzten Streubomben sogar zweifach zu. Die Raketenwerfer, mit denen die Munition verschossen wurde, waren für ihre Ungenauigkeit ebenso bekannt wie die hohe Quote von Blindgängern. Im Libanon schätzen die Minenräumkommandos sie auf rund 40 Prozent.[22] Nach eigenen Angaben setzte Israel diese Waffen auch gegen bewohnte Ortschaften ein. Die Zahl der verschossenen Streubomben beträgt nach Schätzungen des *Mine Action Co-ordination Center South Lebanon* zwischen 1,4 und 2,8 Millionen.[23]

---

19 Hasse, Jana /Müller, Erwin /Schneider, Patricia: Einleitung, in: Hasse et al. (Hrsg.), Humanitäres Völkerrecht, a.a.O., S. 19-27, hier S. 20.

20 Vgl. High Commissioner for Human Rights Calls for Protection of Civilians and Accountability in Latest Middle East Crisis, United Nations Press Release, 19. Juli 2006, in: http://www.unhchr.ch/huricane/huricane.nsf/view01/5AF0033D13E85EFEC12571B00061BFDE?opendocument, Version vom 14.3.2007.

21 Ich danke Georg Schöfbänker für die Hinweise auf Material zur israelischen Streubombenkampagne.

22 Vgl. Mine Action Co-ordination Center South Lebanon, 2006 Legacy Cluster Bombs in South Lebanon, MACC SL Newsletter Issue Eight, Januar 2007, S. 8, in: http://www.maccsl.org/publications.htm, Version vom 13.3.2007.

23 Hinzu kommt eine unbekannte Anzahl von Munition, die aus Flugzeugen abgeworfen wurde.

Sie töten und verstümmeln auch nach dem Ende von Kriegshandlungen, Minenräumpersonal ebenso wie Zivilisten.[24]

Unstrittig ist, dass der Wiederaufbau und die Wiedereinkehr normalen Lebens im Südlibanon, wo die Hälfte der Bevölkerung von der Landwirtschaft lebte, aufgrund der hohen Zahl von Blindgängern zusätzlich erschwert wird. Strittig hingegen sind die Motive für den Einsatz. Es waren fast ausnahmslos Bomben amerikanischer Bauart. Die israelische Rüstungsindustrie produziert Streumunition, die weitaus weniger fehlerträchtig ist, und exportiert sie in alle Welt. Aber die israelische Armee zieht die US-Bomben vor, weil sie aus Mitteln der US-Militärhilfe bezahlt werden. Es dürften also haushaltspolitische Gründe sein, die für die Verwendung der Streubomben amerikanischer Bauart sprachen.[25] Warum aber 90 Prozent der Munition in den letzten 72 Stunden des Krieges verschossen wurden, als der israelisch-libanesische Waffenstillstand erkennbar bevorstand, ist auch nach der israelischen Untersuchung der Vorgänge ungeklärt. Die Spekulationen über die israelischen Motive sind vielfältig. Ob das Militär es „nur" in Kauf nahm, dass der Südlibanon zusätzlich zu mehreren hunderttausend Landminen aus der Zeit der israelischen Besatzung nunmehr auch mit Blindgängern von Streubomben übersät sein würde, oder ob genau dies der Zweck war, dürfte umstritten bleiben. Wenn diese Kriegshypothek absichtlich hinterlassen wurde, so ist dennoch weiterhin offen, ob Israel auf diese Weise die Bewegungsfreiheit der Hisbollah-Kämpfer auf ihrem heimischen Territorium einzuschränken bzw. ihre Rückkehr in den Süden zu verhindern bestrebt war oder ob auch die Rückkehr der mehrheitlich schiitischen Zivilbevölkerung erschwert werden sollte, in der die Hisbollah ihren stärksten Rückhalt hat.[26]

Man wird über die Motive für den massenhaften Einsatz von Streubomben im Zweiten Libanonkrieg weiter spekulieren. Aber welche der oben genannten Motive auch immer handlungsleitend gewesen sein mögen, so begründen doch alle den Verdacht, dass auch die Streubombenkampagne gegen das Kriegsvölkerrecht verstieß. In den Kategorien des Strafrechts

24 Bis Ende Januar 2007 hatten die Blindgänger und neu verlegten Minen 30 Menschen das Leben gekostet, 22 von ihnen Zivilisten. 186 Menschen, unter ihnen 164 Zivilisten, erlitten Verletzungen. Vgl. Report of the Mine Action Co-ordination Center South Lebanon for the Month of January 2007, in: http://www.maccsl.org/reports_07.htm, Version vom 13.3.2007.

25 Vgl. Rapoport, Meron: Israel opted for cheaper, unsafe cluster bombs in Lebanon war, in: Ha'aretz, 14. 11.2006, in: http://www.haaretz.com/hasen/objects/pages/PrintArticleEn.jhtml?itemNo=787777, Version vom 12.3.2007.

26 Vgl. Brooks, James: Desirable Duds, in: http://www.counterpunch.org/brooks10172006.html, Version vom 13.3.2007.

ausgedrückt, liegen bei den diskutierten Szenarien lediglich unterschiedliche Vorsatzgrade vor.[27]

Aus eigener Sicht stellte die Asymmetrie der bewaffneten Auseinandersetzung Israel vor die Wahl, entweder die Guerilla ihre spezifischen Stärken, insbesondere ihre Verankerung in der Zivilbevölkerung, ausspielen zu lassen oder sich dem Vorwurf auszusetzen, das Verhältnismäßigkeitsgebot des Kriegsvölkerrechts zu verletzen. In beiden Fällen riskierte der im hergebrachten Sinne Stärkere ein Scheitern – im ersteren Fall in dem Sinne, dass Israel der Guerilla die Kriegführungsfähigkeit belässt, im letzteren Fall in dem Sinne, dass Israel Einbußen seiner Legitimität als Mitglied der normengebundenen Staatengemeinschaft in Kauf nimmt.[28] Es war allerdings nur eine hypothetische Wahl, denn niemand zwang Israel, das eine oder das andere zu tun. Israel hätte auch den Weg von Verhandlungen über einen Gefangenenaustausch beschreiten können. Statt dessen tat Israel beides, aber nur halb. Die Militäroffensiven endeten, ohne dass sie im Kräftemessen zwischen Israel und den Milizen Entscheidendes verändert hätten. Zu diesem Ausgang trug das Verhalten des Westens, vor allem das der USA, wesentlich bei.

4. Das Recht der Stärkeren

Die israelischen Militärkampagnen des Sommers 2006 fanden in den Hauptstädten diesseits und jenseits des Atlantik ein unterschiedliches Echo. Die EU kritisierte die Militäroperation gegen den Gazastreifen als „unverhältnismäßig“ und plädierte frühzeitig für eine sofortige Waffenruhe im Libanon. Aber letztlich setzte sich in den internationalen Foren die Bush-Administration durch. Sowohl auf dem G-8-Treffen in St. Petersburg am 16. Juli als auch auf der internationalen Libanon-Konferenz in Rom am 26. Juli verhinderten die USA Aufrufe zu einer sofortigen Einstellung der Feindseligkeiten. Vor der Konferenz hatte Außenministerin Condoleezza Rice in West-Jerusalem erklärt, dass „Frieden auf dauerhaften Prinzipien und nicht temporären Lösungen basieren“ müsse.[29] Im Klartext bedeutete das, Israel solle die Zeit erhalten, die es benötige, um eine militärische Lösung herbeizuführen.[30] In der Abschlusserklärung der Konferenz war von

27 Vgl. Hasse et al.: Einleitung Humanitäres Völkerrecht, a.a.O., S. 21.

28 Zum Problem des Scheiterns im Erfolg vgl. Daase, Kleine Kriege, a.a.O., S. 225f.

29 U.S. Department of State, Secretary of State Condoleezza Rice With Israeli Foreign Minister Livni in Jerusalem, 24. Juli 2007, in: http://www.state.gov/secretary/rm/2006/69409.htm, Version vom 14.3.2007.

30 Bart vom israelischen Think Tank Jaffee Center for Strategic Studies an der Universität Tel Aviv erklärt die „relative Geduld“ des Westens sowie der drei arabisch-sunnitischen Staaten damit, dass sie die Hisbollah in Verbindung mit Iran als gefährlich für die regio-

einem sofortigen Ende der Kampfhandlungen – wie es unter anderem der damalige UN-Generalsekretär Kofi Annan gefordert hatte – keine Rede. Auf konkrete Verfahren, wie auf diplomatischem Wege ein Waffenstillstand erreicht werden könnte, mochten sich die 20 Konferenzteilnehmer (darunter Jordanien, Ägypten und der Libanon, nicht aber Saudi-Arabien, Syrien und Israel) nicht einigen. Israel sah sich durch die Konferenz in der Ansicht bestärkt, dass es die Hisbollah nur selber entwaffnen könne, wozu es einen militärischen Sieg benötige, und deutete die Ergebnisse der Konferenz als „grünes Licht", mit seinen Operationen im Libanon fortzufahren.[31] Dass der finnische EU-Ratspräsident und der deutsche Außenminister dieser Interpretation widersprachen, scheint auf die israelische Regierung wenig Eindruck gemacht zu haben.[32]

Die Regierungen in der arabischen Welt waren gespalten. Die israelische Militäroffensive gegen den Gazastreifen fand das übliche Echo, nämlich eine Verurteilung und einen Verweis auf die Friedensinitiative der Arabischen Liga vom März 2002. Im Falle des Libanonkrieges hingegen kann von einem eindeutigen Einsatz der arabischen Regierungen für ein frühzeitiges Ende des Krieges nicht die Rede sein. Die so genannten moderaten sunnitischen Staaten Saudi-Arabien, Jordanien und Ägypten hatten die Guerillaoperation der Hisbollah anfänglich als verantwortungsloses Abenteurertum kritisiert. Die Bevölkerung hingegen feierte den Hisbollah-Führer Scheich Nasrallah als einen neuen Nasser, und politische Kommentatoren interpretierten die Rezeption dieses Vorgangs seitens der politischen Opposition als Zeichen einer Wiederbelebung des Arabismus aus den Tagen vor 1967 unter anderem Vorzeichen.[33] Erst unter dem Eindruck hoher Opferzahlen in der Zivilbevölkerung und enormer Zerstörungen der zivilen Infrastruktur des Libanon konnten die Regierungen die öffentliche Meinung nicht länger ignorieren und mussten ihr stillschweigendes Einverständnis mit dem israelischen Kriegsziel einer Zerschlagung der Hisbollah revidieren.[34]

---

nale Stabilität ansahen. Vgl. Bart, Rono: The Second Lebanon War: The Plus Column, in: Strategic Assessment, Jg. 9, Nr. 3 (November 2006), in: http://www.tau.ac.il/jcss/sa/v9n3p4Bart.html, Version vom 11.3.2007.

31 Vgl. Myre, Greg: Israel rules out wider war but calls up 30,000 reserves, in: International Herald Tribune, 27. Juli 2006, in: http://www .iht.com/articles/2006/07/27/news/mideast .php, Version vom 14.3.2007.

32 Krieger, Hilary Leila: „We did not give Israel a 'green light'", in: The Jerusalem Post, 27. Juli 2006, in: http://www.jpost.com/servlet/Satellite?cid=1153292016064&pagename=JPost%2FJPArticle%2FShowFull, Version vom 14.3.2007.

33 Vgl Khouri, Rami G.: Heed the Changes in Arab Public Opinion, in: Agence Global, 28. Juli 2006, in: http://www.agenceglobal .com/article.asp?id=996, Version vom 10.3.2007.

34 Vgl. Khalidi, Rashid I.: Anger in the Arab World, in: The Nation, 27. Juli 2006, in: http://www.thenation.com/doc/20060814/khalidi, Version vom 10.3.2007.

5. Auf dem Müllhaufen der Geschichte: Der legitime nationale Befreiungskampf

Lässt man einmal den Sonderfall des schiitisch-sunnitischen Konkurrenzverhältnisses außer Acht, das aus Sicht der pro-westlichen sunnitischen Staaten für Zwecke einer klassischen *Balance-of-power*-Politik instrumentalisierbar ist,[35] so lässt sich eine Erklärung für den bemerkenswerten Langmut gegenüber der israelischen Kriegführung in der asymmetrischen Verteilung von internationaler Legitimität finden. Im Widerspruch zu den Feststellungen von Daase, wonach der Staat in einem asymmetrischen Krieg dem substaatlichen Akteur auf dem Feld der Legitimitätsbeschaffung unterlegen ist, weil die „Wirkung von Normverletzung auf den Staat weit gravierender ist als auf den substaatlichen Akteur", dem „eine gewisse Regelüberschreitung zugebilligt wird",[36] scheint mir, dass bewaffnete Operationen des Staates zur Durchsetzung seiner Agenda gegen substaatliche Gewaltakteure einen ungleich höheren Legitimationsgrad besitzen bzw. erhalten als solche substaatlicher Akteure. Deren Ziele haben in aller Regel zurückzutreten gegenüber dem Herrschaftsanspruch des Staates, gegen den sie Waffengewalt einsetzen. Diese These ist zu begründen.

Daase traf seine Feststellungen 1999. Er setzte sich in seinem Buch „Kleine Kriege – Große Wirkung" damit auseinander, wie unkonventionelle Kriegführung die internationale Politik verändert (so der Untertitel). Der Begriff „unkonventionelle Kriegführung" schloss auch den Terrorismus substaatlicher Akteure ein, den Daase in Übereinstimmung mit Münkler eine „strategische Sackgasse" nannte.[37] Doch mir scheint, dass er einem anderen Paradigmenwechsel in der internationalen Politik zu wenig Beachtung schenkt, der mit dem Ende des bipolaren Systemkonflikts begann und durch die Anschläge des 11. September 2001 einen enormen Schub erhielt. Als das „kurze 20. Jahrhundert",[38] wie der sozialistische Historiker Eric J. Hobsbawm die 75 Jahre zwischen dem Ausbruch des Ersten Weltkriegs und der Auflösung des sowjetischen Imperiums nannte, endete und als infolge der Kriege um dessen Zerfallsmasse die verfrühte Euphorie über ein anbrechendes „Zeitalter der Demokratie, des Friedens und der Einheit" in

35 Vgl. Valbjørn, Morten/Bank, André: Signs of a New Arab Cold War: The 2006 Lebanon War and the Sunni-Shi'i Divide, in: Middle East Report, Nr. 242 (2007), S. 6-11, hier S. 7.

36 Daase: Kleine Kriege, a.a.O., S. 227.

37 Vgl. Daase: Kleine Kriege, a.a.O., S. 227; Münkler, Herfried: Guerillakrieg und Terrorismus, in: derselbe: Gewalt und Ordnung, Frankfurt a.M., 1992, S. 142-175 (172).

38 Vgl. Hobsbawm, Eric: Das Zeitalter der Extreme. Weltgeschichte des 20. Jahrhunderts, München 1998.

Europa[39] sich verflüchtigte, setzte eine Erosion der Legitimität des bewaffneten Befreiungskampfes nicht-staatlicher Akteure ein, begleitet von einer neuen Wertschätzung funktionsfähiger Staaten, die als Hort der Stabilität in einer Welt galten, der die alten Koordinaten abhanden gekommen waren. Es war eine Reaktion auf die Tatsache, dass die Regierungen in einer wachsenden Zahl von Staaten die Kontrolle über deren Territorium verloren.

In der Ära des Ost-West-Konflikts galt der bewaffnete Befreiungskampf in den Vereinten Nationen weithin als legitim. Diese Sichtweise hatte ihren Ursprung in der Dekolonisierungswelle in den 1960er Jahren. Eine Reihe von Resolutionen der UN-Vollversammlung[40] zwischen 1965 und 1982 bekräftigte die Legitimität des Kampfes der Völker unter kolonialer Herrschaft für Selbstbestimmung und Unabhängigkeit. 1973 akzeptierte die Mehrheit der UN-Mitglieder erstmals explizit, dass dieser Kampf auch das Recht nationaler Befreiungsbewegungen auf die Anwendung von Waffengewalt einschließt.[41] Von dieser Entwicklung profitierte die PLO, deren Vorsitzender Yassir Arafat bereits 1970 dem internationalen Terrorismus eine Absage erteilt hatte. Er tat dies während einer Welle spektakulärer Terroraktionen palästinensischer Extremisten unter dem Dach der PLO, die 1968 mit Flugzeugentführungen einsetzte und in der Geiselnahme der israelischen Mannschaft durch ein Kommando des „Schwarzen September"[42] während der Olympischen Spiele in München 1972 gipfelte. 1973 distanzierte sich die Fatah vom internationalen Terrorismus, und 1974 gelang es Arafat, die PLO auf den langen Weg zur Errichtung eines lebensfähigen Kleinstaates Palästina im Westjordanland und Gazastreifen zu steuern. Denn das ist es letztlich, was hinter der Formulierung der 1974 revidierten PLO-Nationalcharta stand, in der es nunmehr hieß, dass die PLO „für die Etablierung einer unabhängigen und kämpfenden nationalen Autorität des Volkes auf jedem Stück befreiten palästinensischen Landes" kämpft.[43]

---

[39] Charta von Paris für ein neues Europa – Ein neues Zeitalter der Demokratie, des Friedens und der Einheit. Erklärung des KSZE-Treffens der Staats- und Regierungschefs in Paris vom 21. November 1990, in: Europa Archiv 24/1990, S. D 656 – D 664, hier S. D 656.

[40] Namentlich UNGA Res. 2105(XX) vom 20. Dezember 1965, UNGA Res. 2708(XXV) vom 14. Dezember 1970, UNGA 3070(XXVIII) vom 30. November 1973, UNGA Res. 3103(XXVIII) vom 12. Dezember 1973 und UNGA Res. 37/73 vom 3. Dezember 1982.

[41] In Resolution 2708 (1970) hatte es zu den Mitteln des Kampfes noch geheißen „... by all the necessary means at their disposal". Daraus war in Resolution 3070 (1973) „by all available means, including armed struggle" geworden, eine Formulierung, die in Resolution 37/45 (1982) wiederholt wird.

[42] Der „Schwarze September" bildete eine im Untergrund operierende extremistische Gruppe innerhalb der Fatah, mit deren Begründer Abu Iyad der offizielle Fatah-Sprecher Yassir Arafat tiefgreifende Differenzen hatte. Vgl. Baumgarten, Helga: Arafat. Zwischen Kampf und Diplomatie, München 2002, S. 73.

[43] Vgl. Baumgarten: Arafat, a.a.O., S. 71-82.

Die Staatengemeinschaft belohnte Arafats Pragmatismus mit der Anerkennung der „unveräußerlichen Rechte des palästinensischen Volkes, darunter a) das Recht auf Selbstbestimmung ohne äußere Einmischung, b) das Recht auf nationale Unabhängigkeit und Souveränität". Die UNO-Vollversammlung erkannte das Recht des palästinensischen Volkes auf eine Wiederherstellung seiner Rechte an, forderte die Mitglieder der Staatengemeinschaft auf, das palästinensische Volk in seinem Kampf dafür zu unterstützen (Resolution 3236 vom 22. November 1974)[44] und verlieh der PLO am selben Tag den Beobachterstatus in der Weltorganisation (Resolution 3237 vom 22. November 1974).[45] Allerdings blieb das Recht auf den bewaffneten Kampf eng begrenzt. So beschränkt das 1977 verabschiedete Zusatzprotokoll I zur Genfer Konvention von 1949 die Legitimität des bewaffneten Kampfs, um das Recht auf Selbstbestimmung wahrzunehmen, auf den Fall, dass er die „ultima ratio" darstelle – eine „weiche" Formulierung, über die sich im konkreten Fall trefflich streiten lässt.

Die Dokumente, die den Prozess der Dekolonisierung begleiteten, haben heute ihren einstigen Status eingebüßt. Das ist nach Abschluss des Dekolonisierungsprozesses[46] vor allem auf die Auflösung der bipolaren Blockkonfrontation zurückzuführen, die u.a. zum Verlust der blockspezifischen Ideologien und deren Kohäsionskraft führte. Das Auseinanderbrechen der Vielvölkerstaaten Sowjetunion und Jugoslawien, die früher zu den Befürwortern des bewaffneten nationalen Befreiungskampfes gehörten, beleuchtet das Risiko, das dem bewaffneten Befreiungskampf in der nachkolonialen Ära für den Status quo nicht-kolonialer Staaten innewohnt. Der Verzicht der PLO auf Waffengewalt, den sie in der Prinzipienerklärung von Oslo 1993 erklärte, war insofern nicht nur ein Ausdruck ihrer Schwäche,[47] sondern reflektierte auch den Niedergang eines Paradigmas, das über ein Vierteljahrhundert in der Staatengemeinschaft wirkte.

Die Anschläge vom 11. September 2001 bzw. die Ausrufung des Krieges gegen den Terror durch die USA schlossen diesen Prozess der De-Legitimierung des bewaffneten Befreiungskampfes ab. Die allgegenwärtige

---

44 Vgl. United Nations, General Assembly, A/RES/3236 (XXIX), 22 November 1974, in: http://domino.un.org/UNISPAL.NSF/9a798 adbf322aff38525617b006d88d7/025974039 acfb171852560de00548bbe?OpenDocument&Highlight=2,3236, Version vom 12.1.2007.

45 Vgl. United Nations, General Assembly, A/RES/3237 (XXIX), 22 November 1974, in: http://domino.un.org/UNISPAL.NSF/9a798adbf322aff38525617b006d88d7/512baa69b5 a32794852560de0054b9b2?OpenDocument&Highlight=2,3237, Version vom 12.1.2007.

46 Der israelisch-palästinensische Konflikt lässt sich zwar auch als Prozess der Dekolonisierung analysieren, ist aber sowohl hinsichtlich seiner historischen Genese als auch seiner Entwicklungsdynamik ein Sonderfall.

47 Vgl. Johannsen, Margret: Lehren aus „Oslo": Der israelisch-palästinensische Friedensprozess, in: Hauswedell, Corinna (Hrsg.), Deeskalation von Gewaltkonflikten seit 1945, Essen 2006, S. 189-207.

Gleichsetzung von substaatlicher Waffengewalt und Terror[48] hat dazu geführt, dass substaatliche Waffengewalt per se als illegitim gilt, unabhängig von der Frage, ob die Angriffe militärischen oder zivilen Zielen gelten.

Insofern scheint die Hoffnung, dass eine territoriale Beschränkung des bewaffneten Befreiungskampfes auf die besetzten Gebiete zur Wiedergewinnung internationaler Legitimität führt, merkwürdig *out-of-date*. Sie hatte auf dem Höhepunkt der zweiten *Intifada* im Juni 2002 eine Reihe palästinensischer Politiker und Intellektueller dazu veranlasst, ein Ende der palästinensischen Selbstmordattentate zu verlangen.[49] Doch Waffengewalt scheint in dem seit 2001 dominanten Diskurs nur noch legitim, wenn sie vom Staat autorisiert bzw. implementiert wird. In diesem Diskurs erodiert auch das Verbot, zivile Ziele anzugreifen bzw. das Gebot der größtmöglichen Schonung der Zivilbevölkerung, dann nämlich, wenn diese unter dem Generalverdacht steht, Operations- und Rückzugsraum der Guerilla (die nunmehr mit Terroristen gleichgesetzt wird) zu sein.

6. Sicherheitsdiskurs und starker Staat

Bemerkenswert ist in diesem Zusammenhang die Parallele zu einem wissenschaftlichen Diskurs, der seit einigen Jahren, und verstärkt seit den Attentaten vom 11. September 2001, in der *policy*-orientierten Forschung gepflegt wird. Es ist der Diskurs über „fragile Staatlichkeit„ bzw. über „schwache Staaten", „scheiternde Staaten" und „gescheiterte Staaten" sowie über „Staatszerfall" als Kriegsursache.[50] In diesem Diskurs wird der Staat zur Quelle von Stabilität und Sicherheit, sofern er nicht als schwach, zerfallend oder gescheitert gilt. Bank problematisiert an dieser „Renaissance der Staatsfrage" ihren „vorwiegend funktionalistische(n) und sicherheitspolitische(n) Zuschnitt" sowie die Orientierung an einem „global gültigen Idealtypus moderner Staatlichkeit", wonach die Abweichung von dem aus der europäischen Tradition entwickelten Idealtypus das Verdikt

---

48 Vgl. Schlichte, Klaus: Der Staat in der Weltgesellschaft – Politische Herrschaft in Asien, Afrika und Lateinamerika, Frankfurt a.M. 2005, S. 279.

49 Vgl. A Palestinian Communiqué Against Martyrdom Attacks, The Middle East Media Reserach Institute, Special Dispatch Series, Nr. 393, 25. Juni 2002, in: http://memri.org /bin/articles.cgi?Page=archives&Area=sd&ID=SP39302, Version vom 15.3.2007. Zum palästinensischen Diskurs über die Außen- und Binnenwirkung der so genannten Märtyreroperationen vgl. Johannsen, Margret: Rituale der Vergeltung. Zur palästinensischen Gewaltdebatte, in: Blätter für deutsche und internationale Politik, Jg. 48, Nr. 5 (2002), S. 575-584.

50 Vgl. Schneckener, Ulrich: States at Risk – Zur Analyse fragiler Staatlichkeit, in: derselbe (Hrsg.), States at Risk. Fragile Staaten als Sicherheits- und Entwicklungsproblem, Stiftung Wissenschaft und Politik, SWP-Studie S 43, Berlin, November 2004, S. 5-27.

der Schwäche, des Zerfalls oder des Scheiterns riskiert.[51] Ausgeblendet werden dabei allerdings Faktoren externer Verursachung wie koloniale Hypotheken oder die neoliberale Form des Globalisierungsprozesses, die für Hippler einen „höchst wichtigen Faktor (bildet), der bereits bestehende Strukturschwächen und Konfliktpotenziale entscheidend verschärfen" und zur Auflösung des Staatsapparats führen kann.[52]. Parallel zu diesem Diskurs und von ihm mit akademischen Weihen versehen wurde das so genannte „State-building" zu einem Exportschlager in Kontext internationaler Interventionen.[53]

Der Staat wird in dieser Sichtweise zur Quelle der Legitimität in bewaffneten Auseinandersetzungen und wird in einem sehr weitgehenden Sinne von den völkerrechtlichen Restriktionen der Ära vor dem 11. September 2001 befreit. Ein Element dieses Vorgangs ist das Plädoyer für die Einführung von zweierlei Maß im Völkerrecht. So plädiert Herfried Münkler, der Verfasser des bereits zitierten Buches über die „neuen Kriege", dafür, die gültigen Normen des Völkerrechts auf bewaffnete Konflikte zwischenstaatlicher Natur zu beschränken. In grenzüberschreitenden gewaltsamen Auseinandersetzungen mit substaatlichen Akteuren will Münkler die Staaten von den Vorschriften des Völkerrechts „befreit" agieren lassen. Er begründet sein Plädoyer für die „Einführung von Doppelstandards„[54] damit, dass substaatliche Akteure sich in aller Regel nicht an die Vorschriften der humanitären Völkerrechts halten. Der Staat hingegen, der dies tut, könne seine Vorteile in dem asymmetrischen Kräfteverhältnis, sprich: seine militärische Stärke, nicht ausspielen. Die Normen des Völkerrechts begünstigten daher die substaatlichen Akteure – in unserem Falle: die palästinensische Hamas und die libanesische Hisbollah.[55]

Nun haben beide Organisationen auch vor den Anschlägen vom 11. September 2001 gekämpft und neben militärischen Zielen auch Zivilisten angegriffen. Aber das Plädoyer aus der deutschen Politikwissenschaft da für, das Völkerrecht in der Weise weiterzuentwickeln, dass z.B. „Luftangriffe auf die (zivile) Infrastruktur, Elektrizitats- und Wasserwerke einge-

---

51 Vgl. Bank, André: Staatskonzeptionen und der Vordere Orient – Genese, politsoziologische Trends und Forschungsperspektiven, in: Albrecht, Holger (Hrsg.), Politik, Wirtschaft und Gesellschaft im Vorderen Orient – Festschrift für Peter Pawelka, Baden-Baden, 2007 (in Vorbereitung).

52 Hippler, Jochen: Failed States und Globalisierung, in: Aus Politik und Zeitgeschichte, Nr. 28-29/2005, 11. Juli 2005, S. 3-5 (5).

53 Vgl. Schlichte, Klaus: Der Staat in der Weltgesellschaft – Politische Herrschaft in Asien, Afrika und Lateinamerika, Frankfurt a.M. 2005, S. 286.

54 Vgl. Münkler, Herfried: Asymmetrie und Kriegsvölkerrecht. Die Lehren des Sommerkrieges 2006, in: Die Friedens-Warte, Bd. 81, Nr. 2 (2006), S. 59-65, hier S. 62.

55 Vgl. auch Wolffsohn, Michael: Land für Unfrieden –Guerillakriege verstehen, in: Die Friedens-Warte, Bd. 81, Nr. 1 (2006), S. 191-195 (193.).

schlossen" als „Alternative zum direkten Angriff"[56] nicht länger gemäß den Regeln des Kriegsvölkerrechts tabuisiert sind, ist ein neues Phänomen – vielleicht vergleichbar mit der Enttabuisierung von Folter.[57] Die Anschläge des 11. September 2001 haben mithin nicht nur zu einem Paradigmenwechsel in der internationalen Politik, sondern auch zu einem solchen im akademischen Diskurs der Sozialwissenschaften geführt. Dieser Diskurs besitzt durchaus das Potential, zum Lieferanten von Legitimität für eine Politik zu werden, die endlich die normativen völkerrechtlichen Restriktionen abschütteln will, weil sie den Staat als schrankenlos tätigen globalen Akteur zu ihrem Idealbild erhebt.

Was folgt aus den obigen Feststellungen? Wenn und solange äußeren Akteuren die Aufgabe zufällt, den Konfliktparteien den Weg zu einer Konfliktlösung zu ebnen, dann führt für die substaatlichen Akteure kein Weg daran vorbei, sich die Respektabilität einer staatlichen Instanz zu verschaffen. Wie die Fälle der Hisbollah und der Hamas zeigen, hat dieser Weg allerdings seine Tücken, der eine besondere Qualität der oben aufgezeigten Fixierung auf den Staat als Stabilitätsanker in einer sich entterritorialisierenden Welt offenlegt: Diese Fixierung ist nämlich keineswegs wertneutral. Sie gilt nur höchst eingeschränkt für Akteure, die sich nicht allein an den vom Westen geprägten Konventionen der Staatengemeinschaft orientieren, sondern daneben eine grenzüberschreitende Bindung an die Gemeinschaft der islamischen *Umma* eingegangen sind. Regierungsverantwortung schützt nicht vor Isolierung und Boykott,[58] im Falle des palästinensischen Noch-Nicht-Staates vor funktionalen Äquivalenten für die Kategorisierung als Schurkenstaat. Die spezifische Fixierung auf den Staat, wie ihn der Westen will, hat insofern auch eine hegemoniale Qualität.

Wenn die EU das riskieren will, dass Akteure, die sich auf den Weg von einer Widerstandsbewegung zur politischen Partei gemacht haben, „sich auf ihren Ansatz als militante Widerstandsbewegung (plus gesellschaftlicher Arbeit) zurückbesinnen",[59] wäre ihr zu raten, bei den internen Auseinandersetzungen in den palästinensischen Selbstverwaltungsgebieten sowie im Libanon nicht durch die offene Unterstützung einer Partei die Kompromissbildung zu erschweren und auf diese Weise zusätzlich zu zündeln. Der Dialog mit Islamisten, insbesondere solchen in Regierungsver-

---

56 Münkler: Asymmetrie, a.a.O., S. 65.

57 Vgl. Reemtsma, Jan-Philipp: Folter im Rechtsstaat? Hamburg 2005.

58 Vgl. Johannsen, Margret: Kein Bürgerkrieg in Palästina. Chance zum Neueinstieg in den Friedensprozess, in: Schoch, Bruno /Heinemann-Grüder, Andreas /Hippler, Jochen /Weingardt, Markus /Mutz, Reinhard (Hrsg.), Friedensgutachten 2007, Münster 2007, i.E.

59 Asseburg, Muriel: Die palästinensische Hamas zwischen Widerstandsbewegung und Reformregierung, in: dies. (Hrsg.), Moderate Islamisten als Reformakteure. Rahmenbedingungen und programmatischer Wandel, Stiftung Wissenschaft und Politik, SWP-Studie S5, Berlin, Februar 2007, S. 39-44, hier S. 44.

antwortung, kann unter ihnen die Kräfte stärken, die eine Verhandlungslösung des Nahost-Konflikts anstreben. Dazu muss allerdings gleichgewichtig eine solidarische Kritik an der israelischen Besatzungspolitik und an der Verweigerung von Verhandlungen mit den arabischen Nachbarn kommen, mit denen Israel sich formell noch immer im Kriegszustand befindet. Ohne eine Lösung der israelisch-arabischen Territorialkonflikte haben die Kräfte in der Region schlechte Karten, die anstatt auf das Recht des Stärkeren auf die Stärke des Rechts setzen – seien das nun Staaten oder Befreiungsbewegungen. Es geht, wie Kaldor schreibt, darum, Legitimität zu rekonstruieren, die in der Freund-Feind-Beziehung der neuen Kriege verloren gegangen ist. Die neue politische Legitimität, die sie im Auge hat, kann nur auf der Basis von demokratischer Zustimmung (*popular consent*) und Völkerrecht entstehen und gedeihen.[60]

60 Vgl. Kaldor, Mary: Old Wars, Cold Wars, New Wars, and the War on Terror, in: International Politics, Jg. 42, Nr. 4 (2005), S. 491-498, hier S. 497.

Friedenserziehung und Militärdienstverweigerung in Israel als Prüfsteine für die Entwicklung einer Friedensperspektive mittels zivilgesellschaftlicher Veränderung

Michael Ingber

Einleitung

Die Perspektiven für Frieden in dem israelisch-palästinensisch-arabischen Konflikt scheinen nun (Winter 2007) auf einem Tiefstand zu sein. Die Ereignisse des Sommers und Herbstes 2006 zeigten, dass die politischen bzw. diplomatischen Kräfte innerhalb sowie außerhalb der Region ihre langjährige Unzulänglichkeit einer Friedensanbahnung nicht überwunden haben.

Vor dem Hintergrund dieser Lähmung der politisch-diplomatischen Ebene erhebt sich die Frage, ob es Zeichen einer Veränderung von „unten", d.h. aus der israelisch-jüdischen Gesellschaft heraus gibt (auch wenn noch im Keim), die auf die politische Ebene eine Auswirkung in Richtung der Entwicklung eines Versöhnung suchenden Zugangs zur Beendigung des Konflikts haben könnte. Dieser Beitrag hat das Ziel, diese mögliche innerisraelische Dynamik an Hand der zwei im Titel erwähnten Prüfsteine zu analysieren und eine Einschätzung vorzulegen, in wieweit solche Elemente Hoffnung auf einen Kurswechsel zulassen.

Als Prüfsteine für die Entwicklung einer derartigen Friedensperspektive mittels gesellschaftlicher Veränderung haben wir „Friedenserziehung" und „Militärdienstverweigerung" ausgewählt, in der Annnahme, dass sie eine wichtige Rolle auch in der Bewusstseinsbildung der europäischen Gesellschaft in der Nachkriegszeit gespielt haben und noch spielen (Nolz 1993). Deshalb erscheint es uns hilfreich, bestimmte Parameter dieser europäischen Erfahrung näher zu beleuchten.

Friedensorientierung in Westeuropa

Nach dem Zweiten Weltkrieg war es für die Politikwissenschaft ein zentrales Anliegen, die Entwicklungen in Deutschland und Österreich nach der

NS-Zeit zu beobachten und dokumentieren. Amerikanische Wissenschaftler hatten in den 50er Jahren prophezeit, es werde mindestens hundert Jahre dauern, bis Deutschland eine demokratische politische Kultur entwickelt hätte, die der seiner westlichen Nachbarn entspräche. Schon dreißig Jahre später bezeichneten dieselben Politologen die Bundesrepublik Deutschland als eine der stabilsten Demokratien Europas (Greiffenhagen 1999).

In den meisten Ländern Westeuropas gab es politische und soziale Entwicklungen, die einigermaßen synchron liefen und zu relativ stabilen Verhältnissen führten. Heute trägt neben der wechselseitigen wirtschaftlichen Abhängigkeit und intensiven Kontakten auf allen Ebenen, die nationale Alleingänge oder Rückfälle einzelner Staaten in gewaltsame Formen von Konfliktlösungen unwahrscheinlich machen, auch die gesellschaftliche Ausrichtung in den Staaten zu einer Ablehnung militärischer Engagements bei. „Strukturelle Verletzbarkeit der Gesellschaft steht einer hohen Wertschätzung des Individuums gegenüber. Beides zusammen erklärt die Tatsache, dass es eine spezifische Gewalthemmung im Umgang zwischen demokratischen Staaten gibt. Moralisch-ethische, politische, sozioökonomische und ökologische Gründe sind für die Infragestellung von Krieg und Militär maßgebend geworden. Bellizistische Strömungen finden in dieser Situation keine gesellschaftliche Grundlage.“ (Bächler 1996, S. 280).

Entstehung und Merkmale europäischer Friedenserziehung

Mit Hinblick auf die Situation in Israel interessieren wir uns hier besonders für zwei Bereiche in der europäischen Friedenserziehung: 1.) Abbau autoritärer Strukturen bzw. Förderung individueller Entscheidungskompetenz und 2.) Erziehung zu Toleranz bzw. Bejahung von Pluralismus und „interkulturellem Lernen“.

Viele Überlegungen zur Friedenserziehung in Europa beschäftigten sich mit dem Spannungsfeld gesellschaftlicher Normen und Anpassungsnotwendigkeit einerseits und Selbstverantwortlichkeit und Mündigkeit gegenüber staatlichen Autoritäten andererseits. Mit Recht wurde von Sozialpsychologen in autoritären Strukturen und Obrigkeitshörigkeit jener Boden vermutet, der in der 1. Hälfte des vorigen Jahrhunderts zur Herausbildung von Menschentypen führte, die für faschistische Propaganda anfällig waren, weil sie „Ich-Schwäche“ aufwiesen. Derart geprägte Menschen sind für nationalistische und rassistische Ideologien und ihre Propagandisten sehr empfänglich und wurden zu Tätern bzw. zu jenem Heer an Zuschauern, ohne die dem Nationalsozialismus der Boden entzogen worden wäre.

Dieses Phänomen zu verstehen war eines der Ziele Adornos; im Mittelpunkt seiner Untersuchungen stand das potentiell faschistische Individuum und dessen besondere Anfälligkeit für antidemokratische Propaganda. Dabei wurde von der Hypothese ausgegangen, dass die politischen, wirtschaftlichen und gesellschaftlichen Überzeugungen eines Individuums häufig ein umfassendes Muster bilden. Adorno deckte die Rolle der verborgenen Ängste und Abwehrmechanismen auf und zeigte, wie sie an der Oberfläche Trends wie Antisemitismus, Ethnozentrismus und politisch-wirtschaftlichen Konservatismus zum Vorschein bringen. Er fand u.a. eine weitgehende Korrelation zwischen Antisemitismus und antidemokratischem Denken und eine Parallele zwischen funktionaler Religionsgläubigkeit und Ethnozentrismus (Adorno 1995; Schäfers 1993; Greiffenhagen 1999).

So entwickelte sich der pädagogische Grundsatz, der Reproduktion des autoritären Charakters entgegenzuwirken. Konsequente Demokratieerziehung, Bewusstmachung von Minderheitenrechten und Förderung jener Persönlichkeitsmerkmale, die eine Immunisierung gegenüber autoritären, menschenverachtenden Tendenzen im Umfeld nach sich ziehen würden, waren die Schwerpunkte dieses Konzepts. Kompetenzen wie der kritische Umgang mit Informationen und Medien oder das Entwickeln eines reflektierten Geschichtsbewusstseins waren Folgen davon.

Eine positive Bewertung von Pluralismus einer Gesellschaft, die bestehende unterschiedliche Interessen akzeptiert und deren individuelle Verwirklichung, Vertretung und Artikulation als legitim und erwünscht betrachtet, setzte sich einigermaßen durch. Auch der Entstehung von Stereotypen und Vorurteilen – meist durch elterliche Prägung – wurde nachgegangen und der Bedarf erkannt, im Rahmen der Politischen Bildung in den Schulen entgegenzuwirken.(Gugel/Jäger 1999)

In der interkulturellen Kompetenz wurde der Schlüssel erkannt, ethnozentrische Haltungen zu überwinden. Sie wurde definiert als „Erweiterung der eigenen Wahrnehmungsfähigkeit für Fremdes sowie als die Fähigkeit, das andere als anders zu akzeptieren“ und von der UNESCO seit 1992 als Kern der Friedenserziehung bezeichnet (Gugel/Jäger 1994, S. 51). Die Loyalität gegenüber dem Nationalstaat sollte ersetzt werden durch die Entwicklung neuer „multipler Loyalitäten“ (Nicklas/Ostermann 1993, S. 66, zietiert nach Gugel/Jäger 1999).

Für den Erfolg des interkulturellen Lernens wurden einige wesentliche Voraussetzungen getroffen: „Gewaltverzicht als Basis des gegenseitigen Umgangs; die Fähigkeit, die eigene Lebensweise und die damit verbundenen Normen und Werte als nur eine Art zu leben zu sehen ... und nicht zum Maßstab für andere zu machen. D.h. andere kulturelle Werte und Normen als gleichberechtigt gelten zu lassen und die eigenen in Frage stellen zu können; die Fähigkeit, Fremdes angstfrei ertragen zu können; die Fähigkeit, Konflikte auszuhalten und konstruktiv auszutragen.“ (Gugel/Jäger 1994, S. 51).

Friedenserziehung im israelischen Kontext

Friedliche Koexistenz und *kollektive Narrative* – Hauptanliegen engagierter Friedensprogramme

Seit mehreren Jahrzehnten arbeiten Sozialwissenschaftler und Erzieher in Israel an Erziehungsprogrammen, die durch die Vermittlung von Werten, Fähigkeiten und Verhaltensweisen friedliche Koexistenz fördern sollten. Es gibt mittlerweile eine große Anzahl von solchen Programmen (2004 waren es etwa 300, mit mehr als 150.000 Mitarbeitern und Teilnehmern) nicht nur in Schulen, sondern auch in Gemeindezentren, Vereinen etc., fast alle basierend auf psychologischen Theorien, aber sehr unterschiedlich bezüglich ihrer Zielsetzungen und Methoden.

Hier soll angemerkt werden, dass in Israel das Wort „Koexistenz" benutzt wird, um die friedliche Existenz der zwei innerhalb Israel lebenden Völker, des jüdischen und des arabischen, mit- bzw. nebeneinander zu bezeichnen. Der Begriff ist mit politischen Bedeutungen schwer beladen und wurde zu verschiedenen Zeiten von jeder Gruppe unterschiedlich interpretiert. Im Allgemeinen kann man sagen, die Mehrheit der Juden versteht Koexistenz in Begriffen von gesellschaftlichen und zwischenmenschlichen Beziehungen, während auf der arabischen Seite dies in politischen und zivilen Kategorien verstanden wird sowie in Bezug auf Interaktion von Gruppen (Stephan 2004, S. 238).

Eine Evaluierung mehrerer Programme ergab, dass sie dort einen positiven Effekt hatten, wo die Schwierigkeiten auf Ethnozentrismus beruhten, wo es jedoch ungelöste (ethnisch-nationale) Groß-Gruppen-Konflikte gab, hatten solche Programme wenig Einfluss (Bar-Tal 2004, S. 253). Die Hauptkomponenten einer friedlichen Koexistenz beinhalten nach D. Bar-Tal nicht nur die Akzeptanz der anderen als Individuen mit legitimen Bedürfnissen, Hoffnungen und Zielen, sowie gewaltfreies Verhalten, sondern auch die Anerkennung des Rechts der anderen Gruppe auf ethnische, religiöse, kulturelle und nationale Identifikation. Jede Gruppe sollte bereit sein, sich mit den Beschwerden der anderen auseinanderzusetzen, weil sie als Ursachen für die Verschlechterung der Beziehungen zwischen den Gruppen fungieren. (Bar-Tal 2004, S. 256-7, 268).

Eine andere Strategie der Friedenserziehung konzentriert sich auf die Rolle der kollektiven Narrative. Kollektive Narrative sind die umfassenden Sammlungen von Erzählungen der eigenen Geschichte und auch gegenwärtigen Erklärungen, die eine Gruppe über sich und ihre Umgebung glaubt, sie sind somit soziale Konstrukte, die Identität stiften. In Konfliktsituationen ist das Narrativ der jeweils anderen Gruppe unerwünscht und unakzeptabel. Diese Delegitimierung liegt am Kern des soziopsychologischen Aspekts des Konflikts, weshalb ein effektives Erziehungsprogramm kollektiven Narrativen besondere Beachtung schenken sollte (Salomon 2004, S. 274-277). Nach G. Salomon sollte eine allmähliche Legitimierung des kollektiven Narratives der anderen Seite stattfinden, was nicht bedeutet, dass man sein eigenes aufgeben müsste, sondern heißt, das andere Narrativ als berechtigt zu betrachten.

Die größte Hürde ist die Veränderung der Perspektive, um die Rolle der eigenen Gruppe als Verursachung der z.T. leidvollen Erfahrungen der Anderen zu erkennen. Solange die Beziehung zum eigenen Narrativ unkritisch ist, bleibt die Anerkennung des eigenen Beitrags zum Konflikt versperrt. Die Entwicklung einer kritischen Beziehung ist „ein seelisch schmerzhafter Prozess“ (Salomon, Bar-On nach Salomon 2004, S. 278f). Auch S. Ben-Porath sieht in dieser Anerkennung und einer folgenden Phase von Vergebung und Versöhnung Schlüsselthemen für Friedenserziehungsprogramme im Rahmen der politischen Bildung (Ben-Porath 2006, S. 93-103). Doch unter den vielen Programmen sind nur einzelne, die sich mit der Konfrontation von Narrativen beschäftigen (vgl. Firer/Adwan 2004; Adwan/Bar-On 2003).

Expertenkommissionen und Widersprüche in den Bemühungen zur Friedenserziehung

Anfang bzw. Mitte der 90er Jahre gab es von Seiten des Bildungsministeriums einberufene Expertenkommissionen zu zwei relevanten Themen: 1.) Die Handhabung des Unterrichts der so genannten „jüdischen Fächer“ (Geschichte des jüdischen Volkes, jüdische Tradition und Literatur, Geschichte des Zionismus u.ä.) im Spannungsfeld einer pluralistischen Gesellschaft; und 2.) die Entwicklung eines umfassenden Curriculums für den Unterricht von *civics*.

Die Ausschüsse untersuchten den Istzustand und formulierten danach wünschenswerte Veränderungen und Empfehlungen. Die Mitglieder der Ausschüsse setzten sich aus religiösen und säkularen Wissenschaftlern, Pädagogen und Intellektuellen zusammen. Im zweiten Ausschuss, dessen Empfehlungen für alle staatlichen Schulen, jüdischen wie arabischen, verpflichtend sein sollten, war von den 13 Mitgliedern nur ein israelischer Araber/Palästinenser (d.h. 7,5 %, obwohl die palästinensischen Bürger etwa 18 % der Gesamtbevölkerung des Staates ausmachen).

Im Vorwort der Broschüre des 1. Ausschusses wird erklärt, dass die grundsätzlich pluralistische Orientierung des allgemeinen Schulsystems gegenüber dem Judentum (im Gegensatz zu dem Verhältnis in den religiösen Schulen) zu einer Spannung führt. Aus der Sicht des Ausschusses ist die Auseinandersetzung mit solchen Streitfragen „durch demokratische

Mittel und mit Respekt und Toleranz gegenüber anderen Meinungen und mit einer Bereitschaft, Neues und Andersartiges zu akzeptieren, ein Teil des Wesentlichen des Bildungsprozesses in der allgemeinen Schule.“ Hier zeigt sich das Bemühen um Offenheit und Pluralismus innerhalb der an Diversität reichen jüdischen Strömungen, jedoch nicht in dem oben angesprochenen Sinn eines *inter*kulturellen Dialogs, dieser bleibt hier weitgehend ausgespart. Die Forderung, „die allgemeine (säkulare) Schule sollte sich nicht vor dem (religiösen) Fanatismus beugen“, drückt die Sorge vor einer Vereinnahmung durch ultra-religiöse Kräfte aus, was allerdings den gerade als wünschenswert dargestellten breiten Pluralismus entgegensteht.

In seinem Bericht beklagt der Ausschuss die Minderung des Status der jüdischen Fächer. Die Ursachen dafür werden in den gesellschaftlichen Veränderungen in einer globalisierten, auf Konsum hin orientierten Welt gesehen „die die Möglichkeit einer Generation gefährdet, der nächsten Generation zuverlässiges Wissen zu vererben ... Die Resultate all dessen sind Unsicherheit, Streit, Ignoranz und Fanatismus, die eine reale Bedrohung für die israelische Gesellschaft und für ihre Chancen, eine Kultur der geistigen Weite zu schaffen, darstellen.“

Aus diesen Ausführungen ist zu entnehmen, dass neben der Sorge um einen Werteverlust vor allem die Sorge um eine Verunsicherung der israelisch-jüdischen Identität und um einen Kontrollverlust im Vordergrund steht. Was bedeutet jedoch diese ängstliche, besorgte Einstellung für die Möglichkeit, die eigene Identität und das kollektives Narrativ der eigenen ethnisch-religiös-nationalen Gruppe kritisch zu untersuchen, so wie es oben als wesentlicher Faktor für eine Erziehung zur friedlichen Koexistenz dargestellt wurde? Die Angst vor einem weiteren Fortschreiten technologischer und globaler Entwicklungen und vor dem möglichen Entgleiten vor allem zionistischer Werte und der sich darauf aufbauender Identität ist implizit und verhindert den anfangs bejahten Pluralismus. Eine weitere Auffälligkeit ist die Ausblendung sowohl des Beitrags der nicht-jüdischen d.h. der arabischen Gesellschaft Israels zur nationalen (nicht ethnischen) Kultur als auch der möglichen Auswirkungen solcher jüdischen Bestrebungen auf diese Bürger.

Aus den „Prinzipien für das Unterrichten der jüdischen Fächer“:

- Betonung der jüdischen Fächer als Instrumente für den Aufbau einer Weltanschauung.
- Das Unterrichten der Geschichte des Volkes Israel, seiner Werke und Kultur soll der nationalen und kulturellen Sozialisierung der Schüler dienen. Die Einzigartigkeit der Kultur Israels soll im positiven Kontakt mit den Weltkulturen dargestellt werden.
- Der Lernprozess sollte Studium, Kritik und Diskussion enthalten, um das Gefühl der Identität, der Zugehörigkeit und der Verantwortung der

Schüler für ihre Zukunft und für die Gesellschaft im Staat Israel zu stärken.

- Beim Unterrichten der Geschichte Israels sollten das Schicksal der jüdischen Gemeinschaften in der Diaspora und ihre vielfältigen kulturellen Leistungen betont werden.
- Das Studium soll sich mit der Stellung des Antisemitismus in der modernen Welt und mit der zentralen Bedeutung der *Scho'ah* beschäftigen.
- Beim Unterrichten der Geschichte der zionistischen Bewegung soll ihre Einzigartigkeit vor dem Hintergrund der Geschichte Israels und ihr revolutionärer Charakter als Lösung für das Problem der Juden in der modernen Welt dargestellt werden.

Fast alle diese Prinzipien des empfohlenen Lehrplans beschäftigen sich mit dem Vermitteln und Verinnerlichen der Besonderheit der jüdischen, aber in erster Linie zionistischen Werte und Leistungen. Zentral in diesem Lehrplan ist auch, wie schon in vorhergehenden Lehrplänen, die Stellung des Holocausts (mit seinen Lektionen, in der expliziten Reihenfolge „zionistisch, jüdisch und universell"), ohne Rücksicht auf die damit verbundene psychologische Gefahr der Pflege existenzieller Ängste zu nehmen oder einer „Arroganz des Leidens" (vgl. Elkana, zitiert nach Zuckermann 1999, S. 19-22; Ingber 2007) entgegenzuwirken. (Alle Zitate und Inhalte aus dem Bericht nach Shenhar 2002, S. 8-15).

Nun zu den Ergebnissen des zweiten Ausschusses, der sich mit dem Unterrichten von *civics*, politischer Bildung, beschäftigt. Darin wird eine klare Aussage getroffen über Problembereiche der israelischen Gesellschaft im Bereich der Politischen Bildung: Es fehle die Verinnerlichung des Konzepts der Demokratie als einer Regierungsform, die die Rechte des Individuums schützen und die Rechte verschiedener Gruppen bewahren soll. Defizite werden erkannt in Hinblick auf die Verankerung universeller Werte in Einstellungen gegenüber Arabern und ultra-orthodoxen Juden. Es seien auch Mängel im Verständnis der universellen Basis der Zivilrechte erkennbar sowie des Verhältnisses zwischen Rechten und Pflichten. Es fehle auch an Pflichtbewusstsein, die Rechte der anderen Individuen zu schützen.

Weiteres werden als problematische Phänomene eine überwiegend positivistische Art des politischen Denkens auf Kosten der normativen Aspekte der Handlungen erkannt sowie ein Mangel an Respekt vor dem Gesetz. Umgekehrt gebe es eine legalistische Sicht von Normen (was nicht gesetzlich verboten ist, ist in Ordnung) und eine schlechte Diskussionskultur, insbesondere wenig Bereitschaft, zuzuhören (Civics 1996, S. 9-12; vgl. Handelsblatt 17.3.2007).

So sehr die Schonungslosigkeit des Berichts überrascht, so sehr bleiben die Empfehlungen des Ausschusses zur Behebung dieser als problematisch erkannten Mängel vage. Auffällig ist das Fehlen einer Forderung für die Entwicklung eines kritischen Zugangs zu Medien und Informationen aller Art.

Das Ziel sei die Erziehung zu „good citizenship“ im Staat Israel „als einem jüdischen und demokratischen Land.“ Und weiter: „Die jüdische Natur des Staates Israel wird durch folgende Aspekte ausgedrückt: eine jüdische Bevölkerungsmehrheit, die zionistische Ideologie und die Vision der Rückkehr nach Zion, die Verbindung zur jüdischen Diaspora, die Verbindung zur jüdischen historischen Kultur und die Staatssymbole und -zeremonien.“ Weiter unten im Bericht heißt es:

> „Als demokratischer Staat ist Israel seit der Gründungserklärung verpflichtet, die Gleichheit der Rechte und des Status all seiner Bürger, Juden und Nicht-Juden zu fördern, sowie die Rechte seiner nicht-jüdischen Bürger, deren große Mehrheit der palästinensisch-arabischen Nation zugehört, zu schützen, ihr kulturelles, religiöses und nationales Erbe und ihre Identität zu pflegen ... *Civics education* zielt auf die Integrierung und Adaptierung dieser Elemente des Staates“. (Civics 1996, S. 12-21)

Aus diesem letzten Absatz geht ein Dilemma der Demokratieerziehung in Israel klar hervor: Der Versuch, die Identifikation mit dem Staat zu stärken, indem man die jüdische Tradition, die zionistische Ideologie und die eigene Geschichte bejaht, führt zu Defiziten in der Fähigkeit, eben diese Tradition und das zionistische Narrativ zu hinterfragen, eine Vorbedingung zu einem reflektierten Geschichtsbewusstsein und zur Überwindung ethnozentrischer Sichtweisen. Wie die „Synthese“ der beiden Bestrebungen aussehen soll, mit welchen Methoden sie erreicht werden soll, bleibt in diesem Dokument im Dunkeln.

Der Ausschuss postuliert, dass es keinen Gegensatz geben soll zwischen den Zielen, einerseits das Gemeinsame zu betonen, und andererseits den jüdischen Fächerkanon, der auf eine Vertiefung eines nationalen, religiösen und kulturellen Bewusstseins zielt, zu fördern; im Gegenteil, ein Schöpfen der universellen demokratischen Werte aus den Quellen der eigenen Kultur wird empfohlen (Civics 1996, S. 13). Hier liegt die Annahme zu Grunde, dass die Ableitung universeller Werte wie die der Menschenrechte aus der eigenen religiösen Tradition bessere Ergebnisse erzielen würde, als eine Übernahme (in diesem Fall von der westlichen humanistischen Tradition). Eine besondere Gewichtung in diesem Zusammenhang erhält das Thema Menschenwürde, das nach den Empfehlungen des Ausschusses als zentrale Achse für eine Diskussion über Demokratie dienen soll. Ein Ziel dieses Programms sei „die Schaffung von Sensibilität und Motivation, die Menschenrechte im allgemeinem und insbesondere die Rechte der schwächeren, verletzbaren Gruppen zu schützen ... der Zustand dieser Rechte sollte nicht nur theoretisch sondern auch tatsächlich geprüft werden.“ (Civics 1996, S. 15).

Im Anschluss an die Arbeit beider Ausschüsse wurde im Bildungsministerium eine Abteilung eingerichtet, deren Hauptaufgabe es ist, die Empfehlungen beider Kommissionen zu verflechten und umzusetzen (vgl. Educ. Minis.). Es soll nicht unerwähnt bleiben, dass diese Abteilung eine andere, 1986 gegründete Abteilung für „Erziehung zur Demokratie und Koexistenz" ersetzt. In deren Rahmen wurden viele Programme für eine Zusammenarbeit von israelischen arabischen und jüdischen Schülern entwickelt, mit dem Ziel, mehr über die Anderen, ihr Erbe und ihre Kultur zu lernen. Die Einrichtung dieser Einheiten beruhte auf der Annahme, dass so Stereotypen und Vorurteile bekämpft werden könnten. „Durch dieses Programm entstehen dauerhafte Freundschaften, und so werden Teenager als die nächste Generation von Peacemakers vorbereitet." (vgl. oben Friedenserziehungsprogramme)

Auch wenn engagierte Pädagogen solche Projekte weiterhin durchgeführen, die der Begegnung dienen, und potentiell die Feindseligkeit zwischen den Völkern abbauen sollen, bleibt die politische Kontextualität ausgespart. Der Schwerpunkt solcher Bemühungen liegt auf der Suche nach Methoden zur Verringerung von Gewalt, doch die Konzentration auf persönliche Beziehungen zwischen Peers beider Seiten, im Sinne von *„how to get along*", schafft kein tieferes Verständnis der grundsätzlichen Problematik (Ben-Porath 2006, S. 63).

Bei der Analyse der Auswirkungen solcher Projekte und auch der neuen Projekte im Rahmen der Demokratieerziehung ist eine Quantifizierung unerlässlich. Aufgrund der Schulautonomie in Israels Erziehungssystem finden die oben beschriebenen neuen Programme von *civics*, mit einer Erhöhung der Stundenzahl auf zwei Wochenstunden, nur in etwa 100 Schulen statt, im kommenden Schuljahr (2007-2008) sollen es 200 sein. In der Mehrzahl der Schulen wird Staatsbürgerkunde im herkömmlichen Sinn mit einer Wochenstunde in der 11. oder in der 12. Klasse unterrichtet. Die Auswirkungen der Empfehlungen können daher als begrenzt angenommen werden (Angaben der genannten Abteilung im Gespräch mit dem Verfasser am 3.1.2007).

Der inhaltliche Schwachpunkt an den neuen Programmen ist die generelle Ausklammerung des Konflikts aus der Betrachtung. Die beschriebenen Zugänge akzeptieren, wenn auch nicht ausdrücklich, die gängigen Erklärungsmuster des politisch-nationalen Konflikts und seiner Genese. So wird das Hauptanliegen jedes friedenspädagogischen Wirkens, durch Konfrontation mit den unterschiedlichen Narrativen wechselseitiges Verständnis zu schaffen, eigentlich verfehlt (Ben-Porath 2006, S. 61).

Konterkarierung der friedenspädagogischen Ziele – Militärs besuchen Schulen

Haben wir oben von einer begrenzten Auswirkung der erwähnten Programme gesprochen, muss man ihren Effekt noch weiter in Frage stellen, wenn man weiß, dass an sehr vielen Schulen an den Oberstufen, Programme zur Vorbereitung auf das Militär durchgeführt werden. Ein Programm heißt *Gadna* (ein Akronym für *gdud no'ar*, Jugend Bataillon) und in seiner neuesten Version (im Schuljahr 2006-2007) dauert es jeweils eine Woche und umfasst neben Informationen über die Armee auch militärische Aktivitäten wie Schießübungen, Gruppenwanderungen bei Tag und Nacht in quasi-Kommando-Gruppen sowie die Prüfung der physischen und psychischen Belastbarkeit.

Insgesamt befinden sich etwa 73.000 jüdische SchülerInnen in den 11-ten Klassen der staatlichen Schulen, und davon nehmen zwischen 16.000 und 19.000 an diesen Programmen teil. Im Erziehungsministerium gibt es Pläne, diese Zahl bedeutend zu erhöhen. (Kashti, 1.1.2007).

Unter den Themen der Vorträge, die in dieser Woche, neben den oben erwähnten Aktivitäten gehalten werden, sind: Pflichten und Privilegien eines Soldaten; Terrororganisationen; Hymne, Fahne, Symbole; Die israelische Armee – die Armee des Volkes; Gefangene und Verschwundene; Gehorsam beim Militär (IDF, 3.1.2007).

Vor zwei Jahren startete ein anderes, drei-jähriges Programm namens „Die nächste Generation". Es sollte die Jugendlichen zu einem „sinnerfüllten" Militärdienst motivieren, womit gemeint ist, dass sie sich zu Kampfeinheiten bzw. für eine Offizierslaufbahn melden sollten. Der Hintergrund für dieses Programm ist die Tatsache, dass „der Wehrdienst zu einer Frage der freien Wahl anstelle einer Verpflichtung geworden ist". Im Zuge dieses umfassenden und auf pädagogische Kontinuität abzielenden Programms sind ranghohe Offiziere in Schulen im Einsatz. Da in manchen Gebieten Israels bis zu 20 % der Jugendlichen nicht zur Armee gehen wollen, wie z.B. in bestimmten wohlhabenden Wohnbezirken der kosmopolitischen, auch „hedonistisch" genannten Stadt Tel Aviv, hat das Ministerium auf Anregung der Armee beschlossen, künftig bereits unter den Schülern der zehnten Klassen zu eruieren, wer nur geringe Neigung zum Wehrdienst zeige. Diese Jugendlichen sollen dann von pädagogischen und militärischen „Begleitern" gesondert betreut werden (Bremer, 3.1.2005; Greenberg, 8.9.2006; Hagen, 29.8.2006; Smedjeback, 17.1.2005; Kashti, 1.1. 2007).

Außerdem sollen jene Schulen festgestellt werden, bei denen die Zahl der Schulabgänger, die sich zur Armee melden, wiederholt unter dem nationalen Durchschnitt liegt. „... und wir werden einen Weg finden, den Schulen diese Information zukommen zu lassen, um die Notwendigkeit des

Wehrdiensts zu unterstreichen“, so Brigadegeneral Elazar Stern, Chef der Human Resources Abteilung der IDF, in einem Interview mit dem Armeesender. (Greenberg, 29.8.2006)

In Israel werden beide Programme von Wissenschaftlern und Experten im Erziehungsbereich zum Teil scharf kritisiert. Es gab auch Elternproteste sowie Proteste von Schülern in Tel Aviv, doch mehrheitlich gibt es Zustimmung (Kashti, 1.1.2007).

Eine sich erhebende Frage ist auch, inwiefern LehrerInnen, die einerseits die Motivation zum Militärdienst mitverantworten müssen, andererseits individuelle, mündige Entscheidungen von Jugendlichen fördern sollen, unter den gegebenen Bedingungen beiden Aufgaben gerecht werden können.

Wir sehen, dass trotz Bemühungen für Friedenserziehungsprogramme, das Erziehungssystem in keiner Weise militärischen Interessen entgegentritt – im Gegenteil: Es ist oft der Fall, dass ein pensionierter Offizier, der keine pädagogische Erfahrung hat, durch „Beziehungen“ im Establishment die relativ gut bezahlte Position eines Gymnasialdirektors einnimmt (Ben-Porath, 2006, S. 82f).

Militärdienstverweigerung in europäischen Ländern

Die immer breitere Akzeptanz auf der internationalen Ebene von Militärdienstverweigerung als unantastbares Grundrecht drückt einerseits ein gewachsenes Bewusstsein aus, wie auch einen geringeren Stellenwert militärischer Ziele. Oder, wie es Albert Einstein bereits im Jahr 1930 formulierte: „Verfolgung von Kriegsdienstverweigerern ist für einen modernen Staat eine Schande – und eine Art Geständnis der öffentlichen Gewalt, kriegerische Ziele zu begünstigen“ (Einstein 1975, S. 145).

Die Ablehnung des Tragens von Waffen aus Gewissensgründen war jedoch ein bedeutender Streitgegenstand zwischen dem Individuum und dem Staat seit Jahrhunderten. In der Vergangenheit war das Schicksal der Verweigerer Verfolgung, Freiheitsstrafe, Verbannung oder sogar Hinrichtung. Erst in den letzten hundert Jahren begannen einzelne Staaten andere Lösungen zu suchen für Menschen, die sich verpflichtet fühlten, ihrem Gewissen und nicht dem Ruf zum Militärdienst zu folgen (Hovey 1997, S. 214).

1917 war Dänemark das erste Land, welches Verweigerer anerkannte, und zwar mit der Einführung eines Wehrersatzdiensts, der Aufgaben im Sozialbereich wahrnehmen sollte.

1949 war Deutschland die erste Nation der Welt, die, aufgrund der Erfahrungen aus zwei Weltkriegen, im Grundgesetz das Grundrecht verankerte, dass niemand gegen sein Gewissen zum Kriegsdienst mit der Waffe gezwungen werden darf (Grundgesetz Artikel 4, Absatz 3). 1960 wurde per

Gesetz ein ziviler Ersatzdienst in Deutschland eingerichtet, der allerdings von einer relativ geringen Anzahl von Kriegsdienstverweigerern in Anspruch genommen wurde. Dies lag nach einer Studie am politischen Klima des Kalten Krieges, weil die Entscheidung zur Kriegsdienstverweigerung von Politikern als „Drückebergerei" diffamiert werden konnte. In Deutschland ist zur Zeit die Anerkennung als Kriegsdienstverweigerer durch ein schriftliches Antragsverfahren möglich; bis Juni 1983 war auch eine mündliche Anhörung verlangt. Verschiedene Organisationen bieten Beratung für Kriegsdienstverweigerer an. Der Weg bis hin zu einem allgemein anerkannten Zivildienst mit gleicher Dienstdauer war lang und ist, wie oben erwähnt, von den historischen Kontexten nicht zu trennen. Die Quote ist derzeit eine der höchsten Europas.

Seit 1975 darf in Österreich der Wehrdienst, auch *Präsenzdienst* genannt, aus Gewissensgründen verweigert werden. Bis zur Novelle des Zivildienstgesetzes 1991 mussten Wehrdienstverweigerer ihre Gewissensvorbehalte vor einer Kommission glaubwürdig begründen. Deren Anerkennung führte zu einem Zivildienst von acht Monaten (gleiche Länge wie der Grundwehrdienst). Seither ist eine formelle Erklärung ausreichend, um zum Zivildienst zugelassen zu werden, allerdings gilt derzeit ein Wehrdienst von sechs Monaten im Vergleich zu einem Zivildienst von neun Monaten.

Im sonstigen Europa unterscheidet sich die Zahl der Kriegsdienstverweigerer sehr: von unter 50 (in Estland) über zehntausend (in der Tschechischen Republik) bis über hunderttausend wie in Spanien. (www.eak-online .de/menschenrecht-kdv.html) Dass die Bestimmungen, die dieses Recht unter den Mitgliedsstaaten der Europäischen Union regeln, stark variieren und dies ein Hemmnis für den Prozess der europäischen Integration darstellte, wurde im Europaparlament in seiner Entschließung von 1994 zur Militärdienstverweigerung aus Gewissensgründen bedauert.

Im Zusammenhang mit den verschiedenen Kriegen im ehemaligen Jugoslawien forderte das Europäische Parlament 1993 „alle Mitgliedstaaten auf, durch die Unterstützung von Desertion und Militärdienstverweigerung die militärische Macht der Aggressoren im früheren Jugoslawien zu schwächen und klarzumachen, dass sie Deserteuren und Militärdienstverweigerern aus Aggressorenstaaten Asyl gewähren werden", was jedoch nicht der Fall war.

Die Entwicklung des Umgangs mit Militärdienstverweigerern in Europa war ein Prozess, der ab den 1960er Jahren durch die vehementen Forderungen von Jugend- und Studentenorganisationen zur Abschaffung der Wehrpflicht in den meisten europäischen Staaten zum Ersatzdienst führte. Ursachen waren die Gräuel des Krieges, sowie das kritische, eigenständige Denken der jungen Generation. Die Einführung erfolgte wie erwähnt zu unterschiedlichen Zeitpunkten. Die relativ große Zahl der Verweigerer in Europa weist darauf hin, dass die Verweigerung als eine legitime, sogar positive Handlungsform gesehen wird, die von Kirchen und vielen anderen zivilen Organisationen unterstützt und bejaht wird. Die Befürworter merken an, dass es eher so ist, dass Soldaten argumentieren müssen, warum sie eigentlich beim Militär sind, da eine äußere Bedrohung und damit Verteidigungserfordernis nicht gegeben ist.

„Selektive Verweigerung"

Bis jetzt haben wir nur die „prinzipielle Verweigerung" untersucht, aber es gibt – wie wir noch im israelischen Fall sehen werden – auch die Frage der so genannten „selektiven Verweigerung". Dabei lehnen Soldaten im Dienst die Teilnahme an bestimmten Aktionen ab.

In vielen Ländern hängt die Anerkennung von Anträgen auf Befreiung vom bewaffneten Militärdienst davon ab, wann der Antrag gestellt wurde. In den meisten Ländern wird Einberufenen nicht erlaubt, ihre Einstellung zum Gebrauch von Waffen zu ändern, während sie ihren Militärdienst ableisten. Diese Handhabung wird aber der Tatsache nicht gerecht, dass Gewissenskonflikte jederzeit auftreten können und dass Menschen eher Gewissensbedenken gegen den Gebrauch von Waffen entwickeln, wenn sie sie tatsächlich gebrauchen.

Es gibt aber inzwischen ein Dokument des Europarats mit den Forderungen, Kriegsdienstverweigerung jederzeit – auch nach dem Beginn des Militärdienstes – ausüben zu können, wie es z.B. in Frankreich bereits möglich ist, und auch Berufssoldaten das Recht einzuräumen, den Status als Kriegsdienstverweigerer zu beantragen.

Auch die UNO formulierte 1993 in einem Resolutionsentwurf der Menschenrechtskommission, dass „Personen, die Wehrpflichtdienst leisten, nicht vom Recht ausgeschlossen sein sollten, den Dienst aus Gewissensgründen abzulehnen." (Hovey 1997, S. 216).

Militärdienstverweigerung in Israel

In Israel müssen Männer heute drei Jahre Wehrpflicht absolvieren und Frauen zwei Jahre, von Ausnahmeregelungen abgesehen. Es ist klar, dass in Israel in Bezug auf seine Sicherheit wegen arabischer Absichten oder israelischer Einschätzung dieser Absichten, also aus echter oder vorgestellter Bedrohung, die Sicherheitsfrage immer noch den Primat hat, und deshalb ist der Akt der Militärdienstverweigerung noch sehr problematisch. Es wird von manchen behauptet, dass es bis in die 70er Jahre politischen Interessensgruppen gelang, ausführliche Informationen zu dem Phänomen der Verweigerung zu verhindern. Tatsächlich erschienen erst in den 70er Jahren Berichte zum Thema und eine umfassende Recherche dazu (Blatt/

Davis/Kleinbaum 1975). Das Phänomen der Militärdienstverweigerung begleitet allerdings die israelisch-jüdische Gesellschaft seit ihrem Anfang, d.h. seit der Entstehung des Staates Israel. Schon im Krieg 1948 gab es Fälle von Verweigerung gegenüber bestimmten Befehlen (z.B. Einwohner palästinensischer Dörfer zu vertreiben), ohne dass die Öffentlichkeit darüber informiert wurde, was heißt, dass von Anfang an solche Ereignisse nicht in die bewusste politische Tradition der israelisch-jüdischen Gesellschaft aufgenommen wurden (Hanin/Sfard/Rotbard 2004, S. 13).

Im 1949 verabschiedeten Gesetz gab es für Männer keine Möglichkeit, den Militärdienst oder bestimmte Befehle aus Gewissensgründen zu verweigern. Seit damals wurden alle Freistellungen durch die Entscheidung des Verteidigungsministers bzw. seines Vertreters gegeben, ohne gesetzliche Grundlagen und zivile Kontrolle; das Recht eines Bürgers, Militärdienst zu verweigern, wurde mithin gesetzlich nicht anerkannt, sondern vom guten Willen der Regierenden im Militär Establishment abhängig gemacht. Bis 1967 wurden daher nur einzelne Fälle von Verweigerung aus Gewissensgründen genehmigt, und zwar von Pazifisten, die das Tragen einer Waffe grundsätzlich ablehnten. Eine Befreiung aus Gewissensgründen wird im Entlassungsschein vom Militärdienst als Entlassung wegen Untauglichkeit bezeichnet, was für die Zukunft des Betroffenen einem schwarzen Punkt gleichkommt, weil der Entlassungsschein bei der Arbeitssuche oft vorgelegt werden muss; diese Praxis verstößt aber gegen die Forderung der UNO, Militärdienstverweigerer im Zivilleben nicht zu diskriminieren (s. UNO Dokumente).

Nach der Besetzung der palästinensischen Gebiete im Krieg 1967 entstanden Protestgruppen, unter deren Aktivisten viele Reservisten waren. Diese fanden sich in der paradoxen Situation, als Zivilisten gegen die Besetzung zu demonstrieren, während militärischer Dienste aber die Aufgabe zu haben, kritisierte Maßnahmen selbst durchzuführen (Kidron 2004, S. 14; Hanin/Sfard/Rotbard 2004, S. 14-18). Dies führte zum Phänomen der „selektiven Verweigerung", d.h. zur prinzipiellen Bereitschaft, der Pflicht des Militärdienstes nachzukommen, aber an der Besatzung nicht teilzunehmen.

Der so genannte „Protestbrief", der 1978 von mehr als 100 Reservisten unterschrieben wurde, war der erste Fall einer kollektiven Verweigerungserklärung in der Geschichte des Staates Israel. Im Brief wurde gesagt, dass die fehlende Bereitschaft der Regierung, sich aus der West Bank und dem Gaza-Streifen zurückzuziehen, sowie auch die Weiterführung der Siedlungspolitik, nicht mit den Bestrebungen für einen Frieden vereinbar seien, und die Unterzeichner sich deshalb gezwungen sähen, die Aufgabe, die Siedlungen in den besetzten Gebieten zu schützen, abzulehnen.

Die breite jüdische Gesellschaft und die Medien in Israel reagierten auf die Verweigerung entrüstet; auch die so genannte „zionistische Linke" lehnte sie ab und kritisierte sie mit Schärfe. Es wurde argumentiert, dass durch solches, aus der Sicht der Mehrheit unakzeptables Verhalten die breite Gesellschaft gegen die Friedensbewegung und ihren Kampf gegen die Besatzung aufgehetzt würde und dass es zu einer „Politisierung" der Armee führen würde (Kidron 2004, S. 15).

Als die israelische Armee im Juni 1982 im Libanon einmarschierte, entstand die Organisation „*Yesh Gvul*", die die Verteilung von Flugblättern gegen den Krieg an Soldaten und Jugendliche übernahm. Ihre Initiatoren sammelten auch Unterschriften (etwa 3.000) von Reservesoldaten und Offizieren und unterstützten Verweigerer durch Abhalten von Mahnwachen an den Militärgefängnissen, als Zeichen der Solidarität mit den verurteilten Verweigerern, deren Zahl immer größer wurde. Nach dem Krieg wurden von *Yesh Gvul* Essays veröffentlicht, mit dem Motiv, die Verweigerung als Form der moralischen Verpflichtung des Individuums der Gesellschaft gegenüber darzustellen. In den drei Jahren dieses Ersten Libanonkrieges (1982–1985) wurden 168 Verweigerer zur Haft verurteilt, obwohl die Zahl der Verweigerer viel größer war (sie wurde auf mehrere hundert geschätzt). In vielen Fällen entschied die Armee, Konfrontationen zu vermeiden, und so wurden die Verweigerer oft von ihren Militärposten entlassen, ohne disziplinare Maßnahmen. Es gab in dieser Zeit auch die Rede davon, dass ein ganzes Regiment nicht zum Dienst gerufen wurde, weil seine Kommandeure befürchtet haben sollen, dass die Zahl der Verweigerer besonders hoch sein würde (Kidron 2004, S. 16).

Nach Kriegsende ging die Zahl der Verweigerer merklich zurück, doch mit Ausbruch der ersten *Intifada* (1987–1992) nahm das Phänomen wieder deutlich zu. Insgesamt wurden während dieser fünf Jahre etwa 200 Soldaten zu Haftstrafen verurteilt, aber auch hier wurde die Zahl der Verweigerer viel höher geschätzt (Kidron 2004, S. 16,39).

Erst 1995 wurde in Israel als Teil der Erfüllung der Pflichten der internationalen Menschenrechtskonvention von 1966 eine Kommission für die Prüfung von Verweigerungsfällen eingerichtet. Bis zu dieser Zeit war die Verantwortung für Freistellungen vom Militärdienst in den Händen des Chefs der Abteilung für die Einberufung. Die Kommission wurde bis 2004 nur von Armeeoffizieren besetzt (seither gibt es ein Zivilmitglied), was nach Rechtsmeinung sehr problematisch war, galt es doch, ein Gesetz bzw. eine Vorschrift aus dem Zivilrecht anzuwenden. Die Kommission akzeptiert(e) als Gründe für eine Verweigerung nur einen absoluten, universellen Pazifismus, der jede Anwendung von Gewalt ablehnt: Die Verweigerung der Teilnahme an bestimmten Aktionen, wie z.B. in den besetzten Gebieten, mit dem Argument, dass dies dem Menschen- und Völkerrecht widerspreche, wurde weder von der Armee noch von dem Justizsystem jemals als legitim anerkannt, sondern als politisch-ideologisch motiviert diskreditiert (Hasin, 15.07.2003).

Nachdem der „Osloer Friedensprozess" (1994–2000) in eine Sackgasse geführt hatte, brach die zweite, *al-Aksa Intifada* aus, und die harte Reaktion des israelischen Militärs darauf verursachte eine weitere Welle von Verweigerungen mit neuen Elementen und einer breiteren Basis. „Der Brief der Schüler der achten Klasse" im Jahr 2001, die erklärten, sie würden als Soldaten an Aktionen in den besetzten palästinensischen Gebieten nicht teilnehmen, erregte wegen der Zahl von 300 Unterzeichnern Aufsehen. Kurz danach wurden die ersten jungen Verweigerer ins Gefängnis geschickt. Darauf folgte im Januar 2002 der „Brief der Kämpfer", unterschrieben von Reservesoldaten, die ihre Weigerung erklärten, an der „weiteren Unterdrückung der Palästinenser teilzunehmen"; daraus entstand auch eine neue Organisation, „*ha'ometz lissarew*" („der Mut, zu verweigern"), die die Zahl der Unterzeichner um das Zehnfache in die Höhe schnellen ließ. Die feministische Organisation „*New Profile*" begann gleichzeitig, eine anti-militaristische Kampagne durchzuführen. Bis zum Sommer 2002 entstanden ein halbes Dutzend Verweigererorganisationen und eine Zahl von mehr als tausend Verweigerern. Besondere Aufregung verursachte im Oktober 2003 ein Brief von mehr als 25 Piloten der Luftwaffe mit der Erklärung, keine weiteren Angriffe auf Zivilziele in den palästinensischen Gebieten fliegen zu wollen.

Im ersten Jahr der 2. *Intifada* wurden von mehreren hundert Verweigerern nur 35 ins Gefängnis geschickt – viele wurden anderswo eingesetzt, wo sie nicht mit der palästinensischen Bevölkerung in Kontakt kamen. Es schien, als ob die Armee versuchte, das Phänomen der Verweigerung zu verschleiern. Doch dann gab es Anfang 2002 wieder eine Wendung hin zu einer harten Bestrafungslinie. Die Taktik der Armee bestand einerseits in einer gezielten Kampagne, die Verweigerer als Opportunisten darzustellen, mit dem Vorwurf, sie ließen ihre Kameraden in Stich und verletzten die Prinzipien der Demokratie (weil sie die allgemeine Pflicht nicht erfüllen), und andererseits in dem Versuch, sie einfach zu ignorieren. Auch die Medien folgten dieser Doppelstrategie (Kidron 2004, S. 18-20; Hanin/Sfard /Rotbard 2004, S. 160).

Während des Sommers und Herbstes 2006 sollen hunderte israelische Soldaten den Kriegseinsatz im Zweiten Libanonkrieg, im Gazastreifen und im Westjordanland abgelehnt haben, wie die Organisation *Yesh Gvul* meldete. Neben erklärter Verweigerung ließen sich auch viele Soldaten aus medizinischen oder psychischen Gründen zurückstellen, entfernten sich unerlaubt von der Truppe oder gingen ins Ausland (Friedrich, 20.8.2006; Bericht des Instituts für globale Friedensarbeit: 10.12.2006). Die Armee gab sich große Mühe, diese Informationen nicht an die Öffentlichkeit gelangen zu lassen, und reagierte mit dem oben erwähnten *Gadna* Programm zur verstärkten Rekrutierung in den Schulen.

Nach dem Krieg ist die Zahl der Verweigerer deutlich zurückgegangen, was auf eine bestimmte Korrelation dieses Phänomens mit der politischen bzw. militärischen Situation hindeutet. Das heißt auch, dass von einer stets steigenden Tendenz keine Rede sein kann. Insgesamt hat die Zahl der „offiziellen" Verweigerer seit dem Anfang der 2. *Intifada* bis heute keine

2.000 überschritten, und deshalb bleibt sie im Vergleich mit der geschätzten Stärke der ganzen israelischen Armee (500.000) und auch im Vergleich mit den Kampfsoldaten, vermutlich 200.000, eher unbedeutend. Was aber zählt, ist die Tatsache, dass es immer wieder Menschen gibt, die sich für diesen Weg entscheiden, und damit das Thema lebendig erhalten und nicht aus dem Blick der Öffentlichkeit verschwinden lassen. Dazu weiß man von der beschriebenen „grauen Verweigerung“, wo Soldaten, die aus moralischen Gründen den Dienst ablehnen, andere Wege wie z. b. Krankheit oder finanzielle Schwierigkeiten finden, ihm zu entgehen. Die Zahl derer wird auch auf mehrere Tausend geschätzt.

Wie positionieren sich nun die Verweigerer, was ist ihre ideologische Botschaft, und welche Folgen müssen Sie wegen ihrer Entscheidungen und Aktivitäten auf sich nehmen?

Viele von ihnen verstehen ihr Handeln als einen privaten, moralischen Protestakt, ohne ein Interesse, damit an die Öffentlichkeit zu gehen. Durch die Inhalte des Briefes der Reservisten und die Organisation *Ometz li'ssarew* kam es jedoch zum Entschluss mehrerer Verweigerer, die Bevölkerung über die Natur der Besatzung der palästinensischen Gebiete aufklären zu wollen. Diese habe keinen Sicherheitsgrund, sondern sei ein System, die Palästinenser zu unterdrücken und zu demütigen, Zusammenarbeit mit den radikalen Siedlern eingeschlossen. Die Verweigerer versuch(t)en, weitere Kameraden zu überzeugen auch nicht länger mitzumachen. Einige hinterfragen auch die Basisideologie des Staates oder sehen seine Verpflichtung zur Gerechtigkeit in Frage gestellt.

Die Mehrheit der aktiven Verweigerer ist innerhalb des israelischen Establishments aufgewachsen, sind Akademiker oder besitzen gehobene Berufe. Besonders bei den Männern spielt der Militärdienst eine zentrale Rolle in ihrer Sozialisierung, und deshalb ist ihre Entscheidung meist ein Einschnitt in die eigene Identität. Andererseits verstehen sie ihre Erklärung nicht als einen subversiven Akt gegen den Staat. Weil sie bis zu dieser Zeit nie Entfremdung erlebt haben, sind sie von der totalen Ablehnung ihrer Botschaft und ihrer Verurteilung als Drückeberger und Verräter durch die israelisch-jüdische Gesellschaft schwer erschüttert. Für sie ist oft die Trennung von den Kameraden in den Militäreinheiten schlimmer als die Gefängnisstrafe (Chacham 2003, S. 6-10).

> „Viele Freunde reden nicht mehr mit mir, mit den anderen sind die Beziehungen gespannt. Es – die Verweigerung mit all seinen Folgen – ist ein Nachteil für meine Karriere und für meine Familie ... Manche halten mich für ein Krebsgeschwür im Körper des Volkes. Verweigern zu müssen macht mich nicht glücklich. Das Verweigern ist problematisch, aber die Alternative ist viel schlimmer.“ (Guy Grossman, Reserveoffizier, zitiert nach Chacham 2003, S. 85f.).

Zusammenfassung – Aussichten

Wie im Titel angedeutet ist das Hauptziel dieser begrenzten Untersuchung zu einem besseren Verständnisses der innerisraelischen Dynamik beizutragen, um die Chancen für die Entwicklung einer mehr friedensorientierten Gesellschaft in Israel einschätzen zu können. Hier ist anzumerken, dass in den letzten Jahren in der israelischen Gesellschaft beträchtliche Veränderungen stattgefunden haben, wie z.B. eine schärfere Fragmentierung im jüdischen Sektor (Ram 2001) und eine noch stärkere „Amerikanisierung" ohne aber einer entsprechende „Demokratisierung" (d.h., Ermächtigung *aller* Staatsbürger). In Bezug auf unser Thema sind zwei Tendenzen zu beobachten, eine „fortschrittliche" – in Richtung Minderung der so genannten „heroischen" Mentalität – und eine gegenläufige – in Richtung Abstumpfung gegenüber der israelischen Besatzungspolitik, anders als während der 1. Intifada, als es noch zu tiefer moralischer Auseinandersetzung damit kam (Rapoport, 17.3.2007). Aufgrund unserer bisherigen Analyse können wir jedoch darauf hinweisen, dass es sich hier um eines der problematischsten Spannungsfelder zwischen Individualismus und Kollektivdenken handelt. Der Soziologe Amitai Etzioni meinte, dass sich eine positiv entwickelte Gesellschaft dadurch auszeichne, dass es gewissenhafte Menschen gibt, die sich dem vermeintlichen Lauf der Geschichte entgegenzustellen wagen (Etzioni 1971, zitiert nach Greiffenhagen 1999). Dass die engagiert handelnden Verweigerer wie wenige andere Zivilcourage und selbstbestimmtes Handeln zeigen, kann als ein positiver Parameter in diesem Sinn gedeutet werden. Die oben genannten, unterstützenden Organisationen versuchen, durch intensive Öffentlichkeitsarbeit das Bewusstsein in Israel grundsätzlich zu verändern. Diesen Kräften stehen allerdings wirkmächtige Faktoren entgegen, von denen die mehrheitlich akzeptierte Staatsideologie und der trotz seiner Misserfolge im Zweiten Libanonkrieg noch hochgeschätzte Militärapparat mit seinem öffentlichen Einfluss und seinen Erziehungsprogrammen sich als die hinderlichsten erweisen werden. Aufgrund der Ergebnisse der oben erwähnten *civics*-Kommission des Bildungsministeriums kann man davon ausgehen, dass die Defizite im politischen Leben zwar erkannt werden und dass es Bemühungen gibt, gegenzusteuern. In wieweit dies zu einer erhöhten Mündigkeit unter den Jugendlichen, den zukünftigen Akteuren der Gesellschaft, führen werden, ist allerdings noch ungewiss.

Ein zweites Spannungsfeld existiert, wie wir gesehen haben, zwischen den ethnozentrischen Tendenzen und einer Entwicklung der Offenheit, den Anderen und sein Narrativ als legitim zu betrachten. Die Hervorhebung des „Jüdischen" bzw. des „Zionistischen" und die weitere Betonung der zentralen Stellung des Holocaust in den Unterrichtsprogrammen wirken prägend auf jüdische Schüler in meines Erachtens nicht unproblematischer Weise und befremden gleichzeitig die israelisch-palästinensische Bevölkerung.

Die offiziellen schulischen Programme für Friedenserziehung werden ihr Ziel weiter verfehlen, solange sie der entscheidenden Frage, nämlich der der Selbstbestimmung beider ethnisch-nationalen Gruppen, ausweichen. Dieses Verhalten basiert auf einer Verdrängung der Unhaltbarkeit vieler zionistischer Mythen über die Entstehung und den Verlauf des Konflikts. Solange das so bleibt, wird sich die Hoffnung auf Veränderung in der Gesellschaft auf nur Wenige stützen können

> „Unser Ausruf zu verweigern, ist ein Aufschrei über die Lage unserer Gesellschaft ... Die israelische (jüdische) Bevölkerung rationalisiert jeden Tag, um eine Erkenntnis des Geschehens zu vermeiden ... Um diese Rationalisierung zu stoppen, braucht man Mut, Reife und Wahrnehmungsvermögen ... Wenn man aber das Bewusstsein entwickelt, dann bedarf es Mut, um die Mythen, mit denen man erzogen wurde, platzen zu lassen. Aber Du kannst sie nicht auf einmal zerstören. Es dauert Jahre.“ (Grossman, zitiert nach Chacham 2003, S. 85-6)

Literatur

Adorno, Theodor W. (1995), Studien zum autoritären Charakter. Frankfurt a.M.

Adwan, Sami/Bar-On, Dan. (2003), „PRIME's Sharing the History Project: Palestinian and Israeli teachers and pupils learning each other's narrative". Bethlehem/Beer Sheva.

Alternative Information Center, The Other Front – A Report on the War.

Am ve'Olam („A People and the World“) (2002), Jewish Culture in a Changing World. State of Israel, Ministry of Education. Jerusalem. (Hebräisch) („Shenhar 2002“).

Bächler, Günther (1996), Gewaltfreie Regelung von Minderheitenkonflikten durch Föderalismus?, in: Theorie und Praxis ziviler Konfliktbearbeitung. Friedensbericht 1996. ÖSFK, Stadtschlaining, Zürich.

Bar-Tal, Daniel (2004), Nature, Rationale, and Effectivenesss of Education for Coexistence, in: Arab-Jewish Coexistence Programs, Journal of Social Issues, Vol. 60, Nr. 2. S. 253-272.

Ben-Porath, Sigal R. (2006), Citizenship Under Fire. Democratic Education in Times of Conflict. Princeton/Oxford, Princeton University Press.

Blatt, Martin / Davis, Uri / Kleinbaum, Paul (Hrsg.) (1975), Dissent and Ideology in Israel: Resistance to the Draft 1948–1973. London: Ithaca Press.

Bremer, Jörg, Offiziere in Israels Schulen, in: Frankfurter Allgemeine Zeitung, 3.1.2005.

Chacham, Ronit (2003), Breaking Ranks. Refusing to Serve in the West Bank and Gaza Strip, New York, Other Press.

Diendorfer, Gertraud / Steininger, Sigrid (2006), Demokratie-Bildung in Europa. Schwalbach/Ts.

Einstein, Albert (1975), Über den Frieden, Bern.

Etzioni, Amitai (1971), The Active Society. A Theory of Societal and Political Processes, New York, Free Press.

Europarat Parlamentarische Versammlung, 13.7.2000, Ausübung des Rechts auf Kriegsdienstverweigerung in den Mitgliedsstaaten des Europarats, in: http://www.eak-online.de/menschrecht-kdv.htm.

Ezrachi, Yaron (1998), Gewalt und Gewissen. Israels langer Weg in die Moderne, Berlin.

Firer, Ruth / Adwan, Sami (2004), The Israeli Palestinian Conflict in History and Civcs Textbooks of Both Nations, Hrsg.: Falk Pingel. Hannover.

Friedenserziehungsprogramme: http://www.teachkidspeace.org/doc212.php.

Friedrich, Rudi (2002), Gefangen zwischen Terror und Krieg? Grafenau.

Friedrich, Rudi. 20.8.2006. Hunderte von Soldaten und Reservisten verweigern Einsatz im Libanon. http://www.lebenshaus-alb.de/magazin/003907.html.

Goldberger, Ernest (2004), Die Seele Israels. Ein Volk zwischen Traum, Wirklichkeit und Hoffnung, Zürich.

Greenberg, Hanan, IDF to look at teens' motivation, in: Ynet, 8.9.2006

Greiffenhagen, Martin / Greiffenhagen, Sylvia (1999), Deutschland und die Zivilgesellschaft, in: Auf dem Wege zur Zivilgesellschaft, 49 (1999) 3, Hrsg.: Landeszentrale für politische Bildung Baden-Württemberg www.lpb.bwue.de/aktuell/bis/3_99/zivil2.htm.

Gugel, Günther (2002), Kriegsdienstverweigerung. Institut für Friedenspädagogik Tübingen e.V., Tübingen.

Gugel, Günther / Jäger, Uli (1998), Gewalt muß nicht sein. Eine Einführung in friedenspädagogisches Denken und Handeln, 3. Aufl., Institut für Friedenspädagogik Tübingen e.V., Auszüge in: http://www.friedenspaedagogik.de/themen/friedenserziehung/theorie_und_praxis/friedenserziehung_anmerkungen_zu_theorie_und_praxis.

Gugel, Günther / Jäger, Uli (1999), Friedenserziehung und Friedenspädagogik, Institut für Friedenspädagogik Tübingen e.V. http://www.friedens paedagogik.de/themen/friedenserziehung/theorie_und_praxis/friedens paedagogik_und_friedenserziehung.

Hagen Endy, Wehrdienstablehnung nimmt zu, in: Neue Rheinische Zeitung NRhZ-Online, 29.8.2006.

Hanin, Dov / Sfard, Michael / Rotbard, Sharon (Hrsg.) (2004), The Refusniks Trials. Tel Aviv, Babel Publishers.

Hasin, Tal, A Trojan Horse in the Conscience Committee, in. Ha'aretz. 15.7.2003.

Hovey, Michael W. (19979, Interceding at the United Nations. The Human Right of Conscientious Objection, in: Chatfield, Charles / Pagnucco, Ron / Smith, Jackie (Hrsg.), Transnational Social Movements and Global Politics: Solidarity beyond the State. Syracuse, Syracuse University Press.

IDF (Israel Defence Forces), (2004), Ha dor ha'ba („Die nächste Genera_tion"), Heft für Offiziere im Bildungsprogramm in israelischen (jüdischen) Schulen. Tel Aviv, Ministry of Defence.

Ingber, Michael (2007), Holocaust – Was haben wir damit zu tun? Holocaustgedenktag, 27.1.2007, Trialogpodium in der Brücke-Köprü, Nürnberg. http://www.bruecke-nuernberg.de/.

Jantz, Olaf / Muhs, Wolfgang / Schulte, Rainer (o.J.), Interkulturelle Jugendbegegnungen. Irrweg naiver Begegnungs- und Erfahrungspädagogik oder notwendige Alternative zur organisierten Lernpädagogik? Einleitung. http://www.mannigfaltig.de/PDF/Texte/Interkulturelle_Jugend begegnungen_Irrweg.pdf.

Kashti, Or (2007), New IDF Gadna youth program criticized as overly militaristic, in: Ha'aretz, 1.1.2007.

Kidron, Peretz (2004), REFUSENIK! Israel's Soldiers of Conscience. Tel Aviv, Hargol Publishers. (Hebr.).

Kimmerling, Baruch (2001), The Invention and Decline of Israeliness. State, Society and the Military. Berkeley, University of California Press.

Klein, Uta (2001), Militär und Geschlecht in Israel, Frankfurt/Main.

Kranebitter, Peter (1989), Die Verweigerer: Militar, Zivildienst, Ersatz-Wehrdienst, (o.O.).

Kriegsdienstverweigerung, vgl. de.wikipedia.org/wiki/Kriegsdienstverwei gerung.

Linn, Ruth (1996), Conscience at War. The Israeli Soldier als a Moral Critic. Albany, State University of New York Press.

Menschenrechte und Kriegsdienstverweigerung, vgl. www.friedensdienst.de/Menschenrechte-und-Kri.148.0.html.

Ministry of Education, Culture and Sport. State of Israel, Jerusalem. Department for Application of Shenhar and Kremnitzer Commissions' Recommendations. www.education.gov.il/mate („Educ. Minis.").

Moskos, Charles C. / Chambers, John Whiteclay (1993), The New Conscientious Objection. From Sacred to Secular Resistance. New York, Oxford University Press.

Nicklas, H. / Ostermann, Ä. (1993), Friedensfähigkeit. Aspekte der bisherigen friedenspädagogischen Diskussion und Perspektiven für die Zukunft; in: Galtung/Kinkelbur/Nieder (Hrsg.), Gewalt im Alltag und in der Weltpolitik, Münster 1993, S. 59-70. Zitiert nach: http://www.friedenspaedagogik.de.

Nolz, Bernhard (1993), Schulische Friedenserziehung in den neunziger Jahren – Erziehung zur Gewaltfreiheit und zur Gewaltakzeptanz? http://www.uni-muenster.de/PeaCon/wuf/wf-93/9341001m.htm.

On Being a Citizen. Civics Education for All in Israel. 1996. State of Israel, Ministry of Education, Culture and Sport. Jerusalem. („Civics 1996").

Ram, Uri (2001), Historiosophical Foundations of the Historical Strife in Israel, in: Journal of Israeli History, Vol. 20, Nr. 2/3, S. 43-44. Frank Cass Journal.

Rapoport, Meron, Between reality and a hard place, in: Ha'aretz, 17.3. 2007.

Raviv, Amiram / Oppenheimer, Louis / Bar-Tal, Daniel Hrsg.) (1999), How Children Understand War and Peace. San Francisco, Jossey-Bass Publishers.

Reilly, Richard (2003), Conscience, Citizenship, and Global Responsibilities, in: Buddhist-Christian Studies, University of Hawai'i Press. Volume 23, 2003, S. 117-131.

Schäfers, Bernhard (1993), Lebensverhältnisse und soziale Konflikte im neuen Europa. Verhandlungen des 26. Deutschen Soziologentages in Düsseldorf 1992, Frankfurt/Main.

Smedjeback, Martin, Israelis challenging Israel's Militarization, in: Znet, 17.1.2005.

Stefan, C.W. / Hertz-Lazarovitz, R. / Zelniker, T. / Stefan, W.G. (2004), Introduction to Improving Arab-Jewish Relations in Israel: Theory and

Practice in Coexistence Educational Programs, in: Arab-Jewish Coexistence Programs, Journal of Social Issues, Vol. 60, Nr. 2. S. 237-252.

Sternhell, Zeev (1998), The Founding Myths of Israel. Princeton, Princeton University Press.

Tannert, C. (1998), Das Menschenrecht Kriegsdienstverweigerung und das Europäische Parlament, in: Friedens-Forum, (4), S. 31ff.

UNO-Dokumente (1997), in: Sheen, Juliet (Hrsg.), Freedom of Religion and Belief: A World Report. London, Routledge. p. xxii.

Watztal, Ludwig (2002), Feinde des Friedens. Berlin.

Yaar, Ephraim / Hermann, Tamar (2006), The Peace Index Project, Tami Steinmetz Center for Peace Studies and the Evans Program for Conflict Resolution Research of Tel Aviv University, Nov.-Dez.

Zuckermann, Moshe (1999), Zweierlei Holocaust. Der Holocaust in den politischen Kulturen Israels und Deutschlands. Göttingen.

1.2 BLICKPUNKT LIBANON: EIN ZERSTÖRTES LAND IM WÜRGEGRIFF VON HISBOLLAH, SYRIEN UND ISRAEL

ZIVILGESELLSCHAFT IM FEINDESLAND – DEMOKRATISIERUNGSANSÄTZE TROTZ INTERNATIONALER EINMISCHUNG UND KONFESSIONALISMUS

EUGENE SENSENIG-DABBOUS

> On a drab Beirut side street is a modest restaurant famed for its delicious cuisine. A favorite haunt of top PLO officials, journalists and various political hangers-on in years past, the restaurant still enjoys a thriving business, serving local residents, shopkeepers and a large and growing entourage of professionals working on projects under the auspices of a wide variety of non-governmental organizations (NGOs). The restaurant's owner, accepting a compliment, beams proudly and says, „formerly serving the PLO, now serving the NGO!" My friends and I laughed at the time, but in preparing this issue of Middle East Report, this humorous observation took on more serious shades of meaning.
>
> (Spring 2000, Editorial: http://www.merip.org/mer/mer214/214_editorial.html).

Libanon steht wieder einmal am Scheideweg

Das sprichwörtliche libanesische Sondermodell der Demokratie wurde im Jahre 2006 wieder einmal auf die Probe gestellt. Der Krieg zwischen Hisbollah und den Israel Defence Forces (IDF) im Juli und August hat das konfessionelle und ideologische Gleichgewicht im Lande empfindlich gestört. Die kriegsbedingten Verwüstungen in den vorwiegend von Schiiten bewohnten Landesteilen und die schwerwiegende wirtschaftliche Nachkriegskrise im gesamten Staatsgebiet verzögerte die Rückkehr zur Normalität.

Während dem Libanon im Frühjahr 2006 Rekordeinnahmen aus dem Fremdenverkehr, dem regionalen Handel und der Bauwirtschaft vorausgesagt wurden und eine rasche Erholung nach dem Kriegssommer noch im September für möglich gehalten wurde, scheint das Land im Spätwinter 2007 wieder einmal vor dem Scheideweg zwischen Bürgerkrieg und Wiederaufbau zu stehen (Hourani 2006). Die politische Pattsituation, in der sich der Libanon derzeit befindet, scheint zu bestätigen, dass die religiöse, kulturelle und soziale Vielfalt des Landes sowohl als Segen wie als Fluch zu verstehen ist.

Welche Rolle spielt hierbei die Zivilgesellschaft? Können die NGOs, freien Medien, Think Tanks und Bildungseinrichtungen des Landes Ansätze für eine Lösung der libanesischen Dauerkrise anbieten oder sind sie womöglich integraler Bestandteil des Problems? Gestaltet sich das Verhältnis der Bürger zum Staat, wie auch der Umgang der Bewohner des Landes untereinander, anders als in den benachbarten arabischen Ländern? Sollte der libanesische Sonderweg zur Demokratie sich doch als gangbar erweisen, kann dies als Vorbild für den gesamten Nah- und Mittleren Osten gesehen werden? Oder ist das Land so ‚anders', dass es nur als Einzelfall betrachtet und behandelt werden kann? An Hand der Entwicklungen des Jahres 2006 wird diesen Fragen nachgegangen, und Lösungsmöglichkeiten werden angedeutet.

Als zweiter wesentlicher Themenkomplex wird die Frage der internationalen Einmischung in die Innenpolitik Libanons beleuchtet. Auf der regionalen und internationalen Bühne, wurde der Libanon seit Jahrhunderten als Spielball europäischen, westasiatischen und neuerdings nordamerikanischen Mächten missbraucht. In der Regel wurden die andauernden Differenzen zwischen den fünf wichtigen Religionsgemeinschaften – Maroniten, Sunniten, Ostorthodoxen, Druzen und Schiiten – und den führenden Großfamilien des Landes hierfür benutzt. An diese Entwicklung waren die Libanesen selber beteiligt. Von Bedeutung für diese Studie sind jedoch nicht so sehr die herkömmlichen Formen der Intervention als vielmehr die Frage, in wiefern die, in den letzten Jahrzehnten geschaffenen, zivilgesellschaftlichen Einrichtungen die nationale Selbständigkeit des Landes befördert haben, bzw. ob diese verhältnismäßig jungen gesellschaftlichen Akteure lediglich neue Einfallstore für die internationale Einmischung geschaffen haben.

Schiitische Streikposten: Drei Hisbollah Anhänger, die in dem vorwiegend sunnitisch-islamischen Beiruter Stadtteil von Mossaitbeh eine improvisierte Straßensperre schützen, während des von der Opposition ausgerufenen „Generalstreiks" am 23 Jänner 2007

Zivilgesellschaft – ein Definitionsversuch für den arabischen Raum

Um die oben skizzierten Fragen zu beantworten, muss erstmals festgestellt werden, was man unter „Zivilgesellschaft" im arabischen Raum eigentlich versteht. Dies ist kein leichtes Unterfangen. Es herrscht in der Fachliteratur nämlich keine einhellige Meinung über die genaue Bedeutung des Begriffs vor. Nach Al-Sayyid Sa'id, der sich vorwiegend auf die Erfahrungen in Ägypten bezieht, sollte die arabische Zivilgesellschaft als eine Kombination aus vier, von einander abhängigen Wesensmerkmalen, nämlich freiwilliges Engagement, administrative Kompetenz, wirtschaftliche Ressourcen und eine Kultur der friedlichen Konfliktlösung, verstanden werden (Al-Sayyid Sa'id 2005, S. 56). Historisch gesehen, bauten zivilgesellschaftliche Einrichtungen auf den Erfahrungen des frühneuzeitlichen *Waqf*-Systems (staatlich legitimierte, islamische Stiftungen und Wohlfahrtseinrichtung) auf. In den Jahrzehnten vor der totalitären Machtkonzentration ab Mitte des vergangenen Jahrhunderts kamen Gewerkschaften, laizistische Hochschulen, freien Medien und ein Vielzahl von staatlich nicht sanktionierten, sozial engagierten Bewegungen und Initiativen hinzu. Die verschiedenen sozialistischen, nationalistischen und autoritären Zentralstaaten der vergangen 50 Jahre haben den Bewegungsspielraum in den jeweiligen arabischen Ländern eingeengt; die zivilgesellschaftlichen Akteure vereinnahmt und korrumpiert (Al-Sayyid Sa'id, 2005, S. 57).

In den letzten Jahrzehnten hat die Zivilgesellschaft im arabischen Raum gegen alle Widerstände angefangen, ihren Aktionsradius schrittweise auszuweiten. In der Vergangenheit vorwiegend im religiös geprägten Wohlfahrtsbereich angesiedelt, übernehmen zivilgesellschaftliche Organisationen zunehmend auch Funktionen bei der Einleitung und Steuerung entwicklungspolitischer Initiativen auf lokaler, nationaler und internationaler Ebene. Nach Kandil (1994) wird die Zivilgesellschaft im arabischen Raum oft wegen ihrer engen Beziehungen zu den Familienverbänden „indigener Sektor" genannt. Wie weiter unter näher erläutert wird, erholt sich langsam die arabische Zivilgesellschaft gerade deswegen, weil sie sich das angestammte Beziehungsgeflecht der Klans und Glaubensgemeinschaften zu Nutze macht. Da diese Beziehungen oft wesentlich wichtiger sind als die Beziehung der Bürger zum Staat, können zivilgesellschaftliche Einrichtungen leicht in das System der Vetternwirtschaft und des Klientelismus (auf Arabisch wird ‚Vitamin B' *Wasta* genannt) eingegliedert werden. Wegen des Versagens des Zentralstaates in der Sozial-, Kultur- und Strukturpolitik engagiert sich der so genannte ‚dritter Sektor', also zivilgesellschaftliche Wohlfahrts-, Dienstleistungs-, Betreuungs- und Vertretungseinrichtungen, immer stärker in der Erarbeitung und Einführung staatlicher Steuerungsmaßnahmen. Deswegen, so Abdel Samad, wäre eine Neubestimmung ihrer

Einstellung zum übermächtigen arabischen Staat dringender dann je (2006, S. 63).

Dieses allgemeingültige Entwicklungsszenario ist jedoch nicht überall anwendbar. Dawahare (2000) und Hanafi/Tabar (2005) stimmen darin überein, dass die Schwäche des Staates Libanon und in Palästina den beiden Nachbarländern eine Sondersituation beschert hat. Während die palästinensische Zivilgesellschaft durch die Vertreibung eines Großteils der einheimischen Bevölkerung und die Besatzung des Landes durch Israel sich quasi als Ersatzstaat entwickeln musste, sorgte die Aufsplitterung des Libanon in 18 staatlich anerkannte Religionsgemeinschaften, mit entsprechenden wirtschaftlichen, räumlichen, kulturellen und außenpolitischen Machtgefügen für eine weitgehende Untergrabung der Autorität der Zentralregierung. Die Schwäche des libanesischen Staates schuf Freiräume, in denen sich die heimische Zivilgesellschaft verhältnismäßig ungehemmt entwickeln konnte.

In Gegensatz zu den Vergleichsbespielen im arabischen Raum, wo der Staat in der Regel gleichzeitig als unterdrückerisch und willkürlich auftritt, bzw. zur Lage in Palästina, wo bis vor kurzem der Staat gänzlich fehlte, wurde die libanesische Republik bereits im Jahr 1926 gegründet und hat, allen Widrigkeiten zum Trotz, die demokratischen Spielregeln bis heute ununterbrochen eingehalten. Der Libanon ist auch für seine verhältnismäßig freien Medien und wie sein Verlagswesen (Dabbous-Sensenig 2007) und für sein qualitativ hoch stehendes Hochschulsystem international bekannt. Während des 15-jährigen Bürgerkrieges gelang es kurzfristig manchem Milizenführer, ideologisch und konfessionell homogene Mikrodiktaturen zu schaffen (Karam 2005, S. 321). Mit dem Inkrafttreten des Taifer Friedenvertrages im Jahre 1990 wurde jedoch die ausgeprägte Heterogenität und staatliche Integrität der Republik Libanon wieder hergestellt.

Wie die libanesische Zivilgesellschaft genau zu definieren wäre, lässt sich aus den neuern Quellen nicht zufriedenstellend eruieren. In ‚Civil Society and Lebanon‘, baut Michael Dawahare auf das Konzept *Asabiya* auf, das er von dem mittelalterlichen arabischen Gelehrten und Soziologen Ibn Khaldoun übernimmt. Wortwörtlich mit „Zusammenhalt in der Gruppe“ zu übersetzen, kann es auch als „Solidarität und Verantwortung für das Gemeinwohl“ großzügig verstanden werden (2000, S. 79). Hiernach unterstützen Libanesen sehr wohl die Interessen des Gesamtvolkes, jedoch nur als Träger von oder ‚Behälter‘ für die Durchsetzung ihrer partiellen Gruppenegoismen. Diese Interpretation wird von Theodor Hanf in den periodisch durchgeführten Erhebungen des Arnold Bergstraesser-Institutes empirisch untermauert (2007, S. 37).

> Die Koexistenz zwischen (den konfessionellen) Gemeinschaften ist in der Sicht etwa der Hälfte der Befragten schwieriger geworden – aber neun von zehn halten sie dennoch für durchaus möglich. Man hat aus dem Krieg gelernt: acht von zehn Befragten sind überzeugt, in Konflikten zwischen den Gemeinschaften

> würden letztlich alle Verlierer sein, und neun von zehn sind überzeugt Kompromisse seien unumgänglich.
>
> Die kulturelle Toleranz ist hoch, Diversität wird als Reichtum betrachtet. Gemeinsamkeiten von Islam und Christentum werden von der großen Mehrheit anerkannt, und eine noch größere Mehrheit bejaht die Möglichkeit von Freundschaft über Religionsgrenzen hinweg.
>
> ... Alle Ergebnisse der Untersuchung von 2006 – wie der bereits früher durchgeführten – deuten darauf hin, dass die Libanesen eine Nation sein wollen. *E pluribus unum*? Die Befunde zur Bindung an die Gemeinschaften und zur auf diesen gründenden politischen Orientierungen legen den Schluss nahe, dass die libanesische Nation zwar ein *unum* ist – aus politischem Willen und noch mehr aus Notwenigkeit – aber gleichzeitig ein *plurum* bleibt.

In der überwiegenden Mehrzahl der Studien aus unserem Jahrhundert wird die Zivilgesellschaft im arabischen Raum mit dem vom Staat unabhängigen sozial- und kulturpolitischen Vereinen und Bewegungen (Karam 2005, S. 317) gleichgesetzt. Bei vielen Autoren bedeutet dies schlicht eine Einengung des Begriffs auf der Tätigkeit von NGOs (Ben Néfissa 2005; Bint Talal 2004; Abdelrahman 2004) oder, etwas weiter gefasst, eine Fokussierung auf das Zusammenspiel zwischen dem NGO-Sektor und der übrigen Gesellschaft (Staat, Wirtschaft, Stammesführer oder *Zu'ama'* und Religionsgemeinschaften), wie dies etwa bei Kingston (2001) oder Abdel Samad (2006) der Fall ist. Nur bei wenigen, wie beispielsweise den oben erwähnten Band von Dawahare, wird der Begriff wesentlich weiter gefasst. Bei manchen Autoren, etwa vom Direktor des Lebanese Center for Policy Studies (LCPS), Oussama K. Safa, wird die Definition der Zivilgesellschaft sogar eingeengt auf einen partiellen Bereich, in diesem Fall die freien Medien (2000, S 2).

Um die eingangs gestellten Fragen über die demokratiefördernde Rolle der Zivilgesellschaft und ihre außenpolitische Bedeutung besser zu erfassen, wird hier lediglich auf die libanesischen NGOs eingegangen. Diese Einengung der Sichtweise ist sicherlich nicht unproblematisch. Sie ist jedoch ein erforderliches Zugeständnis an die Komplexität des Untersuchungsgegenstands.

Der NGO-Sektor in Libanon: Zwischen Staat, Privatwirtschaft, Konfession, Stamm und internationaler Einmischung

Sei es in den Bereichen des Umweltschutzes, der Rechte von Menschen mit Behinderung, der Wahlrechtsreform, der Bekämpfung von Korruption oder der allgemeinen Menschenrechte, NGOs in Libanon agieren verhältnismäßig selbständig und unabhängig vom Staat und den religiösen Elitenstrukturen. Diese Bewegungsfreiheit erklärt sich vor allem in der Finanzierung der heimischen Zivilgesellschaft zu einem großen Teil aus dem Ausland. Paul Kingston hat dieses grenzübergreifende Abhängigkeitsverhältnis an Hand der Umweltschutzbewegung überzeugend dargelegt. Er beschreibt auch, wie im Gegenzug viele libanesische Elitenvertreter versucht haben, die internationale Unterstützung der libanesischen Zivilgesellschaft durch die Schaffung eigener Stiftungen zu unterbinden. So ist ein wildwüchsiges Geflecht aus einheimischen, westasiatischen, europäischen und nordamerikanischen Financiers entstanden, das dem NGO-Sektor verholfen hat, sich zu einem nicht zu unterschätzenden Wirtschaftsfaktor zu entwickeln.

> The most prevalent explanations for movement on environmental issues revolve around the advocacy role of civil society, both local and global. Certainly, since the end of the civil war, Lebanon has seen the rise of a whole host of local NGOs, often supported by international partners, concerned with various aspects of environmental protection. This has been complemented by the increased availability of capital for environmental work from both foreign bilateral and multilateral donors. Hence, both the pressure on and incentives for political elites to become more interested in environmental issues have been present (Kingston 2001, S. 1).

Unmittelbar vor Ausbruch des Kriegs im Sommer 2006 fand eine Tagung in Beirut statt, die sich zum Ziel setzte, die Erstarkung der Zivilgesellschaften im arabischen Raum voranzutreiben. „Strengthening Civil Society in the Arab Region: Models for Legal Reform", wurde zwischen dem 3. und 5. Juli vom ‚International Center for Not-for-Profit Law' deswegen in der libanesischen Hauptstadt abgehalten, weil man an keinem anderen Ort der Region so frei und ungehemmt über Demokratie und soziale Gerechtigkeit diskutieren könne (Conference Papers). Bei dieser Tagung wurde das weit verzweigte Beziehungsgeflecht, das die NGOs in den arabischen Ländern kennzeichnet, problematisiert. Neben ihrer Abhängigkeit von ausländischen Geldgebern ist ihre Einbettung im oben erwähnten System der *Zu'ama'* von großer Bedeutung.

Als indigener Sektor müssen NGOs nicht nur zwischen Staat und Einzelmensch vermitteln, sondern genauso als Bindeglied und Überwachungsinstanz gegenüber regionalen Klans, weit verzweigten Familienstämmen und staatlich anerkannten Religionsgemeinschaften dienen. Im Libanon wird die überragende Bedeutung der *Za'im* (einzelner Stammesführer) zusätzlich erhöht durch die Tatsache, dass viele Verwandtschafsverbände sich als non-profit-NGOs beim Innenministerium eintragen lassen. Nach Abdel Samad, Executive Director des Arab NGO Network for Development (ANND) in Beirut, gestaltet sich das Verhältnis zwischen Zivilgesellschaft, Staat und Wirtschaft in den arabischen Ländern anders als in den im Westen entwickelten Modelle.

> Civil society is situated between state and market, thus monitoring their powers and roles to assure a balance between them. However, especially in developing

> countries, it is important to consider the family as a third border to civil society …, distinguishing between civil society and tribal or religious society. This issue raises additional challenges in defining civil society in developing countries such as those of the Arab region. Structures built on family relations, i.e., tribal, clan, and religious considerations, are not considered civil society. Accordingly, as civil society is expected to monitor the power of the state and market, also has the potential to monitor tribal and clan relations in order to assure balance among market, state, and family (Abdel Samad 2006, S. 62).

Wie bereits angeführt, spielen mehrere rein traditionelle bzw. halbformelle Institutionen eine Rolle bei der Unterminierung der Demokratie in Libanon. Hierzu zählen 1) das konfessionell aufgegliederte System auf sämtliche gesellschaftlichen Ebenen; 2) die überragende Bedeutung der traditionellen Familienstämme und der neu dazugekommenen Bürgerkriegs- und Wiederaufbaueliten (z.B. der neureiche Klan des ermordeten Sunnitenführers Rafik Hariri, die Gefolgschaft des Leiters der rechtsgerichteten, maronitisch-katholischen Forces Libanaises, Samir Geagea, oder die Vaterländische Freiheitsbewegung des ehemaligen Oberbefehlshabers der Streitkräfte, General Michel Aoun, der neuerdings mit der Hisbollah alliiert ist); 3) der Einfluss der verschiedenen Religionsgemeinschaften; 4) und schließlich die zentrale Stellung der stark aufgesplitterten, in- und ausländischen Finanzierungstöpfe im zivilgesellschaftlichen Bereich. Klientelismus, Vetternwirtschaft und Patronage liegen, nach Kingston, den Beziehungen zwischen den libanesischen NGOs und ihren Geldgebern zugrunde. Wegen der ausgeprägten Heterogenität der Gesellschaft versuchen sowohl die Patrone wie ihre Klienten, ihre gegenseitige Abhängigkeitsbeziehungen ständig neu zu verhandeln. Neben den oben aufgelisteten einheimischen Financiers, die entweder von den *Zu'ama'*, den Religionsgemeinschaften, den Milizenführern oder den Bürgerkriegsgewinnlern und Schiebern der Wiederaufbauphase kontrolliert werden, kommen ein Vielzahl von ausländischen Patronen hinzu. Während die Geldgeber versuchen, ihre Kontrolle über die NGOs zu konsolidieren, indem sie den Zugang zu den Finanzquellen monopolisieren, benutzen die NGOs – oft zynisch, wie es scheint – zivilgesellschaftliche Argumente, um ihre Handlungsfreiheit zu schützen und auszubauen. In dynamischen Übergangszeiten, wie nach einem Krieg oder nach ausländischer Besatzung, ist dieses Kräftemessen besonders stark ausgeprägt.

> Patrons, for example, will seek to maintain and consolidate their positions of dominance both by controlling as many sources of patronage as possible and by limiting, often coercively, the degree to which they need to redistribute those resources back to their clients. Demands emanating from civil society, on the other hand, while couched in terms of expanding the size of the public realm, are better understood in the context of polities in transition as attempts to expand the scope of clientelist exchanges – seeking either a greater redistribution of resources within clientelist networks or greater freedom of action outside the

> terms of the compliance agreements. The result, especially in highly transitional periods such as the postwar era in Lebanon, is a constant series of negotiations both between and within patron-clientelist networks designed to redefine bonds that, although resilient and strong, are never fully legitimated (Kingston 2001, S. 2).

Nach Meinung des libanesischen NGO-Aktivisten und Professor für Ökosystemmanagement an der Amerikanischen Universität von Beirut (AUB), Rami Zurayk, ist seit Ende des Bürgerkrieges eine tripartistische Entwicklungsstruktur entstanden (development triad), die aus Vertretern des Staates, der Geldgeber und den NGOs besteht. Am deutlichsten gestaltet sich dieses Triumvirat bei den von den reichsten Familien des Landes gestifteten NGOs, die alle zugleich eine führende Rolle in der Politik spielen, wie etwa die Hariri-Stiftung, Issam-Fares-Stiftung, Makhzoumi-Stiftung und Moawad-Stiftung (2007, S. 4). Zurayk kritisiert sowohl den libanesischen Staat wie die heimischen NGOs wegen ihrer stillschweigenden Abmachung eingedenk des Umstandes, dass der Staat sich immer weniger für die Sozial- und Bildungspolitik zuständig zeigt. Nach diesem Szenario ist die Regierung dafür verantwortlich, im Rahmen einer vollständig deregulierten, globalisierten Marktwirtschaft, sich um das ökonomische Wachstum zu kümmern. Die NGOs sollen sich um die Wachstumsopfer und die unterentwickelten Gebiete Libanons (die weit über die Hälfte des Landes ausmachen) Sorgen machen.

> The problem is not that the State has failed to provide an enabling environment for those who are only too happy to fill in for it. The problem is that the State is increasingly divesting itself of social welfare and basic needs, along with support to the sectors of the poor, like agriculture, or to the marginal regions, like Akkar, Hermel, Baalbeck and the South. These have become the responsibility of NGOs (ders., ebd.).

Stehen keine systematischen Untersuchungen über die finanzielle Abhängigkeit, organisatorische Selbständigkeit und interne Konfliktlösungsfähigkeit libanesischen NGOs zur Verfügung, so können die eingangs gestellten Fragen über innenpolitische Demokratie und internationale Einmischung nicht zufriedenstellend beantwortet werden. Partielle Erhebungen, anekdotenhafte Beispiele und Untersuchungen aus benachbarten Bereichen können hier jedoch Abhilfe leisten. Eine Studie, die vom internationalen NGO Dachverband CIVICUS in drei arabischen Ländern in Auftrag gegeben wurde und in Beirut vom International Management and Training Institute für den Zeitraum 1993 bis 2003 durchgeführt wurde, gibt Aufschluss über wichtige Aspekte der Entwicklung im Lande. Wie von Abdel Samad berichtet wird (2006, S. 70f) baut diese Erhebung auf dem zivilgesellschaftlichen Diamantenkonzept auf, wonach vier in einander verzahnte Schlagseiten des gleichen Phänomens untersucht werden, nämlich: 1) die Strukturen der NGOs, 2) ihre gesellschaftliche Einflussfähigkeit, 3) die politische und gesellschaftliche Umwelt in dem sie sich befinden, wie 4) die organisatorischen Wertsysteme, denen sie sich verpflichtet fühlen.

Die Ergebnisse der Studie stimmen den Leser alles anders als optimistisch. 86 % der Befragten vertreten die Ansicht, dass Vertreter der Zivilgesellschaft in der Regel nicht vertrauenswürdig sind. Dies, nach Abdel Samad, ist auf Spätfolgen des Bürgerkrieges, vor allem die Vertiefung der konfessionellen Zersplitterung des Landes zurückzuführen. Die Befragten gaben an, dass weder die Regierung noch die öffentliche Verwaltung transparent arbeiten, dass der Staat so korrupt sei, dass er kaum in der Lage sei, seine administrativen Aufgaben zu erfüllen. Aus diesem Grund würden rund 90 % aller Befragten soziale Dienstleistlungen lieber den NGOs bzw. dem Non-Profit-Sektor überlassen – vor allem im Bereich der Armutsbekämpfung, des Umweltschutzes, wie auch Gesundheit und Bildung. Ein wichtiger Grund hierfür ist die Tatsache, dass NGOs in diesen Bereichen bereits ein viel besseres Leistungsprofil haben als der Staat. Nichtsdestotrotz ist die überwiegende Mehrzahl der Befragten (73 %) der Meinung, dass die NGOs auch korrupt sind.

Die CIVICUS-Studie stellte fest, dass es den untersuchten NGOs an dem Wichtigsten fehlte. Weder war ihr struktureller Aufbau akzeptabl, noch waren ihre Organigramme glaubwürdig. Es mangelte an nachhaltiger Finanzierung, technischen Ressourcen und Personal. Auch die schwache Vernetzung, Koordination und Zusammenarbeit mit anderen NGOs und die zivilgesellschaftlichen Dachverbände wurden angeprangert. Vielleicht am allerwichtigsten von einer demokratiepolitischen Perspektive her gesehen war die Tatsache, dass die befragten NGOs in der Bevölkerung sehr schlecht verankert erscheinen. Die jeweiligen Stakeholder werden ungenügend berücksichtigt und Mitbestimmungsmöglichkeiten werden kaum eingeräumt (Abdel Samad 2006, S. 1). Nach einer Erhebung der libanesischen Frauenzeitschrift *Al-Raida* (Die Pionierin) ist die Lage der Frauenorganisation nicht besser. Nach Meinung vieler befragter Expertinnen widerspiegeln die Herrschaftsstrukturen und Mitbestimmungsmechanismen in diesem wichtigen emanzipatorischen Bereich die unterdrückerischen und ausbeuterischen Geflogenheiten, die in der übrigen Gesellschaft vorzufinden sind (Arab Women's Movements 2003).

Die Entwicklung des NGO Sektors in Jahr 2006

Das vergangene Jahr war, wie so viele zuvor, schicksalhaft für den Libanon. Rückblickend wird nun deutlich, dass der Sommerkrieg nur die Wahrnehmung der Bevölkerung geschärft, wenig jedoch an den eigentlichen Entwicklung im Lande seit Ende der syrischen Besatzung im Frühjahr 2005 verändert hat. In den 16 Monaten seit der Ermordung des ehemaligen Primärministers Rafik Hariri in Februar 2005 und bis zum Beginn des Sommerkrieges in Juli 2006 hat der Libanon sich in Windeseile zu demokratisieren und wirtschaftlich zu erholen begonnen. Parlamentswahlen wurden Ende Mai/Anfang Juni 2005 abgehalten, die von den einheimischen wie den internationalen Wahlbeobachtern grundsätzlich als fair eingeschätzt wurden. Im Ergebnis beteiligte sich zum ersten Mal die schiitische Befreiungsbewegung Hisbollah mit zwei Ministern, für Arbeit und für Wasser und Stromversorgung, an der Bildung einer umfassenden Koalitionsregierung. Erste Schritte wurden getan, um die Korruption in den Staatsbetrieben in den Griff zu bekommen. Von gleicher, wenn nicht sogar größerer Bedeutung war die Einleitung eines demokratiepolitischen Reformprozesses, der im Mai 2006 im Entwurf eines neuen Wahlgesetzes für die verfassungsmäßig vorgesehenen Parlamentswahlen im 2009 mündete. Die fünf Wochen Krieg mit Israel haben Libanons Infrastruktur enorm geschadet. Fast die gesamte schiitische Bevölkerung des Landes wurde in Mitleidenschaft gezogen (Fatal Strikes 2006). Das Land wurden jedoch in den wirtschaftlichen Kernbereichen – finanzielle Dienstleistungen, Medien und Werbung, Bauwirtschaft, Erziehung und Bildung, regionaler Handel, Freizeit und Fremdenverkehr – nur oberflächlich getroffen und begann bereits im September, sich rasch zu erholen (Infopro, 2006).

Die politischen Wunden des Sommerkrieges wiegen jedoch viel schwerer. Ein nicht unbedeutender Teil der Bevölkerung, wenn nicht die Mehrheit, gab der Hisbollah die Schuld am Krieg und daraus folgende Verwüstungen. Vielen Christen, Drusen und Sunniten – auch wenn sie nicht offen mit Israel sympathisierten, hofften insgeheim, dass die IDF die Hisbollah besiegen und entwaffnen würde. Von wenigen wichtigen Ausnahmen abgesehen, wurden die von Nicht-Schiiten bewohnten Teile des Landes von dem Kriegsgeschehen ausgespart. Unmittelbar nach dem Krieg begann dann ein „Krieg um den Krieg" (Lebanon at a Tripwire). Die gegenseitigen Schuldzuweisungen führten zu einer Spaltung der Regierungskoalition und einem Rücktritt der antiwestlichen Minister. Welche Rolle spielten Libanons zahlreichen NGOs in dieser Auseinandersetzung? Hat ihr Verhalten zur Mäßigung oder einer Verschärfung der Konflikte geführt? Haben sie sich vom Ausland beeinflussen lassen oder trugen sie zur Festigung und Eigenständigkeit der libanesischen Innenpolitik bei?

Spannungsfeld Staat – Zivilgesellschaft

In Jahr vor dem Ausbruch des Sommerkrieges begann die libanesische Wirtschaft, an das Entwicklungsniveau des letzten Vorbürgerkriegsjahr 1974 wieder anzuknüpfen. Obwohl das Land immer reicher wurde, schien die Regierung unfähig oder unwillig, den neu erstandenen Wohlstand gleichmäßiger zu verteilen (Sensenig-Dabbous 2006). Bereits vor dem

Krieg hatten sich zwei politische Lager herausgebildet: eines um die Hisbollah, mit dem laizistisch-liberalen ehemaligen Oberbefehlshaber General Michel Auon und den gemäßigten schiitischen Parlamentsvorsitzenden und Amalführer Nabih Berri; das andere um Mustaqbal (Zukunftsbewegung), der neo-liberalen Partei des ermordeten Primärministers Hariri, um den sozialdemokratischen Drusenführer Walid Jumblatt und den Rechtsnationalisten Samir Geagea. Beide Koalitionen bestanden aus ehemaligen Bürgerkriegsgegnern und waren konfessionell und ideologisch gesehen äußerst heterogen.

Die wichtigste demokratiepolitische Debatte des Jahres 2006 zeichnete sich bereits im Herbst 2005 ab, ummittelbar nach den Parlamentswahlen. Obwohl die libanesische Verfassung die Konkordanzdemokratie vorzieht, und die Zusammensetzung des Parlaments und der Regierung gesetzlich bzw. gewohnheitsgemäß genau nach Konfessionen aufgeschlüsselt wird, entstand eine Krise wegen des Ausschlusses des durchaus populärsten Politikers des Landes, General Aoun, der wegen ideologischen und parteipolitischen Gründen aus der Regierungsbildung ausgegrenzt wurde. Nachdem Aouns vorwiegend christliche Vaterländische Freiheitsbewegung eine Koalition mit den beiden schiitischen Großparteien und dem nordlibanesischen, maronitischen Klanoberhaupt Sleiman Franjieh (Marada Partei) bildeten, verfügten dieser Bundnis über eine deutliche Mehrheit in der Bevölkerung (Hanf 2007, S. 28) – aber lediglich über eine Minderheit der Sitze im Parlament bzw. in der Regierung. Herauf entfachte sich eine noch heute andauernde Scheindebatte um die Alternativen Konkordanz- versus Mehrheitsdemokratie. Die meisten NGOs hielten sich zunächst aus dieser Diskussion heraus, da es offenkundig war, dass es beiden Koalitionen nicht um das Prinzip ging, sondern nur um ihren unmittelbaren politischen Vorteil. Nach dem Sommerkrieg spitzte sich die Debatte jedoch zu. Um das Konkordanzprinzip zu erzwingen, besetzte die Koalition um die Hisbollah die großen Plätze der Innenstadt um das Regierungsviertel herum. Sie organisierte bald immer radikalere Kampfmaßnahmen, die in den gewalttätigen Auseinandersetzungen während und unmittelbar nach dem Generalstreik Ende Jänner 2007 mündeten. Hierbei kamen über zehn Personen ums Leben. In dieser zugespitzten Lage sahen sich viele NGOs gezwungen, sich entweder auf die eine oder die andere Seite zu schlagen. Es ist jedoch der Mehrheit gelungen, sich weiterhin neutral zu halten.

Während des Erarbeitungszeitraums dieses Beitrages fanden eine Vielzahl von Einzelereignissen statt, die als beispielhaft für die Rolle libanesischen NGOs angeführt werden können. Im Bereich der Sozial-, Wirtschafts- und Entwicklungspolitik gibt es eine Reihe von NGOs, die sich mit den WTO-Beitrittsverhandlungen und der Paris-III-Wiederaufbau- und Sanierungspolitik ablehnend beschäftigen. Die oppositionelle Parlamentskoalition um die Hisbollah versuchte, die alternativen Globalisierungsgruppen – wie etwa in den Bereichen Umwelt, Fair Trade, nachhaltige Landwirtschaft, Menschenrechte oder Armutsbekämpfung – für sich zu gewinnen, was ihr kaum gelungen ist. Dies ist unter anderem auf die durchaus neoliberale Politik der Hisbollahminister in der Zeit der großen Koalitionsregierung zwischen Herbst 2005 und Herbst 2006 und die ähnlich gelagerten programmatischen Vorstellungen von General Auon (Reforming Lebanon, 2005) zurückzuführen. Obwohl die meisten Parlamentsparteien über keine Wahlplattform oder ein Parteiprogramm im europäischen Sinn verfügen, stehen sie alle – mit westlichen Maßstäben gemessen – rechts der Mitte.

Reform der staatlichen Verwaltung

In einem Bereich scheinen die reformwilligen Vertreter der Hisbollah und vieler NGOs an einem Strang zu ziehen, nämlich in der Bekämpfung der Korruption und der Reform der öffentlichen Verwaltung. Während der kurzen Regierungszeit des Hisbollahministers für Wasser und Stromversorgung, Mohammad Fneish, ist es gelungen, wichtige Effizienzmaßnahmen einzuführen und die Korruption bereits in Ansätzen abzubauen. Fneish scharte eine Gruppe von freiwilligen Reformbegeisterten um sich, die in muhseliger Kleinarbeit der Korruption an die Wurzeln zu gehen begannen (Wilson-Goldie 2006). Nach dem Ausscheiden der schiitischen Parteien aus der Regierungskoalition übernahm ein Minister aus Hariris Zukunftsbewegung interimistisch die Agenden des Ministeriums für Wasser und Stromversorgung und machte Fneishs Reformen kurzer Hand wieder rückgängig (Ohrstrom 2007).

Nach Meinung der wichtigsten Umwelt-NGOs ist die zögerliche Reaktion der Regierung bei der Bekämpfung der Ölpest nach der israelischen Bombardierung der Öllager von Jiyyeh auf staatliche Korruption und Ineffizienz zurückzuführen. Über mehrere Jahrzehnten hinweg haben zahlreiche Regierungen hintereinander zugelassen, dass ungeklärte Abwässer ins Mittelmeer geleitet wurden. So scheint ihr Verhalten während des Sommerkrieges nur konsequent zu sein. Trotz internationaler Finanzierungszusagen sind die Behörden nach fast einem Jahr nicht in der Lage gewesen, die Ölrückstände gänzlich zu beseitigen. Die international geleistete Finanzierungshilfe blieb jedoch großenteils bei der Regierung und wurde nicht den weitaus kompetenteren, einschlägigen NGOs in ausreichendem Maße zur Verfügung gestellt (Challita 2007). Ein ähnliches Problem ist im Bergbaubereich zu verzeichnen, wo rund 80 % aller – wohlgemerkt für die Bauindustrie sehr wichtigen – Steinbrüche illegal betrieben werden. In diesem Fall ziehen Parlamentsmehrheit und die von der Hisbollah angeführte Minderheit an einem Strang, und die NGOs befinden sich in der Opposition (Bathish/Zeineddine 2007).

Die Liste der Korruptionsfälle, in denen alle Parlamentsparteien wie auch die wichtigsten Religionsgemeinschaften konkordant unter eine Decke stecken, lässt sich beliebig weiterführen. Sei müsste die illegale Einfuhr von Konfliktdiamanten und bedrohten Tierarten aus Afrika durch die libanesische Diaspora, die mangelnden Kontrollen der Lebensmittelverarbeitung, die schrittweise Zerstörung der Lebensgrundlage der libanesischen Kleinbauern oder die arbeitnehmerorientierten Fragen wie Gesundheit und Sicherheit am Arbeitsplatz erfassen, es befindet sich jedoch im Parlament keine Partei, die bereit wäre, sich gegen den Konsens der Eliten zu stellen. In dieser Hinsicht scheinen die libanesischen NGOs, allein durch ihre Thematisierung solcher Fragestellungen, fast systemwidrig und konspirativ zu sein.

Wahlrechtsreform

Der Widerspruch zwischen den NGOs und den Herrschaftseliten lässt sich am deutlichsten im Bereich der Wahlrechtsreform verdeutlichen. Während der Aufbruchsphase nach den freien Parlamentswahlen im Frühjahr 2005 hat die neu gebildete Koalitionsregierung einen Experten- und Weisenrat mit der Erarbeitung eines neuen Parlamentswahlgesetzes beauftragt. Diese Wahlrechtskommission ließ sich auf ein demokratiepolitisches Wagnis ein indem sie erstmals das Stakeholderprinzip bei der Novellierung eines Gesetzes durchsetzte. Über hundert Experten, Parteien, Think Tanks und NGOs beteiligten sich an Hearings oder reichten schriftliche Vorschläge ein. Das Ergebnis, das auf einer eigens dafür geschaffenen Webseite in drei Sprachen – Arabisch, Französisch und Englisch – abrufbar ist (www.elections-lebanon.org/elections) widerspiegelt die Belange der Frauen-, Behinderten- und Jugendorganisationen, der Auslandslibanesen, Menschenrechtsexperten, Antikorruptionsbewegungen und einschlägigen NGOs im Bereich der Wahlrechtsreform. Das Gesetz wurde vom der Koalitionsregierung in Juni 2006 angenommen und dem Parlament vorgelegt. Ohne den Krieg mit Israel wäre es Mitte Juli zu einer ersten parlamentarischen Lesung gekommen. Nach dem Krieg haben sowohl die Regierung wie die Opposition versucht, den Gesetzesentwurf totzuschweigen (Sensenig-Dabbous 2007). Durch eine breit gefächerte Koalition von NGOs, Experten, Studenteninitiativen und Jugendgruppen ist es der libanesischen Zivilgesellschaft gelungen, den Gesetzesentwurf wieder auf die Tagesordnung zu setzen (Abi-Habib 2007).

Globale „Dorfstrukturen" und Einmischung in die inneren Angelegenheiten

Empirische Studien über die Rolle der ausländischen Unterstutzung für libanesische NGOs sind dem Autor derzeit nicht bekannt. Als einziger Beitrag in diesem Bereich wäre ein Forschungsprojekt angehender Magisterstudenten der Politikwissenschaft der Universität Notre Dame (www.ndu .edu.lb) hier anzuführen. Während des Parlamentswahlkampfes im Frühjahr 2005 versuchte eine Forschungsgruppe, im Rahmen einer empirischen Methodologielehrveranstaltung zu erforschen, in wiefern die sechs deutschen und zwei amerikanische Parteistiftungen die Arbeit der libanesischen (wie auch, als Vergleichsbeispiele, den ägyptischen und irakischen) demokratiefördernden NGOs lenkten und mitfinanzierten. Die Ergebnisse dieser Erhebung waren nicht aufschlussreich, da die überwiegende Mehrzahl der befragten ausländischen Stiftungen und Financiers sich als alles andere als transparent erweisen (Basbous 2005).

Wesentlich aufschlussreicher sind die zahlreichen Untersuchungen über die iranische Unterstützung der um die Hisbollah und die Amal entstandenen schiitischen NGOs. Nach Mona Fawaz (2005) benehmen sich diese religiös ausgerichteten islamischen „Faith-Based" NGOs nicht wesentlich anders als ähnlich orientierte christliche Nichtregierungsorganisationen in Afrika, Nord- und Südamerika oder Ostasien. Im ‚Global Village' angesiedelt, arbeiten iranische Geldgebern nach den gleichen Spielregeln wie die weiter oben beschriebenen westlichen Sponsoren. Die Faith-Based Organisations (FBOs) um die Hisbollah bemühen sich mit den gleichen Mitteln, sich von ihren ausländischen Gönnern freizukämpfen.

Zusammenfassung

In diesem Beitrag wurde die Rolle der Zivilgesellschaft untersucht, und zwar in Konzentration auf libanesische NGOs. Aus den bruchstückhaften Beispielen und theoretischen Abhandlungen lässt sich herauslesen, dass der NGO-Sektor finanziell von den Geldgebern im In- und Ausland vollkommen abhängig ist. Diese Mischfinanzierung macht es jedoch möglich, dass die zivilgesellschaftliche Akteure sich relativ frei bewegen. Sie können Themen aufgreifen, thematisieren und ihnen zum Durchbruch verhelfen, die weder von den politischen und wirtschaftlichen, noch von den konfessionellen Eliten gewollt werden. Die verhältnismäßig großzügige Arbeitssituation der libanesischen NGOs dürfte für die Region untypisch sein. Somit kann ihr Erfolg noch nicht als Beleg dafür gelten, dass ähnliche zivilgesellschaftliche Arbeit – etwa in Ägypten, Jordanien und Tunesien, oder gar in Palästina und im Irak – möglich wäre.

Solang es dem Libanon nicht gelingt, sich aus seiner außenpolitischen Zwangsjacke zu befreien und sich wenigstens im sicherheitspolitisch Bereich neutral zu verhalten, werden die Großmächte aus Übersee und die benachbarten Staaten der Region weiterhin leichtes Spiel bei ihrer Einmischung in seine inneren Angelegenheiten haben. Die Führer der Maroniten, Sunniten, Ostorthodoxen, Drusen und Schiiten haben seit Jahrhunderten Verbündeten im Ausland gesucht. Auch die etwa Halbe Million Palästinenser im Lande verhalten sich ähnlich. Man braucht nur auf die Webseiten der wichtigsten europäischen, nordamerikanischen, arabischen oder iranischen Stiftungen und Financiers zu schauen, um sich über die finanzielle und ideologische Abhängigkeit der libanesischen NGOs ein Bild machen zu können. Es ist jedoch gerade diese Unterstützung von außen, die es dem NGO-Sektor ermöglicht die Übermacht der *Zu'ama',* der Religionsgemeinschaften, Milizenführer, Bürgerkriegsgewinnler und Schieber der Wiederaufbauphase zu trotzen und die gern verdrängten Themen aufs Tappet zu bringen.

Der Libanon befindet sich wieder einmal am Scheideweg. Im Gegensatz zum Beginn des letzten Bürgerkrieges in Frühjahr 1975 weiß man Anfang 2007 ganz genau, wohin die Reise führt. Die heimischen NGOs haben im Jahr 2006 viel dazu beigetragen, demokratiepolitisches Potential des Landes freizusetzen. Nun ist der libanesische Staat am Zug. NGOs können auf Dauer nicht die Rolle eines Ersatzstaates spielen. Um der schwerwiegenden Krisenerscheinungen im Inland Herr zu werden, müssen die konfessionellen Stammesführer ihre Differenzen überwinden – zum Wohle der Nation. Dies wird jedoch nicht viel nutzen, solange außenpolitische Akteure weiterhin in der Lage sind die sprichwörtliche Vielfalt des Landes zu missbrauchen, um das Land am Rande des Ruins zu führen.

Literatur

Abdelrahman, Maha M. (2004), Civil Society Exposed – The Politics of NGOs in Egypt, London: Tauris.

Abdel Samad, Ziad (2006), Civil Society in the Arab Region – The Needed Role and the Obstacles to Fulfillment, in: Conference Papers, Strengthening Civil Society in the Arab Region: Models for Legal Reform, The International Center for Not-for-Profit Law, Beirut, Lebanon, July 3-5, 2006, Middle East Senior Research Fellows, http://www.icnl.org /programs/location/mena/beirut_conference/Beirut_Papers_English .pdf , Zugriff: 29.1.2007, S. 57-84.

Abi-Habib, Maria (2007), Civil-society groups struggle to revive draft election law: War with Israel put proposal on back burner, Daily Star, http://www.dailystar.com.lb/article.asp?edition_id=1&categ_id=2&article_id=78760, 19 Jänner 2007, Zugriff 19.1.2007.

Al-Sayyid Sa'id, Muhammad (2005), Civil Versus Political Culture in NGOs, in: Ben Néfissa, Sara, et al. (Hrsg.), NGOs and Governance in the Arab World, Cairo: The American University of Cairo, S. 55-68.

Arab Women's Movements (2003), Al-Raida Centenary Issue, Institute for Women's Studies in the Arab World, Beirut, No. 100.

Basbous, Nayla / Andary, Maya / Gomez, Daniel Frederick Rivera / Skaff, Claudia, The Role of Western Governments and NGOs in Promoting Democracy in the Middle East and North Africa, Research Methods POS 681, Spring 2005, Eugene Sensenig-Dabbous, Research Project Teams.

Bathish, Hani M. (2007), Quarries do damage you can see - and some you can't - State inaction allows industry to imperil water resources and depress property values, Daily Star, http://www.dailystar.com.lb/article.asp?edition_id=1&categ_id=25&article_id=79846, 26.2.2007, Zugriff 26.2.2007.

Ben Néfissa, Sara (2005), NGOs and Governance in the Arab World – A Question of Democracy, in: Ben Néfissa, Sara / et al. (Hrsg.), NGOs and Governance in the Arab World, Cairo: The American University of Cairo, S. 1-18.

Ben Néfissa, Sara /et al. (Hrsg.) (2005), NGOs and Governance in the Arab World, Cairo: The American University of Cairo.

bint Talal, Basma (2004), Rethinking an NGO – Development, Donors and Civil Society in Jordan, London: Tauris.

Challita, Dona (2007), Critics flay official response to Jiyyeh spill – An Israeli attack caused the disaster, but environmentalists say Lebanese inaction made it worse, http://www.dailystar.com.lb/article.asp?edition_id =1&categ_id=25&article_id=82549, Daily Star, 28.5.2007, Zugriff 28.5.2007.

Challita, Dona (2007), Emergency panel called for in UN pact has yet to be empowered – „A cooperation plan should have been set up during the war to start immediately after the cease-fire", http://www.dailystar.com.lb/article.asp?edition_id=1&categ_id=25&article_id=82550, Daily Star, 28.5.2007, Zugriff 28.5.2007.

Conference Papers, Strengthening Civil Society in the Arab Region: Models for Legal Reform, The International Center for Not-for-Profit Law, Beirut, Lebanon, July 3-5, 2006, Middle East Senior Research Fellows, http://www.icnl.org/programs/location/mena/beirut_conference/Beirut_Papers_English.pdf , Zugriff 29.1.2007.

Dawahare, Michael D. (2000), Civil Society and Lebanon – Toward a Hermeneutic Theory of the Public Sphere in Comparative Studies, Parkland/Florida, Brown Walker Press.

Dabbous-Sensenig, Dima (2007), The Situation of the Media in Lebanon – Country Report, Promoting the Rule of Law and Integrity in the Arab Countries, Arab Center for the Development of the Rule of Law and Integrity, http://www.arabruleoflaw.org/Templates/ListActivities.aspx?PostingId=297&id=1, forthcoming.

Fawaz, Mona (2005), Agency and Ideology in Community Service – Islamic NGOs in a Southern Suburb of Beirut, in: Ben Néfissa, Sara / et al. (Hrsg.), NGOs and Governance in the Arab World, Cairo: The American University of Cairo, S. 229-256.

Hanafi, Sari (2005), Donor, International NGOs, and Palestinian NGOs – Funding Issues and Globalized Elite Formation, in: Ben Néfissa, Sara / et al. (Hrsg.), NGOs and Governance in the Arab World, Cairo: The American University of Cairo, S. 337-360.

Hanafi, Sari / Tabar, Linda (2005), The Emergence of a Palestinian Globalized Elite – Donors, International Organizations and Local NGOs, Institute for Palestine Studies: Jerusalem.

Hanf, Theodor (2007), E pluribus unum? – Lebanese Opinions and Attitudes on Coexistence, Lettres de Byblos 14/Centre International des Sciences de l'Homme (CISH), Byblos.

Hourani, Guita (2006), Emigration, Remigration, Evacuation and Return – The Impact of the Summer 2006 War on Migration in Lebanon, Notre Dame University Press: Zouk Mosbeh/Lebanon.

Hourani, Guita / Sensenig-Dabbous, Eugene (2007), Insecurity, Migration and Return – The Case of Lebanon following the Summer 2006 War, in: Euro-Mediterranean Consortium for Applied Migration Research (CARIM)/European University Institute: Florence, http://www.iue.it/RSCAS/e-texts/CARIM-RR2007_01_Hourani&Sensenig.pdf, Zugriff 25.2.2007.

Hanf, Theodore (1993), Coexistence in Wartime Lebanon – Decline of a State and Rise of a Nation, London: Tauris.

Fatal Strikes – Israel's Indiscriminate Attacks Against Civilians in Lebanon (August 2006), Human Rights Watch, http://hrw.org/reports/2006/lebanon0806/, Zugriff 2.9.2006.

Infopro (2006), Economic Impact of the July 06 War and Steps towards Recovery, Infopro, Center for Economic Information: Beirut.

Kandil, Amani (1994), Status of the Third Sector in the Arab Region Citizens, Civicus, zitiert in: Abdel Samad, Ziad (2006), Civil Society in the Arab Region - The Needed Role and the Obstacles to Fulfillment, in: Conference Papers, Strengthening Civil Society in the Arab Region: Models for Legal Reform, The International Center for Not-for-Profit Law, Beirut, Lebanon, July 3-5, 2006, Middle East Senior Research Fellows, http://www.icnl.org/programs/location/mena/beirut_conference/Beirut_Papers_English.pdf , Zugriff 29.1.2007, S. 57-84.

Karam, Karam (2005), Civil Association, Social Movements, and Political Participation in Lebanon in the 1990s, in: Ben Néfissa, Sara / et al. (Hrsg.), NGOs and Governance in the Arab World, Cairo: The American University of Cairo, S. 311-336.

Kingston, Paul, (2001), Patrons, Clients And Civil Society: A Case Study Of Environmental Politics in Postwar Lebanon, in: Arab Studies Quarterly (ASQ), Winter, 2001, http://www.findarticles.com/p/articles/mi_m2501/is_1_23/ai_76560796/print, Zugriff 12.1.2007.

Lebanon at a Tripwire (December 2006), Policy Briefing, Middle East Briefing N°20, International Crisis Group, Beirut/Brussels, 21 December 2006, http://www.crisisgroup.org/home/index.cfm?l=1&id=4586, Zugriff 10.1.2007.

Ohrstrom, Lysandra (2007), Some of Fneish's reforms left when he stepped down – Critic says sweet deals have been resurrected – and even extended to more employees of semi-autonomous unit, http://www.dailystar.com.lb/article.asp?edition_id=1&categ_id=25&article_id=80382, Daily Star, 12.3.2007, Zugriff 12.3.2007.

Reforming Lebanon – FPM political program (May 2005), Wahlprogramm der Free Patriotic Movement, http://www.tayyar.org/elections/political_program_en/, Zugriff 16.11.2006.

Sensenig-Dabbous, Eugene (2006), Lebanon Overview, in: Hourani, Guita, Emigration, Remigration, Evacuation and Return – The Impact of the Summer 2006 War on Migration in Lebanon, Notre Dame University Press: Zouk Mosbeh/Lebanon, S. 13-23.

Sensenig-Dabbous, Eugene (2007), Why is everyone ignoring the Boutros proposal?, http://www.dailystar.com.lb/article.asp?edition_id=1&categ_id=5&article_id=78178, Daily Star, 04 Jänner 2007, Zugriff 04.1.2007.

Wilson-Goldie, Kaelen (2007), Will Fneish's resignation kill reform at the Energy and Water Ministry? - Volunteer team leaves legacy of fighting corruption, http://www.dailystar.com.lb/article.asp?edition_id=1&categ _id=25&article_id=77180, Daily Star, 27 November 2006, Zugriff 27.11.2006.

Zurayk, Rami (2007), Disillusionment in Development – The Role of NGOs, Rede im Rahmen des Sociology Café, American University of Beirut, 15. März 2007, Email des Autors 27.3.2007.

UNIFIL UND MARITIME TASK FORCE GENÜGEN NICHT. WARUM DAS NAHOST-QUARTETT AUCH BEIM ISRAELISCH-LIBANESISCHEN KONFLIKT GEFORDERT IST

BERTHOLD MEYER

Am 8. Februar 2007 wurde ein Feuergefecht im Grenzstreifen zwischen Israel und Libanon gemeldet. Es war der erste nennenswerte Zwischenfall seit dem 14. August 2006, jenem Datum, an dem nach 33 Tagen „Sommerkrieg" zwischen den israelischen Streitkräften (IDF) und der libanesischen Hisbollah („Partei Gottes") erstmals die Waffen schwiegen. Um diesen Zustand zu bewahren, trennt auf der Grundlage der Resolution 1701 des UN-Sicherheitsrates eine von 2.000 auf 15.000 Soldaten vergrößerte UN-Friedenstruppe (UNIFIL) die Kriegsparteien von einander. Sie sorgte anscheinend auch am 8. Februar dafür, dass es bei einem kurzen Schusswechsel blieb. Trotz der guten Dienste von UNIFIL hat sich in den letzten Monaten die Lage an der Nordfront des Nahost-Konfliktes kaum entspannt, zumal der Libanon inzwischen selbst wieder am Rande eines Bürgerkrieges steht.

Um die komplexe Konfliktsituation im Nahen Osten zu entschärfen, bedarf es offensichtlich einiger Anstrengungen externer Akteure, die über die Umsetzung der Resolution 1701 hinausgehen müssen. Zwar hat Bundeskanzlerin Angela Merkel den Nahost-Konflikt weit vorn auf die Agenda ihrer Präsidentschaft in der Europäischen Union und der G8-Staaten gesetzt und das Nahost-Quartett, bestehend aus USA, Russland, UNO und EU, wieder belebt. Aber dieses hatte sich in der Vergangenheit auf den Kernbereich des Nahost-Konfliktes, die Beziehungen zwischen Israel und den Palästinensern, beschränkt und scheint sich auch weiterhin darauf konzentrieren zu wollen. Wie viel Erfolg die Spitzendiplomaten damit haben werden, ist noch offen; doch er wird geringer ausfallen, wenn sie die anderen offenen Probleme dieses Konfliktes nicht ebenfalls angehen.

Im Zentrum des vorliegenden Beitrags[1] stehen die Vorgeschichte und das Zustandekommen der Resolution 1701; weiterhin die Bewertung ihrer Umsetzung unter der Frage, warum UNIFIL und seine Maritime Task Force (MTF) nicht in der Lage sind, eines ihrer zentralen Ziele zu erreichen

---

1 Eine ausführlichere Version dieses Beitrags ist unter dem Titel „Die maritime Task Force – eine Farce" als HSFK-Standpunkt Nr. 1/2007 erschienen.

und den Waffenschmuggel nach Libanon zu unterbinden. Dies lenkt den Blick auf Syrien und auf die Notwendigkeit, dieses Land in die Bemühungen um eine Regelung des Nahost-Konfliktes an seiner Nordflanke einzubeziehen. Der Beitrag plädiert deshalb dafür, die neue Initiative des Nahost-Quartetts breiter anzusetzen, um zu versuchen, Libanon zu stabilisieren und zu einer von Israel, Libanon und Syrien anerkannten Grenzziehung zwischen diesen drei Staaten zu gelangen.

Sommer 2006: Gewalt statt Frieden

Anfang 2006 hatte der Sieg der radikalislamischen Hamas bei den Parlamentswahlen in den palästinensischen Autonomiegebieten die Beziehungen zwischen Israel und den Palästinensern auf einen neuen Tiefstand gebracht. Israel begann damit, die von Hamas gebildete „Regierung“ finanziell auszutrocknen, um zu erreichen, dass die Hamas das Existenzrecht Israels und die mit ihm von Yassir Arafat für die PLO unterschriebenen Verträge anerkennt. Doch die Hamas weigerte sich und nahm lieber Not und Chaos in den Autonomiegebieten in Kauf. Ende Mai schien sich jedoch ein „Fenster der Gelegenheit“ für die Wiederbelebung des Friedensprozesses im Nahen Osten aufzutun: Israels eben gewählter Ministerpräsident Ehud Olmert setzte auf die erklärte Verhandlungsbereitschaft des Palästinenserpräsidenten Mahmud Abbas, welcher der weltlich orientierten al Fatah angehört, und traf sich mit ihm unter der Schirmherrschaft von Jordaniens König Abdullah II am Toten Meer. Gespräche auf der Arbeitsebene folgten.

In dieser von vielen Medien als hoffnungsvoll bezeichneten Situation wurde am 24. Juni ein grenznaher Wachtposten überfallen und ein israelischer Soldat in den Gazastreifen verschleppt. Die Israelischen Verteidigungskräfte (IDF) bombardierten daraufhin sogleich drei Brücken und das einzige Elektrizitätswerk im Gazastreifen. Bis zum 12. Juli nahmen die Kämpfe in dem vor nicht einmal einem Jahr von Israel geräumten Gebiet an Schärfe zu, gab es schon etliche Tote und noch mehr Verletzte, ohne dass der Soldat gefunden worden wäre.

An diesem Tag ergriff ein Kommando der schiitischen Hisbollah nahe der libanesischen Grenze zwei israelische Soldaten und entkam mit ihnen. Dies mag als Entlastungsmanöver für den palästinensischen Widerstand insbesondere der sunnitischen Hamas gedacht gewesen sein, dem sich die Hisbollah trotz des konfessionellen Unterschieds insofern verbunden fühlt, als sie sich nach der israelischen Besetzung Südlibanons 1982 ebenfalls als Widerstandsbewegung gegründet hat. Doch die Verschleppung der beiden Soldaten mag genauso „nur“ dazu gedacht gewesen sein, Gefangene freizupressen. Denn die Hisbollah hatte in der Besatzungszeit und danach gelegentlich israelische Soldaten entführt, um sie gegen gefangene Gefolgsleute auszutauschen; zuletzt hatte sie 2004 für die Rückgabe der Leichen zweier israelischer Soldaten 400 Gefangene auslösen können. Auch jetzt forderte sie wieder die Freilassung von Inhaftierten.

Die IDF reagierte[2] jedoch noch am selben Tag mit schweren Luftangriffen auf den internationalen Flughafen von Beirut und die Autobahn nach Damaskus sowie mit einer Luft- und Seeblockade des Libanon. Ihr Generalstabschef Dan Halutz drohte zugleich, mit Attacken auf die Infrastruktur „die Uhr im Libanon um 20 Jahre zurückzudrehen", wenn die Soldaten nicht freigelassen würden.[3] Während die libanesische Regierung ihre reguläre Armee in den Kasernen behielt, schoss die Hisbollah erstmals weiter reichende Raketen nach Israel, die u.a. die Städte Haifa und Nazareth trafen, wo man bei früheren Katjuscha-Angriffen noch in sicherer Entfernung gelebt hatte.

In den folgenden 33 Tagen versuchten die israelischen Streitkräfte, einerseits vergeblich aus der Luft und später auch mit Panzern, die weit in den Südlibanon vorrückten, die Hisbollah „auszuschalten". Andererseits machten sie Halutz' Androhung wahr und zerstörten große Teile der Infrastruktur des Libanon.[4] Rund 1.200 unbeteiligte Bürger kamen ums Leben. Nahezu eine Million Menschen mussten aus ihren Heimatorten fliehen, in denen viele nach der Rückkehr ihre Lebensgrundlagen entweder zerstört vorfanden oder sich seither davor hüten müssen, ihre Land- und Weidewirtschaft wieder aufzunehmen, weil Israel gefährliche Streubomben verwendet hat, von denen zahllose Blindgänger noch lange eine Gefahr darstellen. Die Hisbollah verschoss während dieser Zeit etwa 4.000 Raketen verschiedener Reichweite. Sie töteten auf israelischer Seite 43 Zivilpersonen und verletzten 690 weitere. Etwa 500.000 Menschen flohen vorübergehend in südlichere Landesteile. Von ihnen konnten die meisten nach dem Ende der Kampfhandlungen in ihre unzerstörten Häuser zurückkehren, da viele der Hisbollah-Raketen keine größeren Schäden angerichtet hatten. Allerdings wirft Human Rights Watch auch der Hisbollah vor, Streumunition eingesetzt zu haben.

---

2 Es gibt eine Diskussion darüber, ob Israel die Aktion gegen die Hisbollah auch ohne die Entführung der beiden Soldaten begonnen hätte. Diese Diskussion rankt sich letztlich um die vor allem *während* des Libanon-Krieges gestellte Frage, ob und inwieweit dieser eine Art Probelauf für einen Krieg gegen den Iran war. Dem Verfasser erscheint diese Frage zu spekulativ, um sie hier weiter zu erörtern. Er vertritt jedoch die Auffassung, dass, wenn es denn ein solcher Probelauf gewesen sein sollte, dieser so gründlich misslungen ist, dass rational denkende Politiker und Militärs eigentlich veranlasst sein müssten, das „Stück" nach der Probe abzusetzen.

3 www.netzeitung.de/spezial/nahost/421838.html.

4 Über das Ausmaß der Zerstörungen gibt es unterschiedliche Angaben. Während die libanesische Regierung es mit 2,8 Mrd. US-$ angibt, behauptet die Hisbollah, es seien nur 1,51 Mrd. US-$ gewesen, nach: Bluhm, Michael / Habib, Osama, Hizbullah questions government's estimates on cost of reconstruction, Daily Star staff, February 16, 2007.

Warum eskalierte Israel so schnell und so stark?

Wurden schon die Reaktionen Israels auf die erwähnte erste Entführung in den Gazastreifen von Politikern und Medien im Ausland als übertrieben bezeichnet, so waren die Bombenangriffe auf den Nachbarstaat erst recht unangemessen, um die beiden anderen Soldaten zu befreien, selbst wenn eine militärische Reaktion im Prinzip vom Völkerrecht gedeckt gewesen sein sollte, wie Israel behauptet.

Wie lässt sich diese Handlungsweise eines demokratischen Rechtsstaates erklären? Seit der Gründung 1948 war Israel immer wieder in Kriege mit seinen Nachbarn verwickelt. Seit 1967 hält es den Gazastreifen und das Westjordanland sowie die syrischen Golanhöhen besetzt, letztere wurden 1981 sogar annektiert. Von 1987 bis 1993 und nochmals von 2000 bis 2004 versuchten palästinensische Widerstandsgruppen, die Besatzung „abzuschütteln", so die Übersetzung des Wortes „Intifada". Vor diesem Hintergrund ständiger Anspannung entwickelten sich die israelischen Verteidigungskräfte IDF zur bestausgerüsteten und stärksten Armee im vorderen Orient. Dabei wurden sie in doppelter Weise zu einem zentralen Element der existenziellen Selbstvergewisserung für die jüdische Mehrheit der Israelis, einerseits durch ihre Kampfkraft, andererseits durch die Ausbildung, die sie den wehrpflichtigen jungen Männern und Frauen angedeihen lassen: So heißt der Leitspruch in einer Selbstdarstellungsbroschüre des „Chief Education and Youth Officer's Headquarters" der israelischen Streitkräfte: „A Nation Builds an Army Which Builds a Nation."[5] Die zentrale gesellschaftliche Stellung der IDF spiegelt sich auch darin wider, dass häufig hoch dekorierte Offiziere (Yitzhak Rabin, Ehud Barak, Ariel Scharon) in Wahlen breites Vertrauen zur Ausübung politischer Macht erhielten.

Wenn nun plötzlich nicht nur einmal, sondern innerhalb weniger Wochen zweimal Soldaten verschleppt werden konnten, dann bedeutete das einen erheblichen Imageverlust für die IDF. Um sich nach innen wie nach außen weiterhin als schlagkräftig und abschreckungsfähig darzustellen, ließ Generalstabschef Halutz, ohne zu zögern, zunächst im Gazastreifen, dann aber noch entschiedener im Libanon mit aller Härte zuschlagen. Dass ihn dabei die beiden hauptverantwortlichen Politiker, Ministerpräsident Ehud Olmert und der aus der Friedensbewegung stammende Verteidigungsminister Amir Peretz, gewähren ließen, ja sogar den Rücken stärkten, dürfte auch damit zusammenhängen, dass sie als Zivilisten in einer so stark aufs Militär fixierten Gesellschaft nicht als Weichlinge gelten wollten.[6]

---

5 IDF, Chief Education and Youth Officer's Headquarters (Hrsg.), Vision of the Education and Youth Corps, 2000.

6 Schon bei der Bildung des Kabinetts Olmert Anfang Mai 2006 hatte einer der führenden Köpfe der Friedensbewegung Gush shalom, Uri Avnery, die Tatsache, dass unter den 25 Kabinettsministern „nur" zwei Generäle (Shaul Mofaz, Binyamin Ben-Eliezer, beide frü-

Die defekte Souveränität Libanons

Innerhalb kürzester Zeit entstand eine asymmetrische Konfliktformation, in der die Hisbollah „Krieg gegen Israel führte, Israel gegen den Libanon und der libanesische Staat nur noch international um Hilfe und eine Beendigung der Kämpfe bitten konnte".[7] Es hätte deshalb eigentlich sofort zu einer Reaktion des UN-Sicherheitsrates kommen müssen, zumal Israel der libanesischen Regierung nicht mehr anlasten konnte, als die UN-Resolution 1559 (2004) nicht erfüllt und die Hisbollah-Miliz nicht entwaffnet zu haben, was wahrlich keine Rechtfertigung dafür ist, das Nachbarland mit Krieg zu überziehen. Doch eine solche Reaktion blieb zunächst aus.

Um die weitere Entwicklung auf der internationalen Ebene zu verstehen, ist es notwendig, etwas näher auf den Hintergrund jener Resolution von 2004 einzugehen. Libanon, dessen Gesellschaft von 1975 bis 1990 von einem Bürgerkrieg zerrissen worden war, hatte in dieser Zeit auch seine staatliche Souveränität durch israelische und syrische Besatzung weitgehend eingebüßt: Im Süden standen von 1982 bis 2000 israelische Streitkräfte und die mit ihr verbündete Südlibanesische Armee. Nach dem Rückzug der Israelis geriet diese Region unter den Einfluss der Hisbollah und ihrer Miliz, die hier wie ein Staat im Staat auftraten. Sie ist mit Iran konfessionell eng verbunden, kooperierte aber auch mit den seit der Zeit des Bürgerkrieges im Libanon befindlichen syrischen Besatzungstruppen, die bis 2005 noch rund 17.000 Mann umfassten und Damaskus weiterhin politischen Einfluss auf Beirut sicherten. Aus libanesischer Sicht hat sich Israel 2000 überdies noch nicht ganz zurückgezogen, da es nach wie vor die Schebaa-Farmen besetzt hält, ein 25 qkm großes Gebiet, von dem Jerusalem behauptet, es sei Teil der bis 1967 zu Syrien gehörenden Golan-Höhen.

Die Resolution 1559 ging zurück auf einen gemeinsamen Antrag Frankreichs, das traditionell großes Interesse am Libanon hat, und der USA, die einerseits daran interessiert waren, Syriens Einfluss in der Region einzudämmen, andererseits als Sachwalter Israels handelten, das zwar nicht namentlich erwähnt, aber wegen der Shebaa-Farmen unmittelbar betroffen war.

---

here Verteidigungsminister) seien, dahingehend kommentiert: „Freuen wir uns nicht zu früh: eine zivile Regierung kann von der Macht der Generäle eingeschüchtert werden und sich gedrängt fühlen, ihre militärische Tüchtigkeit zu beweisen (wie es im Lied nachklingt: Alles was du kannst, kann ich besser ...) Werden diese Zivilisten es wagen, gegen den Rat des Generalstabschefs zu handeln, der an jedem Kabinettstreffen teilnimmt und die Politik im Namen der ‚Sicherheit' diktiert?" Zit. nach: Uri Avnery, Dreihundert Küsse, http://www.uri-avnery.de/magazin, erstellt am 6.5.2006.

7 Volker Perthes, Komplexe Konfrontationen. Deutungen des jüngsten Nahost-Krieges im Libanon, in: Frankfurter Allgemeine Zeitung, 26.8.2006, S. 8.

Der Sicherheitsrat erklärte in der Resolution, „die territoriale Unversehrtheit, Souveränität und politische Unabhängigkeit Libanons innerhalb seiner international anerkannten Grenzen" „nachdrücklich" zu unterstützen. Er forderte konkret „alle noch verbleibenden ausländischen bewaffneten Kräfte zum Abzug aus Libanon" auf, sowie „die Auflösung und Entwaffnung aller libanesischen und nicht-libanesischen Milizen". Und er erklärte zugleich „die Ausweitung der Kontrolle der Regierung Libanons auf das gesamte libanesische Hoheitsgebiet" unterstützen zu wollen.[8]

Um das staatliche Gewaltmonopol Libanons auf das gesamte Hoheitsgebiet auszudehnen, hätte es zwingend einer aktiven Mitwirkung der UNO bedurft. Doch die schon seit 1978 an der Grenze zu Israel stationierte UN-Blauhelmtruppe UNIFIL hatte nur ein Beobachtungsmandat. Es wäre also entweder notwendig gewesen, dieses Mandat „robuster" zu machen, damit die Blauhelme in der Lage gewesen wären, den notorisch schwachen regulären libanesischen Streitkräften bei der Entwaffnung der Milizen tatkräftig zu helfen, sofern diese es überhaupt wagten, diese zum Teil viel moderner ausgerüsteten Privattruppen aufzufordern, ihre Waffen niederzulegen. Oder es hätte ein Weg gefunden werden müssen, die Milizen in die regulären Streitkräfte zu integrieren und damit der Regierung zu unterstellen, um ihr Gewaltpotential so kontrollieren zu können. Beides kam in der Resolution nicht vor. Deshalb war sie von vornherein nicht mehr als das Papier wert, auf das sie gedruckt wurde.

Zwar erledigte sich eine ihrer Forderungen am 26. April 2005 insofern, als Syrien seine Soldaten nach 28 Jahren der Anwesenheit endlich abzog. Das hatten aber die Resolution und der internationale Druck nicht allein bewirkt, sondern weit mehr noch eine innerlibanesische Protestbewegung, die nach Ermordung des Ex-Regierungschefs Rafik Hariri am 14. Februar 2005, die Syrien angelastet wurde, massiv zugenommen hatte. Demgegenüber hielt Israel weiterhin die Shebaa-Farmen annektiert und lieferte somit der Hisbollah und anderen das Argument, seinerseits die Resolution 1559 nicht einzuhalten. Die andere Forderung der UNO blieb gänzlich unerfüllt: Bei den international überwachten Parlamentswahlen vom 29. Mai bis 19. Juni 2005 ging die Hisbollah eine Allianz mit der gemäßigteren schiitischen Partei Amal ein und erhielt 14 der 35 den Schiiten zugedachten Mandate im 128 Sitze umfassenden Parlament. Die Hisbollah wurde daraufhin mit zwei Mitgliedern in das von Fuad Siniora gebildete Kabinett einer umfassenden Koalition aufgenommen. Trotzdem behielt sie unter Scheich Hassan Nasrallah ihre private Miliz mit mehreren tausend gut ausgerüsteten Kämpfern bei.[9]

---

8 Resolution des Sicherheitsrates 1559 v. 2. September 2004.

9 Über die Zahl der Kämpfer schwanken die Angaben von 3.000 bis 20.000.

Dass die Resolution 1559 (2004) nur pauschalisierend ungenaue Formulierungen enthielt, die später von jeder Seite nach eigener Interessenlage interpretiert werden konnten, ist für den Sicherheitsrat nicht ungewöhnlich. Nur so sind Kompromisse zwischen den divergierenden Interessen insbesondere der Ständigen Mitglieder möglich. Solange das nicht gelingt, wird um Formulierungen manchmal wochenlang gerungen.

Die Welt schaut zu und weg

Dies war auch nach dem Beginn der Kampfhandlungen zwischen Israel und der Hisbollah im Juli 2006 der Fall. Dabei zeigte sich außerdem, dass im Gegensatz zur libanesischen Regierung und dem größten Teil seiner Bevölkerung weder den unmittelbaren Kriegsparteien (IDF und Hisbollah) noch der internationalen Umwelt an einem schnellen Ende der Kämpfe gelegen war. Daher begleitete die Welt die Eskalation teils mit Kopfnicken, teils mit Kopfschütteln, aber viel zu lange untätig.

Obwohl der sunnitische libanesische Ministerpräsident Siniora als proamerikanisch gilt, sahen die USA mit Wohlwollen und mit ihnen verbündete sunnitische arabische Länder wie Ägypten und Saudi-Arabien zumindest in den ersten Kriegstagen nicht uninteressiert dabei zu, wie Israel großflächig gegen „schiitische Terroristen" vorging. Doch auch auf der gegnerischen Seite verfolgten die beiden stärksten Verbündeten der Hisbollah, Syrien und Iran, „übergeordnete" Interessen in dem Konflikt: Die Regierung in Damaskus verband mit einer weiteren Schwächung der libanesischen Regierung die Hoffnung, wieder stärkeren Einfluss auf das Nachbarland gewinnen zu können. Außerdem vermochte es die Popularität, die Scheich Nasrallah während der Kriegstage auch in Syrien gewann, ein wenig Glanz auf dessen Präsidenten Bashar el Assad zu werfen. Teherans Regierungschef Mahmud Ahmadinedschad sprach hingegen in den ersten Tagen von einer „umfassenden Lösung", die er sich wohl so ausmalte, dass sein Land darin zu einer regionalen Großmacht aufsteigen könne.

Zwar hatte UN-Generalsekretär Kofi Annan schon am 17. Juli die Aufstockung der UNIFIL ins Gespräch gebracht, um die Lage zu stabilisieren. Es gelang im UN-Sicherheitsrat jedoch zunächst nicht, einen gemeinsamen Standpunkt zu artikulieren. Selbst nachdem am 25. Juli ein Posten der UNIFIL unter israelischen Beschuss geraten und vier Blauhelm-Soldaten ums Leben gekommen waren, war es nicht möglich, das UNIFIL-Mandat, das ohnehin am 31. Juli zur Verlängerung anstand, personell auszuweiten und inhaltlich so umzugestalten, dass die UN-Soldaten sich wenigstens gegen Angriffe wehren dürfen. Vielmehr drückte der Sicherheitsrat am 31. Juli nur seine „tiefste Besorgnis über die Eskalation der Feindseligkeiten" aus und stellte fest, dass die UNIFIL deshalb „entlang der Blauen Linie an der wirksamen Ausführung ihrer Tätigkeiten gehindert wird".[10] Dabei hatte sich selbst Israels Verteidigungsminister Amir Peretz nach einem Gespräch mit Bundesaußenminister Frank Walter Steinmeier am 23. Juli für die „vorübergehende" Entsendung einer internationalen Friedenstruppe mit einem robusten Mandat in den Südlibanon ausgesprochen.[11] Trotzdem wurde das UNIFIL-Mandat erst einmal unverändert nur um einen Monat verlängert.

Zwischenzeitlich hatte in Rom am 26. Juli eine Libanon-Konferenz stattgefunden, auf der Vertreter einiger westlicher und gemäßigter arabischer Staaten, der UNO und der Weltbank mit dem libanesischen Ministerpräsidenten Siniora zusammentrafen, um unter anderem über eine künftige Friedenstruppe zu beraten. An der Konferenz nahmen jedoch weder Vertreter Israels noch der Hisbollah oder Syriens teil. Siniora trug hier einen Sieben-Punkte-Plan vor, der einen Gefangenenaustausch, den Rückzug der israelischen Truppen hinter die Demarkationslinie, die Rückkehr der vertriebenen Zivilbevölkerung, den Rückzug Israels aus den Shebaa-Farmen, die vorübergehend unter UNO-Kontrolle gestellt werden sollten, die Ausdehnung der Regierungshoheit auf den ganzen Südlibanon, die Verstärkung der bestehenden UNIFIL-Truppen, die Wiederbelebung des israelisch-libanesischen Waffenstillstandsabkommens von 1949 und den Wiederaufbau des Südens umfasste. Dieser Plan wurde tags darauf vom libanesischen Kabinett einschließlich seiner Hisbollah-Mitglieder gebilligt, so dass nun sowohl die israelische wie die libanesische Seite grundsätzlich für eine Verstärkung der UNIFIL waren. Trotzdem feilten Frankreich und die USA noch fast zwei Wochen an einem Textentwurf, bis sie ihn gemeinsam dem Sicherheitsrat vorlegen konnten.

Ein wesentlicher Grund für die Verzögerung war, dass die USA die Auffassung des israelischen Militärs teilten, es sei noch zu früh, den Südlibanon einer neu mandatierten Friedenstruppe anzuvertrauen: Die IDF hatte nämlich am 22. Juli eine Bodenoffensive im Südlibanon begonnen und glaubte deshalb noch, Hisbollah ganz oder weitgehend ausschalten zu können. Da die Bodentruppen jedoch aufgrund der seit dem israelischen Rückzug im Frühsommer 2000 von der Hisbollah vorgenommenen Verbunkerungen nicht so schnell wie erwartet vorankamen, wollten die USA allem Anschein nach der IDF mehr Zeit lassen. Selbst als die Resolution 1701 am 11. August endlich beschlossen wurde, sah sie für das „sofortige" Ende der Kampfhandlungen erst den 14. August 2006, 8 Uhr Ortszeit vor. Dies blieb nicht ohne Folgen: Eine von der Gruppe Friedensentwicklung (FriEnt) ver-

---

10 UNSC Res. 1697 (2006).

11 Vgl. stock-channel.net/stock-board/showthread.php3?t=32241&page=2.

öffentlichte Karte der Bombardierungen im Libanon zeigt, dass die IDF noch am 13. August zahlreiche Bomben über dem Südlibanon auslöste.[12]

Die UN-Resolution 1701: Ein Versuch der Quadratur des Kreises

Die Schwierigkeiten, einen Kompromiss zu finden, sind nicht nur in der Präambel der Resolution zu erkennen, sondern auch bei der Gewichtung dessen, was an Leistungen der unmittelbar Betroffenen begrüßt, ersucht oder gefordert wird:

In der Präambel betont der Sicherheitsrat nicht nur, „dass die Gewalt beendet werden muss“, sondern hebt der israelischen Perspektive folgend besonders hervor, „dass die Ursachen der gegenwärtigen Krise dringend angegangen werden müssen, namentlich durch die bedingungslose Freilassung der entführten israelischen Soldaten“. Da letzteres weiterhin auf sich warten ließ, konnte Israel später dieses Argument dafür benutzen, seinerseits Teile der Resolution zu missachten und z.B. Beobachtungsflüge über dem Libanon durchzuführen.

Weiterhin ist der Sicherheitsrat bemüht, der Regierung Libanons bei der Stabilisierung des Landes eine zentrale und aktive Rolle zuzuschreiben. So begrüßt er deren im Sieben-Punkte-Plan „eingegangene Selbstverpflichtung ..., ihre Autorität mittels ihrer eigenen legitimen Streitkräfte auf ihr gesamtes Hoheitsgebiet auszudehnen, sodass es keine Waffen ohne die Zustimmung der Regierung Libanons und keine Autorität außer der der Regierung Libanons geben wird“. Dem entspricht auch die positive Wertung des einstimmigen Beschlusses der Regierung, parallel zum Rückzug der israelischen Armee hinter die Blaue Linie[13] eine libanesische Truppe von 15.000 Soldaten nach Südlibanon zu verlegen und die UNIFIL-Truppe „nach Bedarf um zusätzlichen Truppenbeistand zu ersuchen, um den Einzug der libanesischen Streitkräfte in die Region zu erleichtern, und ... sie zur Erfüllung ihrer Aufgaben zu befähigen“.

Andererseits kann der Sicherheitsrat mit Blick auf das libanesische Ersuchen „um einen sofortigen Abzug der israelischen Truppen aus dem südlichen Libanon“ sich nur „entschlossen“ zeigen, „darauf hinzuwirken, dass dieser Abzug möglichst rasch erfolgt“. Die „in dem Sieben-Punkte-Plan unterbreiteten Vorschläge zum Gebiet der Schebaa-Farmen“ kann er sogar nur „gebührend zur Kenntnis nehmen“ und den Generalsekretär an anderer Stelle „ersuchen“, Vorschläge „zur Markierung der internationalen Grenzen Libanons, insbesondere für die Gebiete, in denen der Grenzverlauf um-

---

12 Vgl. Hippler, Jochen, Konfliktanalyse Libanon, Bonn 2006, S. 20.

13 Wegen der umstrittenen Schebaa-Farmen gibt es keine international anerkannte Grenze zwischen Libanon und Israel, Deshalb wird der Grenzverlauf als „Blaue Linie“ bezeichnet.

stritten oder unklar ist, so auch für das Gebiet der Schebaa-Farmen“ auszuarbeiten, „und innerhalb von dreißig Tagen vorzulegen“.

Betrachtet man die in der Resolution enthaltene Mandatierung der UNIFIL-Truppen näher, so erhalten sie nicht das von vielen Entsenderstaaten vorher geforderte „robuste“ Mandat, denn es fehlt jeglicher Hinweis auf Kapitel VII der UN-Charta, das von den bei Bedrohung oder Bruch des Friedens und bei Angriffshandlungen zu treffenden Maßnahmen handelt. Vielmehr bleibt die Resolution ziemlich vage. Der Sicherheitsrat beschließt unter Ziffer 11, „zur Ergänzung und Erweiterung der Personalstärke, der Ausrüstung, des Mandats und des Wirkungsbereichs der UNIFIL die Erhöhung ihrer Truppenstärke auf bis zu 15.000 Soldaten zu genehmigen“, und nennt dann einige „zusätzlich zur Wahrnehmung ihres bisherigen Mandats“ anfallende Aufgaben. Sie enthalten fast alle die Formulierung, die Truppen sollten der libanesischen Regierung oder ihren Streitkräften „behilflich sein“, was ein eigenständiges Handeln ausschließt.

Mit derselben freundlichen Formulierung wird auch Ziffer 12 eingeleitet. In ihr wird UNIFIL dann allerdings „ermächtigt“, „in den Einsatzgebieten ihrer Truppen alle erforderlichen Maßnahmen zu ergreifen, die nach ihrem Ermessen im Rahmen ihrer Fähigkeiten liegen, um sicherzustellen, dass ihr Einsatzgebiet nicht für feindselige Aktivitäten gleich welcher Art genutzt wird, allen gewaltsamen Versuchen, sie an der Ausübung ihrer vom Sicherheitsrat mandatierten Pflichten zu hindern, zu widerstehen, das Personal, die Einrichtungen, die Anlagen und die Ausrüstung der Vereinten Nationen und der humanitären Helfer zu gewährleisten und unbeschadet der Verantwortung der Regierung Libanons Zivilpersonen, die unmittelbar von körperlicher Gewalt bedroht sind, zu schützen“.

Wenn es einen Ansatz für ein „robustes“ Mandat gibt, dann liegt ihm dieser Satz zugrunde. Allerdings gibt es hinsichtlich der Praktikabilität eines robusteren Vorgehens begründete Zweifel. Sie betreffen vor allem die Frage, wie eine Wiederbewaffnung der Hisbollah durch die UNIFIL-Truppen oder die – in der Resolution 1701 nicht erwähnten – vor der libanesischen Küste kreuzenden Marineeinheiten verhindert werden soll, denn auch dabei geht es letztlich immer nur um Hilfestellung, die von Ersuchen der libanesischen Regierung abhängt (s.u.).

Dass die Aufgaben so umschrieben und dann auch so erfüllt werden müssen, hängt mit einem Grundproblem dieser Resolution zusammen, das wahrscheinlich nicht anders angegangen werden konnte als über den Versuch einer Quadratur des Kreises: Da es – quasi als Fortschreibung der oben behandelten Resolution 1559 (2004) – das Ziel der Resolution ist, die sehr schwache Regierung Libanons zu stärken, um ihr die Souveränität über ihr gesamtes Territorium zu verschaffen, darf sich die UNO (vertreten durch die UNIFIL und die Maritime Task Force MTF) nicht als eine Macht etablieren, die quasi den gesamten Kleinstaat (ca. 10.450 qkm) besetzt und seine Küste eigenmächtig kontrolliert. Der Libanon sollte nicht wie das Kosovo zu einem UN-Treuhandgebiet werden.

Kann die Maritime Task Force den Waffenschmuggel verhindern?

In Ziffer 14 der Resolution 1701 fordert der Sicherheitsrat die Regierung Libanons auf, seine „Grenzen und anderen Einreisepunkte zu sichern, um zu verhindern, dass Rüstungsgüter ... ohne seine Zustimmung nach Libanon verbracht werden, und *ersucht* die UNIFIL ..., der Regierung Libanons auf deren Ersuchen hin behilflich zu sein". Es sollen also keine Waffenlieferungen ins Land gelangen, die von der Regierung nicht autorisiert sind. Doch was kann UNIFIL in dieser Hinsicht tun, wenn ihr Einsatzbereich auf das Gebiet zwischen der Blauen Linie zwischen Israel und Libanon und dem Litani-Fluss beschränkt ist? Aufgrund der Konfliktlage braucht niemand zu befürchten, dass von Israel aus Waffen dorthin geschmuggelt werden. Ganz anders sieht dies an der libanesisch-syrischen Landgrenze aus, doch dort gibt es keine Überwachung.

Weiter fordert die Resolution in Ziffer 15 alle Staaten auf, die erforderlichen Maßnahmen zu ergreifen, „um zu verhindern, dass durch ihre Staatsangehörigen oder von ihrem Hoheitsgebiet aus oder durch Schiffe oder Luftfahrzeuge, die ihre Flagge führen, ... an eine Einrichtung oder Einzelperson in Libanon Rüstungsgüter und sonstiges Wehrmaterial jeder Art, einschließlich Waffen und Munition, Militärfahrzeugen und -ausrüstung, paramilitärischer Ausrüstung und Ersatzteilen für diese, verkauft oder geliefert werden, gleichviel, ob sie ihren Ursprung in ihrem Hoheitsgebiet haben oder nicht". Hieraus ergibt sich, auch zu kontrollieren, was über die Häfen eingeführt wird. Das kann UNIFIL aufgrund ihres beschränkten Einsatzgebietes selbst für den weitaus größten Teil der Küste nicht leisten.

Als nach dem 11. August in New York der Operationsplan (concept of operation) und die Einsatzregeln (rules of engagement) ausgehandelt wurden, bemühten sich deshalb vor allem Deutschland, aber auch andere Staaten darum, Marineeinheiten vor die Küste Libanons entsenden zu dürfen, um seeseitig die „Einreisepunkte" und die libanesisch-syrische Grenze daraufhin zu überwachen, dass keine Konterbande an die Hisbollah oder andere nichtstaatliche Einrichtungen geliefert wird. Man verständigte sich auf die Formierung eines „Maritime Task Force" (MTF) genannten multinationalen Marineeinsatzverbandes der UNO, der nach der Erlangung seiner vollen Einsatzbereitschaft unter deutschem Kommando stehen sollte. Von Seiten der Bundesmarine sind an ihm zwei Fregatten mit vier Bordhubschraubern, vier Schnellboote, ein Einsatztruppenversorger und ein Tender beteiligt. Ferner gehören von Anfang an zwei dänische und fünf norwegische Schnellboote und eine schwedische Korvette dazu.

Ende 2006 verkündete ein Sprecher der Bundesmarine stolz, man habe seit der Übernahme des Kommandos am 15. Oktober schon 1.500 Schiffe beobachtet, davon einige auch näher und wenige mit der dafür notwendigen libanesischen Zustimmung durchsucht, jedoch nichts Verdächtiges gefunden.

Dies aber ist genau der springende Punkt: Die seeseitige Überwachung der libanesisch-syrischen Grenze ist zwar eine sehr aufwändige Marineübung (allein die Bundesmarine veranschlagt für diesen Einsatz für das Jahr 2006 46 Mio. Euro und für 2007 bis zum vorläufigen Ende des Mandats am 31. August 147 Mio. Euro), sie ist aber ein untaugliches Mittel am falschen Ort. Warum sollten Syrer Waffen, die sie an die Hisbollah liefern wollen, in einem syrischen Mittelmeerhafen auf ein Schiff verladen, um sie dann unter dem Risiko, dass die MTF dieses beobachtet und verfolgt, in den Libanon zu verfrachten, wenn es auf der annähernd 300 km langen Landgrenze zwischen beiden Staaten keinerlei internationale Überwachung gibt, aber genügend Straßen und „Einreisepunkte", über die das Gerät problemlos der Hisbollah zugeführt werden kann? Und dürfte es so schwierig sein, Waffen, die Iran an die Hisbollah liefern will, als Luftfracht nach Syrien zu schaffen und dann ebenfalls auf dem Landweg ans Ziel zu bringen, anstatt sie umständlich per Schiff durch den von der US-Flotte kontrollierten Persischen Golf und an den am Horn von Afrika wachenden maritimen Einheiten von „Enduring Freedom" vorbei um die Arabische Halbinsel herum und durch den Suez-Kanal ins Mittelmeer zu transportieren?

Die Möglichkeit, den wesentlich einfacheren Landweg zu nutzen, kann dem Sicherheitsrat nicht unbekannt gewesen sein. Deshalb drängt sich der Verdacht auf, dass die Aufstellung der Maritime Task Force eine Farce oder ein fauler Kompromiss zwischen letztlich unvereinbaren Interessen war. Dies zeigen schon die Ergebnisse der Verhandlungen über die Einsatzregeln: Sie beinhalten Bundesverteidigungsminister Franz Josef Jung zufolge ein „abgestuftes Verfahren" mit Einsatzarten wie „Umleiten", „Abdrängen", „Kontrolle mit Boarding Teams", schließen aber das Dingfestmachen von Waffenschmugglern oder das Sicherstellen von geschmuggelten Waffen aus.[14] Hierfür ist der libanesische Zoll zuständig.

Etwas grotesk wirkte auch die Auseinandersetzung zwischen der UNO und Libanon über das Seegebiet, in dem die Schiffe der MTF selbständig kontrollieren dürfen: Libanon wollte hier zunächst nur zulassen, dass dies in einer Zone von 12 bis 6 sm geschehen dürfe, während die eigene Küstenwache in der Zone zwischen 6 sm und der Küste operieren wollte und sich vorbehielt, das Verfolgen von Schiffen bis in diesen Raum im Einzel-

14 Vgl. Wolf, W., Deutscher Libanon-Einsatz, http://gfw-vii.de/artikel/bin/LibanonEinsatz_neu.pdf.

fall zu genehmigen. Als dann aber Anfang November die See rauer wurde, waren die Küstenwachboote überfordert, so dass die libanesische Regierung auch dieses Gebiet der MTF überließ, bis der Winter vorbei sei. Allerdings tut ein libanesischer Offizier Dienst auf dem deutschen Führungsschiff, um das eventuelle Anhalten oder Durchsuchen eines Schiffes zu erlauben.

Von all dem abgesehen, bot die Beteiligung an dieser Inszenierung für die deutsche Bundesregierung einen Ausweg aus dem von Politikern aller relevanten Parteien beschriebenen Dilemma des ersten Militäreinsatzes in unmittelbarer Nähe Israels: Da man Israel zugesichert hatte, mitzuhelfen, dass die Hisbollah keine neuen Waffen erhielt, schien die seeseitige Präsenz geradezu ideal. Eine Beteiligung an UNIFIL zu Lande hätte das Risiko beinhaltet, mit Soldaten der IDF in einen Schusswechsel zu geraten. Dies wollte man auf alle Fälle vermeiden. Mit der Verlegung einiger Schiffe ins östliche Mittelmeer und der Übernahme der Führung des MTF-Kommandos glaubte die Bundesregierung, „Flagge zeigen“ zu können, ohne dieses Risiko einzugehen. Für Irritationen sorgte dann allerdings die israelische Luftwaffe, als am 24. Oktober 2006 zwei ihrer Kampfflugzeuge vom Typ F 16 eines der deutschen Schiffe im Tiefflug überquerten und dabei zwei Schüsse abgaben.[15] Zum Glück hatten sich die deutschen Marinesoldaten offenbar gar nicht vorstellen können, bei diesem Einsatz aus der Luft angegriffen zu werden. So blieb der Vorfall ohne militärische Weiterungen.

Wenn der Bundestag im Sommer 2007 über eine Verlängerung des deutschen Kontingents am MTF-Einsatz zu entscheiden hat, sollte er überlegen, welchen Sinn es hat, sich mit hohem Kostenaufwand an einer Mission zu beteiligen, die eine Farce bleibt, wenn das UNIFIL-Mandat nicht so verändert wird, dass diese Truppe entlang der Landgrenze zu Syrien dem Schmuggel ein Ende setzen kann. Auch dort könnte, um Beiruts Souveränität Rechnung zu tragen, ein paritätischer Mix von libanesischen und internationalen Truppen aufgebaut werden, so wie er an der israelisch-libanesischen Grenze besteht. Dies setzt freilich voraus, dass bis dahin Syrien in den Prozess einbezogen ist (dazu weiter unten).

Waffenruhe – Zeit der Kriegsvorbereitung?

Die Resolution 1701 zeigte überraschend schnell Wirkung. Sowohl die Hisbollah als auch die israelische Armee ließen ab dem 14. August von ihren Kämpfen ab, von kleineren Zwischenfällen in den ersten Tagen abgesehen. Die libanesische Armee konnte erstmals seit Jahrzehnten in den Sü-

15 Vgl. http://tagesspiegel.de/tso/drucken.asp?TextID=78399.

den ihres Landes vorrücken, und auch die erweiterte UNIFIL-Truppe nahm ihre Tätigkeit auf. Zwar wurde die Waffenruhe bis zum 8. Februar 2007 eingehalten und auch nach dem eingangs erwähnten Schusswechsel rasch wieder hergestellt. Aber es gab keinerlei Bemühungen, zu einem förmlichen Waffenstillstandsvertrag zu gelangen, der den Weg in eine friedliche Zukunft bahnen könnte.

Zwischen wem sollte er auch abgeschlossen werden? Israel hat nach eigenem Bekunden keinen Krieg gegen Libanon, sondern gegen die Hisbollah geführt. Die Hisbollah aber ist kein Subjekt, das einen völkerrechtlich bindenden Vertrag unterzeichnen kann, einmal davon abgesehen, dass Israel die Hisbollah für eine terroristische Organisation hält und die Hisbollah den Staat Israel nicht anerkennt.

Nach dem Kriegsende feierte sich die Hisbollah als Siegerin. Sie hatte in den 33 Tagen viele Menschen im Libanon vergessen lassen, dass die Verschleppung der israelischen Soldaten der Anlass für die israelischen Zerstörungen in Beirut und anderen Städten und Dörfern war. Statt dessen trug der Zorn auf Israel dazu bei, die Sympathien für Hisbollah-Chef Nasrallah und seine Organisation sogar über den schiitischen Bevölkerungsteil Libanons hinaus zu vergrößern. Ein Übriges tat die anfangs prall gefüllte Kasse der Schiitenorganisation, die sehr öffentlichkeitswirksam Kriegsopfern Zuschüsse für den Wiederaufbau ihrer Häuser zahlte.

Israel hat demgegenüber in den 33 Tagen der Kriegsführung keines seiner Ziele erreicht. Weder wurden die beiden Soldaten, um die es anfangs ging, frei gelassen. Noch konnte die Hisbollah entwaffnet oder wenigstens so geschwächt werden, dass sie auf mittlere Sicht keine Gefahr mehr für Israel darstellt. Im Gegenteil: Mitte Februar 2007 schätzte der israelische Geheimdienst, dass die Kapazitäten der Hisbollah-Miliz jetzt stärker sind als vor der israelischen Libanon-Offensive. Der ehemalige israelische Verteidigungsminister und jetzige Infrastrukturminister Binjamin Ben-Eliezer hält derselben Meldung zufolge „einen neuen Waffengang gegen die Hisbollah noch im laufenden Jahr für unumgänglich“.[16]

Zwar haben sich die Verluste sowohl bei der IDF als auch bei der Zivilbevölkerung in Grenzen gehalten. Ebenfalls blieb, was die Hardware anbelangt, Israels militärische Stärke ungeschmälert; so ist die Luftwaffe z.B. weiterhin in der Lage, über dem Libanon Aufklärungsflüge zu fliegen, um sich ein eigenes Bild von der Wiederbewaffnung der Hisbollah zu machen, und sie könnte auch jederzeit die Bombardements wieder aufnehmen.

Aber die Stimmung in Israel ist gekippt: Sah es Anfangs so aus, als würde es gelingen, den durch die Verschleppungen verursachten Image-Verlust der IDF vergessen zu lassen – z.B. waren während des Krieges

16 Salzburger Nachrichten, 20.2.2007, zit. nach http://www.salzburg.com/cgi-bin/sn/printArticle.pl?xm=3047112.

noch 85 Prozent der Israelis mit dem Verhalten der Armee zufrieden,[17] und die Umfragewerte für Olmert und Peretz so hoch wie niemals vorher in ihrer Amtszeit – , so erwiesen sich die Misserfolge als imageschädigend. Erst am 17. Januar 2007 bat Generalstabschef Halutz um seine Entlassung und übernahm damit die Verantwortung für die Fehler, die im Libanonkrieg gemacht wurden. Bis dahin waren die Zustimmungswerte für die Regierung längst in den Keller gestürzt: Am 25. Oktober 2006 lag die Sympathie für Olmert unter zehn Prozent.[18]

Wenn sich die gegenwärtige Lage so darstellt, dass die infolge der Resolution 1701 stärker gewordene internationale Präsenz zwar dafür gesorgt hat, dass die Waffenruhe noch nicht zerbrochen ist, dass sie aber beide Seiten nicht daran hindern konnte, sich auf einen neuen Waffengang vorzubereiten, dann stellt sich die Frage, was die internationale Umwelt darüber hinaus tun sollte, um einerseits zu verhindern, dass UNIFIL plötzlich zwischen die erneut aufeinander einschießenden Fronten gerät, und andererseits zu versuchen, die Lage dauerhaft zu entschärfen.

Was sollte das Nahost-Quartett gegen ein erneutes Aufflammen des Krieges tun?

Bundeskanzlerin Angela Merkel hat zu Beginn der deutschen EU-Präsidentschaft und des Vorsitzes der G8-Staaten begonnen, den nahöstlichen Friedensprozess über das Nahost-Quartett (UNO, EU, USA und Russland) wieder zu beleben. Dies ist ein erster Schritt in die richtige Richtung. Allerdings beschränkte sich die vom Quartett im Mai 2003 vorgelegte „road map“ darauf, zu versuchen, den Weg zu einem Staat Palästina an der Seite Israels zu ebnen, während dessen Konflikte mit Libanon und Syrien keine Beachtung fanden. Sicher wäre viel gewonnen, wenn das wiederbelebte Quartett in absehbarer Zeit einen möglichst vollständigen Rückzug Israels aus den besetzten Gebieten und eine Anerkennung Palästinas als souveräner Staat erreichen könnte. Dies würde all denen in der arabischen Welt, die ihre Ablehnung Israels mit dessen Besatzungspolitik begründen, ein zentrales Argument entziehen. Aber man muss davon ausgehen, dass die Konstituierung Palästinas selbst unter günstigeren Bedingungen nicht über Nacht vollzogen wird. Daher kann angesichts der neuen Kriegsgefahr an der israelisch-libanesischen Grenze nicht gewartet werden, bis der zentrale

17 Zit. nach Tagesspiegel vom 7. August 2006, http://www.tagesspiegel.de/fragen-des-tages/archiv/07.08.2006/2699925.asp.

18 http://www.tagesschau.de/aktuell/meldungen/0,1185,OID6034228_TYP6_THE_NAV_REF3_BAB,00.html.

Konfliktherd erkaltet, um zu hoffen, dass sich dann auch die Lage im Norden beruhigt.

Um den Konfliktraum um Israel zu befrieden, könnte es daher hilfreich sein, wenn das Quartett möglichst bald eine unmittelbar auf die Verbesserung der Beziehungen zwischen Israel und seinen nördlichen Nachbarn Libanon und Syrien ausgerichtete Politik entfaltete.

Syrien hat eine Schlüsselstellung in dem Konflikt und muss bei einer Neuordnung der Beziehungen und der Festlegung der Grenzen einbezogen werden. Von letzterem ist es in zwei Punkten unmittelbar betroffen: Bei den Golan-Höhen und den Schebaa-Farmen. Die unzweifelhaft zu Syrien gehörenden Golan-Höhen hält Israel seit 1967 besetzt und hat sie 1981 anders als den Gazastreifen und das Westjordanland sogar annektiert, nicht zuletzt, weil dieses Gebiet für Israel ein wichtiges Wasserreservoir ist. Trotzdem führten die Regierungen Shimon Peres' und Ehud Baraks schon in den 1990er Jahren vertrauliche Gespräche mit Syrien über die Rückgabe des Golan, bei denen es angeblich fast zu einer Einigung über den künftigen Grenzverlauf kam, die dann aber abgebrochen wurden. Am 16. Januar 2007 berichtete die israelische Zeitung Haaretz über neuere Geheimtreffen zwischen Syrern und Israelis zwischen September 2004 und Juli 2006, die einer Verständigung über die Zukunft des Golans nahe gekommen sein sollen. Dem Bericht zufolge soll Israel kurz vor Beginn des Libanon-Krieges prinzipiell bereit gewesen sein, sich auf die Grenze vom 4. Juni 1967 zurückziehen. Im Gegenzug sollte ein Gebiet, das vom Ufer des Sees Genezareth bis weit in den Golan reicht, zu einem Naturpark werden, der für Israelis und Syrer frei zugänglich, jedoch demilitarisiert werden sollte. Während Syrien diese Veränderung innerhalb von fünf Jahren erreichen wollte, hätten die israelischen Gesprächspartner fünfzehn Jahre für den Abzug vorgeschlagen.[19] In einem Interview berichtete der israelische Unterhändler Alon Liel wenig später, Syrien sei „zum totalen Wandel seiner Orientierung bereit" und wolle sich in den nächsten 15 Jahren daraufhin prüfen lassen, dass es die „Achse des Bösen" verlasse.[20]

Wenn man davon ausgeht, dass Kommunikationsverbote über „Lagergrenzen" hinweg und wechselseitige Anschuldigungen Stufen einer Eskalation sind, die schon bald in einem größeren Nahost-Krieg münden könnten, der weder den Menschen in Israel noch in seinen arabischen Nachbarländern und im Iran irgendeinen Vorteil bringt, dann kommt es darauf an, auf De-Eskalation zu setzen, und dies mit Nachdruck. Dies wird umso eher möglich sein, je weniger starr die Bush-Administration an ihrer Position festhält, selbst Sondierungen bei den Mächten der „Achse des Bösen" zu verdammen. Bei Gesprächen mit Damaskus geht es nicht darum, Sympa-

---

19 Akiva Eldar, Israeli, Syrian Representatives Reach Secret Understandings, Haaretz, January 16, 2007.

20 So im Gespräch mit FAZ-Korrespondent Jörg Bremer, FAZ, 6. Februar 2007, S. 12.

thien für das autoritäre Regime Assads zu entwickeln oder zu bekunden. Vielmehr ist ein geschäftsmäßiger Umgang mit ihm nötig, um im Dreiecks-Verhältnis Israel-Libanon-Syrien aus der Sackgasse zu finden.

Einerseits muss in den von Mitgliedern des Quartetts zu führenden Gesprächen von Damaskus eingefordert werden, dass es seine direkte und – als Zwischenträger für Teheran – indirekte Unterstützung der Wiederaufrüstung der Hisbollah aufgibt. Andererseits muss Syrien definitiv begreifen, dass die Welt – wie auch die Mehrheit im Libanon selbst – den Zedernstaat als einen souveränen Staat ansieht und nicht will, dass er eines Tages von Damaskus wieder zum Vasallen gemacht wird. Beides könnte Assad dadurch unter Beweis stellen, dass er einer Ausweitung des UNIFIL-Mandates auf seine Landgrenze zum Libanon zustimmt. Und warum sollte er dies nicht feierlich erklären, wenn er dafür in allen Ehren wieder in den Kreis der Staatenlenker aufgenommen wird?

In diesem Zusammenhang sollte aber auch die Regierung Olmert einen Schritt auf ihre nördlichen Nachbarn zugehen, einen Schritt, der nicht viel kostet, aber auch mehr als bloße Symbolik ist: Wenn Israel – ob irriger Weise oder nicht – die Auffassung vertritt, die Schebaa-Farmen hätten früher zu Syrien gehört, dann sollte es diese als Geste der Verständigungsbereitschaft schon vor dem Golan, und zwar in allernächster Zukunft, an Damaskus übergeben. Syrien kann sie dann an Libanon weiterreichen. Solange Israel dieses Stückchen Land jedoch behält, wird die Hisbollah es als Argument benutzen, gegen den jüdischen Staat zu hetzen und zu rüsten.

Damit allein ist freilich der libanesische Staat noch nicht stabilisiert. Dazu gehört auch, dass die Mitglieder des Quartetts – wie schon längst die Menschen im Libanon – die Hisbollah nicht länger *in toto* stigmatisieren, sondern ihre Janusköpfigkeit (sozialpolitische Organisation und parlamentarische Gruppierung einerseits und schwer bewaffnete Miliz andererseits) als eine Zwischenstufe zu einer „normalen" Partei im innerlibanesischen Kräftespiel ansehen. Dies könnte es ermöglichen, ähnlich wie es in Nordirland mit der gewalttätigen IRA und ihrem politischen Arm Sinn Fein erfolgreich praktiziert wurde, die Politiker der Hisbollah davon zu überzeugen, dass Gewalt (auch oder gerade wenn sie gegen den schnell und hart zurückschlagenden Nachbarn Israel gerichtet ist) kein Weg zum wirtschaftlichen und sozialen Aufbau Libanons ist. Soweit und sobald sie dies einsehen, könnten sie dann in diesem Sinne auf die Milizangehörigen einwirken.

Das Ganze könnte drei positive Effekte haben: Zum einen fiele es der „Partei Gottes" dann leichter, auf Verstärkung durch Syrien zu verzichten, mit dem es ohnehin eher eine pragmatische Verbindung unterhält, da zwischen dem schiitischen Selbstverständnis Nasrallahs und der religiösen Auffassung der zur alawitischen Religionsgemeinschaft gehörenden Elite Syriens erhebliche Differenzen liegen. Zum anderen könnte die zwischen den verschiedenen Volks- und Religionsgruppen sorgfältig austarierte libanesische Konkordanzdemokratie aus der tiefen Krise, in die sie infolge des

Sommerkrieges geraten ist, herausfinden. Damit vergrößerte sich schließlich die Chance, dass die Hisbollah-Milizionäre sich dem staatlichen Gewaltmonopol unterordnen, was wiederum zur Festigung des libanesischen Staates beitrüge.

1.3. Blickpunkt Irak: Saddams ehemalige Regionalmacht am Rande des Abgrunds?

Ein neuer West-Ost-Konflikt: Irak und die Folgen

Werner Ruf

1. US-Hegemonie nach dem Ende der Bipolarität

Der Horror des Zweiten Weltkriegs führte zur Gründung der Vereinten Nationen, die als weltumspannendes kollektives Sicherheitssystem, charakterisiert durch ein für alle Mitglieder geltendes Gewaltverbot, den Krieg als Mittel der Politik für immer ausschalten sollten. Die USA, die maßgeblich die Gründung der UN betrieben hatten, hatten von Beginn an ein ambivalentes Verhältnis zu diesem supranationalen und in seinem Kern zivilisatorischen Institut: Theoretisch sollte es den Weltfrieden sichern, in der Praxis der sich herausbildenden Bipolarität verstärkten die USA jedoch ihre Hegemonie durch die Einbeziehung Westeuropas und Japans in „den Westen". Ungeachtet des in Art. 2 der Charta festgeschriebenen Gleichheitsgrundsatzes blieb die fast zweihundert Jahre alte Monroe-Doktrin Grundlage der US-Außenpolitik, der zufolge sich die USA jede auswärtige Einmischung in die „inneren Angelegenheiten" des amerikanischen Kontinents verbaten.[1] Die Globalisierung des Prinzips der Monroe-Doktrin blieb Ziel der herrschenden Kräfte in den USA. Dies belegt eindrücklich die so genannte Carter-Doktrin[2] vom Januar 1980. Das Militär spielte bei der

1 Paech, Norman, Imperialismus und Völkerrecht, in: Albrecht, Stephan / Goldschmidt, Werner / Stuby, Gerhard (Hrsg.), Die Welt zwischen Recht und Gewalt, Hamburg 2003, S. 126-138.

2 „Jeder Versuch einer auswärtigen Macht, die Kontrolle über die Region am Persischen Golf

Durchsetzung dieser Ziele stets eine zentrale Rolle.[3] Und richtig ist, dass „die amerikanische Außenpolitik noch niemals bereit war, ihre Handlungsfreiheit tatsächlich ernsthaft einschränken zu lassen."[4] Gemäß der im Sinne weltweiter Hegemonie erweiterten Monroe-Doktrin, aber auch durchaus in Übereinstimmung mit den Prinzipien der Charta, konnten sich die USA zeitweise als anti-imperialistische Macht gerieren, wenn es darum ging, die noch bestehenden britischen und französischen Kolonien aus dem wirtschaftlichen Privatjagdgebiet der „Mutterländer" herauszulösen und der Weltökonomie zu öffnen (Höhepunkt: die Suezkrise 1956). Ging es jedoch um die Wahrung „nationaler Interessen" – wie etwa die „Eindämmung des Kommunismus" beispielsweise im Vietnamkrieg oder beim Sturz der Regierung Mossadeq im Iran –, dann siegten die hegemonialen Zielsetzungen dort über das Völkerrecht, wo dieses für die Durchsetzung der Interessen nicht funktional war.

Wie Samir Amin brillant herausarbeitet,[5] gelang es den USA, einen „triadischen Imperialismus" herzustellen, in dem sich Westeuropa und Japan der politisch-militärischen Führung der USA unterwarfen. Noch im Zweiten Golfkrieg von 1991 vermochten es die USA, eine gigantische Allianz gegen den Irak zu mobilisieren, die sowohl die Mehrzahl der NATO-Staaten wie zahlreiche arabische Regime umfasste. Mit dem Ende des bipolaren Systems aber schwand die reale oder vermeintliche politisch-militärische Bedrohung aus dem Osten, die triadische Solidarität scheint brüchig zu werden.[6] Dies zeigt nicht nur die Tatsache, dass die Achse Berlin–Paris den USA im neuerlichen Krieg gegen den Irak die Gefolgschaft verweigerte. Auch beantworteten die EU-Europäer die im September 2002 verkündete US-amerikanische Sicherheitsstrategie (NSS) im Dezember 2003 mit ihrer eigenen Europäischen Sicherheitsstrategie (ESS) und probten mit der Operation Artemis im Kongo und dem darauf folgenden Militäreinsatz zur Absicherung der Präsidentschaftswahlen im Kongo ihre von der NATO unabhängige militärische Einsatzfähigkeit unter einem rein europäischen Oberkommando.

---

zu erlangen, wird als Anschlag auf die vitalen Interessen der Vereinigten Staaten von Amerika betrachtet, und solch ein Anschlag wird mit allen notwendigen Mitteln, einschließlich militärischer Gewalt abgewehrt werden." http://www.unifr.ch/asz/downloads /Kalter%20Krieg/Carter%20Doktrin%209-6-2004.PDF abgerufen 12-01-07.

3 Amin, Samir, U.S. Imperialism, Europe, and the Middle East; in: Monthly Review, Nov. 2004. http://www.findarticles.com/p/articles /mi_m1132/is_6_56/ai_n8704500.

4 Maull, Hanns-W., Die „Zivilmacht Europa" bleibt Projekt. Zur Debatte um Kagan, Asmus/Pollack und das Strategiedokument NSS 2002; in: Blätter für deutsche und internationale Politik, Heft 12/2002, S. 1467-1478.

5 Amin, a.a.O.

6 Deppe, Frank, Jenseits der Systemkonkurrenz – Überlegungen zur neuen Weltordnung, Marburg 1991.

Der 2003 begonnene Krieg gegen den Irak stellt durchaus eine Zäsur dar: Zum ersten Mal seit dem Zweiten Weltkrieg ging ein deutlicher Riss durch die „westliche Wertegemeinschaft“. Der Krieg selbst entwickelte sich zu einem militärischen, vor allem aber zu einem politischen Fiasko. Die gesamte Region ist instabiler denn je zuvor. Der islamistische Widerstand geht gestärkt aus der Auseinandersetzung hervor, auf dem „Nebenkriegsschauplatz“ Libanon hat er sogar einen offenkundigen Sieg errungen. Und selbst in der Frankfurter Allgemeinen Zeitung wird festgestellt, dass dieser Krieg das Gegenteil dessen erbringt, was er erreichen sollte: „Das Desaster im Irak hat Amerikas Führungskraft nachhaltig geschwächt.“[7]

Vor diesem Hintergrund kann der von den USA verkündete „Krieg gegen den Terror“ durchaus verstanden werden als der Versuch, eine der westlichen Triade gemeinsame Bedrohung zu schaffen, die das atlantische Bündnis (siehe den Einsatz der NATO in Afghanistan) trotz heftigen Tauziehens um Mandat und Beteiligungen handlungsfähig machen soll.[8] Es erscheint daher nicht zufällig, dass die „Sicherheitskonferenz“ in München unter das Thema „Globale Krisen – globale Verantwortung“ gestellt wurde und von der NATO hochrangig beschickt wurde.[9] Somit erhebt sich die spannende Frage, ob die Herstellung eines gemeinsamen Feindbildes, basierend auf einer sich verschärfenden Bedrohung durch von militanten islamistischen Gruppen ausgehende Gewalt ausreicht, „den Westen“ nochmals in eine politisch-militärische Einheit zu zwingen, während zeitgleich die Interessengegensätze innerhalb der Triade wie auch gegenüber den alten und neuen Großmächten wie Russland und China schärfer werden.

2. Das Konzept des Greater Middle East und der Kampf um Ressourcensicherung

Bereits der Zweite Golfkrieg wurde zweifelsfrei unter dem Gesichtspunkt des Ausbaus der US-Hegemonie und der Ressourcensicherung geführt. So erklärte der damalige US-Präsident George H. W. Bush in seiner berühmten Rede vom 11. September 1990, die das Ende der Bipolarität markiert

---

7 Frankfurter Allgemeine Zeitung, 1.12.2006. Und der Leitartikler der FAZ, Nikolaus Busse, legt nach, indem er auf die Spannungen in der Triade verweist: „Die Amerikaner kochen, die Europäer machen den Abwasch, lautet eine verbreitete Beschreibung der transatlantischen Arbeitsteilung. Im Irak aber wird Amerika noch eine ganze Weile selbst mit dem Abwasch beschäftigt sein. Europa wird kochen lernen müssen.“

8 Siehe hierzu die heftigen Debatten auf dem NATO-Gipfel am 28. und 29. Nov. 2006 in Riga wie auch die derzeitige Diskussion um die Bereitstellung deutscher Tornado-Flugzeuge im Rahmen von ISAF.

9 Frankfurter Allgemeine Zeitung, 16.1.2007, S. 1.

und in der er eine Neue Weltordnung ankündigte, *„in der die Herrschaft des Gesetzes das Faustrecht ersetzt*“:

> „Vitale ökonomische Interessen stehen gleichfalls auf dem Spiel. Der Irak kontrolliert allein etwa zehn Prozent der bekannten Erdölreserven der Welt, Irak plus Kuwait kontrollieren das Doppelte. Würde es dem Irak erlaubt, Kuwait zu schlucken, dann hätte er die wirtschaftliche und militärische Macht ..., seine Nachbarn einzuschüchtern und zu zwingen – Nachbarn, die den Löwenanteil der weltweit verbleibenden Ölreserven kontrollieren. Wir können nicht zulassen, dass eine so vitale Ressource von einem so Skrupellosen beherrscht wird. Und wir werden es nicht zulassen.“[10]

Der Wille zur Kontrolle des Öls erklärt auch die scheinbar widersprüchlichen Signale der US-Regierung an das irakische Regime in der Woche vor dessen Einmarsch in Kuwait am 2. August 1990: So hatte in der sich zuspitzenden Krise die US-Botschafterin in Bagdad, April Glaspie, am 25. Juli 1990 erklärt, die USA betrachteten den Streit zwischen Irak und Kuwait als „innerarabische Angelegenheit“, und noch am 31. Juli erklärte John Kelly, stellvertretender Staatssekretär für den Mittleren Osten, vor dem Kongress, man müsse sich mit Saddam Hussein vertragen und dürfe das kuwaitische Problem nicht hochspielen.[11] Wie auch immer dies gedeutet werden mag: Die irakische Invasion lieferte den Grund für die Intervention der US-geführten Koalition, die weit über die „Befreiung“ Kuwaits hinausging, die territorialen Grenzen des Irak veränderte, seine Ökonomie internationaler Kontrolle unterwarf und in seine innere Souveränität eingriff.[12] Im Augenblick des Austritts der Sowjetunion aus der Weltgeschichte sicherten sich die USA ihre Rolle als Ordnungsmacht im Nahen und Mittleren Osten.

Mit der – umstrittenen – ersten Wahl von George W. Bush zum Präsidenten der USA gelangte eine Fraktion von ultra-konservativen Außen- und Militärpolitikern an die Macht, die mit dem *oil-business* besonders eng verflochten ist und bereits am Ende der Clinton-Administration mit ihrem Memorandum *Project for a New American Century* (PNAC)*: Rebuilding American Defenses, Strategy, Forces and Resources for a New Century.*“ eine grundsätzliche Neuorientierung der US-Außenpolitik gefordert hatte. Kernpunkte dieser neo-konservativen Weltordnungsvorstellung sind:

---

10 President Bush's Address to Congress on the Persian Gulf Situation. Washington File, Washington DC; Department of State 1990. Aus dem Englischen W.R.

11 Ausführlich hierzu: Ruf, Werner, Der Golfkrieg: Eine bewusste Eskalation? In: Ruf, Werner (Hrsg.), Vom Kalten Krieg zur Heißen Ordnung? Der Golfkrieg – Hintergründe und Perspektiven, Münster 1991, S. 51-61.

12 Ruf, Werner, Die neue Welt-UN-Ordnung. Vom Umgang des Sicherheitsrates mit der Souveränität der ‚Dritten Welt‘, Münster 1994, insbes. S. 66-121.

> „Amerikas globale Führungsaufgabe und seine Rolle als Garantiemacht des derzeitigen Großmachtfriedens ruht auf der Sicherheit der amerikanischen Heimat (*homeland*), auf der Sicherung eines günstigen Machtgleichgewichts in Europa, dem Mittleren Osten und der umliegenden Energie produzierenden Region und Ostasien; sowie der allgemeinen Stabilität des internationalen Systems von Nationalstaaten gegenüber Terroristen, organisiertem Verbrechen und anderen ‚nichtstaatlichen Akteuren'."[13]

Der 11. September 2001 erscheint aus dieser Perspektive wie ein Geschenk des Himmels: Wie kein anderes Ereignis bestätigte er die weltweite Bedrohung durch den (islamischen) Terrorismus und mobilisierte zugleich eine weltweite emotionale Solidarisierung mit den von den Anschlägen betroffenen USA. Sie ermöglichten die Verbindung von Terrorismus mit der Region des Nahen und Mittleren Ostens: „Die Gefahr ... liegt vielmehr in der Bedrohung durch Terroristen oder Schurkenstaaten im Bereich des Greater Middle East, des gesamten Nahen und Mittleren Osten." Dieser liegt „zwischen Marrakesch und Bangladesch".[14]

Hieraus ergeben sich vier Ziele:

- „Die Implementierung dieser neuen Strategie sollte in Afghanistan beginnen. ... Nutzen wir Afghanistan ... als Chance, einen Präzedenzfall für positiven Wandel und Transformation zu schaffen und dem Rest der Region zu demonstrieren, worum es dem Westen geht.
- Die politische und wirtschaftliche Transformation kann den Prozess der arabisch-israelischen Versöhnung bedeutend erleichtern.
- Drittens muss Saddam Hussein mit seinem Regime verschwinden ..., weil eine längerfristige Strategie demokratischen Wandels für den *Greater Middle East* unmöglich gelingen kann, solange dieser Stalin unserer Tage seinen brutalen totalitären Staat aufrecht erhält. Dies wird eine groß angelegte Invasion des Irak erfordern.

---

13 Siehe http://www.newamericancentury.org/RebuildingAmericasDefenses.pdf, abgerufen 27.12.2006, S. 4. Zu den Mitgliedern des PNAC, das im gleichen Gebäude wie die ultrakonservative Heritage-Foundation residiert, gehören u.A.: Vizepräsident Dick Cheney, der ehemalige Verteidigungsminister Donald Rumsfeld, sein ehemaliger Stellvertreter und jetzige Weltbank-Direktor Paul Wolfowitz, Vize-Außenminister Richard Armitage, der ehemalige Vorsitzende des Verteidigungsausschusses des Verteidigungsministeriums Richard Perle, der ehemalige Staatssekretär und spätere Botschafter bei der UNO John R. Bolton, der ehemalige Stabschef des Vizepräsidenten Lewis Libby, der Direktor der Drogenaufsichtsbehörde William J. Bennett Zalmay Khalilzad, der spätere US-Botschafter in Afghanistan und heutige Botschafter in Irak, ferner Jeb Bush, Gouverneur von Florida und Bruder des Präsidenten, der ehemalige CIA-Direktor James Woolsey sowie der Politologe Francis Fukuyama.

14 Asmus, Ronald D./Pollack, Kenneth M., Transformation des Mittleren Ostens. Das neue transatlantische Projekt. In: Blätter für deutsche und internationale Politik, Heft 12/2002, S. 1457-1466, hier S. 1457f.

- Und schließlich ... Wir können nicht glaubwürdig auf einem Regimewandel in Ländern wie dem Irak bestehen, wenn wir in den Fällen Saudi-Arabien oder Ägypten wegschauen."[15]

Asmus und Pollack, die Verfasser dieses Strategie-Papiers, waren Mitarbeiter der Clinton-Administration. Ihre klare Position bestätigt die These von Samir Amin, dass in der politischen Klasse der USA weitgehender Konsens über die Kernziele der US-Außenpolitik besteht bzw. schon immer bestand. Das *Project for a New American Century* formuliert diese noch deutlicher.[16] Die dann im September 2002 beschlossene Nationale Sicherheitsstrategie (NSS) der USA spiegelt genau diesen Ansatz. Die Gleichsetzung militärischer mit außenpolitischer Macht ist nicht nur ein gefährlicher Reduktionismus, der Resultat eines „Machbarkeitswahns" ist.[17] Beschränkt auf das Gewaltmittel Militär ist sie, wie die Kriege in Irak und Afghanistan zeigen, geradezu kontraproduktiv.

Es ist kein Zufall, dass die Debatte über das „neue amerikanische Jahrhundert" just in dem Zeitpunkt geführt und in eine außenpolitische Doktrin gegossen wird, in dem *peak oil* erreicht, wenn nicht bereits überschritten ist. Hierin sind sich kritische Beobachter von Altvater[18] bis Zumach[19] ebenso einig, wie Analysten des internationalen Finanzkapitals.[20] Die Sicherung der Energiezufuhr ist zentraler Gegenstand sämtlicher strategischer Dokumente der jüngsten Zeit: Vom PNAC über die ESS ziehen sie sich bis zur Erklärung des NATO-Gipfels in Riga (29. Nov. 2006) und finden sich sogar als explizites Ziel deutscher Sicherheitspolitik im jüngst veröffentlichten Verteidigungsweißbuch.[21]

Entgegen dem durch die Globalisierung hervorgerufenen Trend zu Entstaatlichung und Ent-Territorialisierung der Welt erhält Geopolitik eine zentrale Bedeutung, wenn es um die Sicherung der vorhandenen Vorräte an

---

15 Dies. ebd., S. 1461-1463.

16 Die im PNAC formulierten, zentralen Forderungen an die US-Administration sind: Permanente Truppenstationierung in Südeuropa, Südostasien und im Mittleren Osten; Modernisierung der US-Streitkräfte, insbesondere durch Flugzeuge, U-Boote und Flottenkapazität; Aufbau eines globalen Raketensystems und Beherrschung des Weltraums; Erhöhung der Verteidigungsausgaben von derzeit 3 % auf 3,8 % des BIP; die Fähigkeit, mehrere Kriege gleichzeitig führen und gewinnen zu können.

17 Maull, a.a.O.

18 Altvater, Elmar: Das Ende des Kapitalismus, wie wir ihn kennen. Münster 2006 (2. Auflage), 240 S.

19 Zumach, Andreas: Die kommenden Kriege. Köln 2005, 223 S.

20 Schmitt, Thomas, Spekulieren auf die Zeit ohne Öl. Frankfurter Allgemeine Sonntagszeitung, 20.12.2006, S. 58.

21 Bundesministerium der Verteidigung: Weißbuch 2006 zur Sicherheitspolitik Deutschlands und zur Zukunft der Bundeswehr. Berlin, Onlinefassung, vor allem S. 22.

Erdöl und Erdgas geht.[22] Das einfachste und verlässlichste Mittel hierzu ist das Militär, dessen dauerhafte Stationierung im Mittleren Osten das PNAC unmissverständlich fordert. Begonnen hatte sie bereits im Zweite Golfkrieg mit der dauerhaften Stationierung von US-Truppen in Saudi-Arabien und am Golf. Doch geht es nicht nur um die Sicherung der Energiereserven als solcher, dahinter verbirgt sich in der Tat eine *grand strategy,* die die Dominanz der USA innerhalb der Triade wie gegenüber den übrigen Großmächten sichern soll:

- Das Konzept des *Greater Middle East* umfasst also den gesamten Raum von der afrikanischen Atlantik-Küste bis zum Kaspischen Becken. In diesen Kontext gehören der Krieg in Afghanistan, der bereits vor dem 1. September 20001 beschlossen war,[23] oder die Pan-Sahel-Initiative, die unter dem Vorwand der Terrorismus-Bekämpfung die Stationierung von US-Truppen im gesamten Sahel-Raum von Somalia über Tschad, Niger, Mauretanien, Marokko, Algerien und Tunesien zum Gegenstand hat, wobei in den entsprechenden Planungen auch Nigeria, Kamerun und Äquatorial-Guinea auftauchen.[24]
- Die Kontrolle der Kohlenwasserstoffe ermöglicht letztlich auch die Kontrolle der Preisgestaltung der Waren auf dem Weltmarkt: Die Fakturierung der Kohlenwasserstoffe wird so zu einem entscheidenden Instrument der Konkurrenz innerhalb der Triade, aber auch gegenüber der aufsteigenden Weltmacht China.
- Diese Kontrolle sichert zugleich den US-Dollar als Weltwährung und garantiert damit langfristig den Ausgleich des gewaltigen Außenhandelsbilanzdefizits der USA. Sie stellt ein Bollwerk dar in der Weltwährungsrivalität zwischen Dollar und Euro.
- Der Griff über Afghanistan und Usbekistan nach dem Kaspischen Becken und die geplanten bzw. im Bau befindlichen Pipelines zum Indischen Ozean bzw. durch den Kaukasus in die Türkei werden Russland

---

22 Karin Kneissl in diesem Band, die überzeugend die These vertritt, dass im Falle der Energie-Ressourcen die jeweils nationalen Interessen entscheidend sind.

23 S. hierzu den BBC-Bericht „US Planned Attack on Taliban" vom 18.9.2001, dokumentiert in: Chossudowski, Michel, Global Brutal. Der entfesselte Welthandel, die Armut, der Krieg. Frankfurt/Main 2002, S. 390 S. auch: Pohly, Michael, Krieg und Widerstand in Afghanistan, unveröffentlichte Habilitationsschrift, Berlin 2005, S. 177-179 zu den Pipeline-Projekten von UNOCAL und den Verhandlungen mit den Taliban.

24 Keenan, Jeremy (2005), Waging War on Terror: the Implications of America's ‚New Imperialism' for Saharan Peoples, in: Journal of North African Studies Nr. 3-4, S. 619-647. Powell, Stewart M. (2004), Swamp of terror in the Sahara. Air Force Magazine vol. 87, Nr. 11, http://www.afa.org/magazine/nov2004/1104sahara.html, abgerufen 27.12.2006. Ausführlich hierzu: Ruf, Werner, Terror, Geheimdienste und Geopolitik: Wie die Achse Washington–Algier Ressourcensicherung betreibt, In: Festschrift für Peter Pawelka, Baden-Baden, im Druck.

> Seinen wesentlichen Teil jener Renten-Einnahmen aus dem Kohlenwasserstoff-Transit nehmen, die das Haupteinkommen des Staates darstellen: Der alte Rivale, der immer noch eine gewaltige Militärmacht darstellt, könnte endlich ausgeschaltet werden. [25]

All dies erklärt, weshalb als Ausgangspunkt für die „Demokratisierung" des Nahen und Mittleren Ostens nicht etwa Saudi-Arabien ausgewählt wurde[26] und weshalb im Atomstreit mit dem Iran seitens der USA gezielt auf eine Eskalation hingearbeitet wird: Irak und Iran sind bzw. waren – im Gegensatz zu den Despoten der Arabischen Halbinsel – unbotmäßige Staaten, sie besitzen noch immer riesige Öl- und Gasvorräte, vor allem aber: Sie sind die geostrategische Brücke zum Kaspischen Becken.[27] Lobend hebt das US-State-Department hervor, dass alle zentralasiatischen Nachfolgestaaten der Sowjet-Union nach 9/11 den USA und der NATO Überflugrechte und Zugang zu Luftwaffenstützpunkten gewährten und dass im Krieg gegen den Irak Usbekistan sich militärisch kurzfristig an der Koalition beteiligte, Kasachstan zwei Dutzend Soldaten für den Wiederaufbau bereitstellte.[28]

---

25 Zu den expliziten Politikzielen in diesen Staaten gehört: „U.S. policy emphasized bolsterring the security of the Central Asian states to help them combat terrorism, proliferation, and arms trafficking. Other strategic interests include internal reforms (democratization, free markets, and human rights) and energy development. Administration policy also aims to integrate these states into the international community so that they follow responsible security and other policies, and to discourage the growth of xenophobic, fundamentalist, and anti-Western orientations that threaten peace and stability." Dort wird als Ziel der US-Politik formuliert: „The U.S. policy of advocating „multiple pipelines" includes support for building those that break Russia's near-monopoly of existing routes." (S. 14). Und lobend wird erwähnt, dass Turkmenistan die erste Pipeline eröffnete, die nicht nach Russland führt. Ferner wird auf Präsident Bush's *National Energy Policy Report* vom Mai 2001 verwiesen, der den Bau einer Gas-Pipeline von Aserbaidschan in die Türkei empfiehlt, an die Kasachstan, das die größten Ölreserven am Kaspischen Meer besitzt, angeschlossen werden soll. http://fpc.state.gov/documents/organization/58264.pdf abgerufen 17.1.2007 (S. 14).

26 Siehe auch das vom damaligen Vorsitzenden des Verteidigungsausschusses des US-Verteidigungsministeriums der USA Richard Perle (Mitglied des PNAC) entworfene Szenario eines Angriffs auf Saudi-Arabien. Ruf, Werner, Zur Gewaltförmigkeit des politischen Widerstands im Vorderen Orient; in: Der Bürger im Staat, Nr. 2/3, 2003: Islam und Globalisierung, S. 110-115.

27 http://www.uni-kassel.de/fb5/frieden/regionen/Kaukasus/pipeline.html, abger. 17.1.2007.

28 http://fpc.state.gov/documents/organization/58264.pdf abgerufen 17.1.2007.

3. Der „Krieg gegen den Terror“ – eine fatale Maskerade.

Die Geostrategie erklärt, weshalb der „Krieg gegen den Terror“ – sieht man einmal von Afghanistan ab, wo zunächst Einvernehmen mit den Taliban herrschte[29] – gerade gegen Staaten geführt wird oder geführt werden soll, die nun keineswegs im Verdacht stehen können, das ominöse Netzwerk Al Qaida zu beherbergen und zu unterstützen: Irak und Syrien, zwei „Schurkenstaaten“ auf der „Achse des Bösen“ gehör(t)en zu den letzten wirklich säkularen Staaten der Region, und der Iran kann gleichfalls nicht verdächtigt werden, eine Bewegung zu unterstützen, deren ideologische Wurzeln im wahhabitisch-sunnitischen Islam gründen. Die Verfolgung der hegemonialen Strategie konnte gegenüber den Partnern innerhalb der westlichen Triade nicht offen deklariert werden. 9/11 bot der US-Administration die Gelegenheit, einen Krieg in moralischem Gewande gegen „das Böse“ zu führen, um die Akzeptanz zu schaffen, die gerade in der US-amerikanischen Gesellschaft mit ihrer Vorstellung einer „von Gott und der Geschichte auserwählten Gemeinschaft“[30] – *god's own country* – notwendig ist, um Unterstützung zu mobilisieren.[31]

Kein Präsident der USA hat es vermocht, sich so sehr zum überzeugenden und geradezu verehrten Sprecher der evangelikalen Fundamentalisten zu machen, wie gerade George W. Bush. So schrieb die Washington Post:

> „Zum ersten Male, seit religiöse Konservative zu einer modernen politischen Bewegung wurden, wurde der Präsident der Vereinigten Staaten der tatsächliche Führer der Bewegung – ein Status, den noch nicht einmal Ronald Reagan erreichte, trotz seiner Bewunderung durch die religiösen Konservativen. Christliche Publikationen, Rundfunk und Fernsehen überschütten Bush mit Lobpreisungen, während Prediger von ihren Kanzeln seine Führung als einen Akt der Vorsehung preisen. Eine ganze Prozession von religiösen Führern, die ihn getroffen haben, zeugen von seinem Glauben, während websites die Menschen ermutigen, für den Präsidenten zu fasten und zu beten.“[32]

Seit Samuel Huntingtons „Clash of Civilizations“[33] war das schon im Zweiten Golfkrieg aufgebaute Feindbild Islam gewissermaßen zum wissenschaftlichen Paradigma erhoben worden. 9/11 war dessen empirische

29 Siehe oben, Pohly (Anm. 21).

30 Krippendorff, Ekkehart, Die Vereinigten Staaten und Israel. Projektionsflächen für Hoffnung und Hass, in:Blätter für deutsche und internationale Politik,Heft 8/2002, S. 943-953.

31 Vgl. Maull a.a.O.

32 Milbank, Dana, Religious Right Finds Its Center in Oval Office, in: Washington Post, 24. 12.2001.

33 Huntington, Samuel P., The Clash of Civilizations? In: Foreign Affairs, Summer 1993, S. 22-49.

Bestätigung und Krönung zugleich. „Das Böse" war identifiziert und im Namen des Guten zu bekämpfen.[34]

Es genügt offenbar zu behaupten, diese Staaten seien Stützpunkte des Terrorismus, um eine aggressive Politik zu rechtfertigen. Der Verweis auf religiös motivierten Terrorismus scheint auszureichen, um Hysterie und nationale Geschlossenheit zugleich zu erzeugen. Unterstützung kommt von religiösen „Autoritäten" wie dem fundamentalistischen Fernsehprediger Jerry Falwell, mit dem George W. Bush morgens medienwirksam zu predigen pflegt, wenn er in der CBS-Sendung „60 Minutes" erklärt:

> „Ich denke, Mohamed war ein Terrorist. Ich habe genug gelesen ... von Muslimen und Nicht-Muslimen, (um festzustellen), dass er ein gewalttätiger Mensch war, ein Mann des Krieges."[35]

Die Rechtfertigung des Irak-Krieges wurde in ein absichtsvoll gefälschtes Bild eingefügt, das von den – erfundenen – Massenvernichtungswaffen bis zum Vorwurf reichte, der Irak beherberge Al Qaida-nahe Terroristen. Dabei wird ein Topos aufgegriffen, der schon von den alten Orientalisten in ihrer Apologetik des Imperialismus beschrieben worden war. Dieses absolut Böse ist barbarisch, kämpft ohne jede Rücksicht auf zivilisatorische Normen, vernichtet, mordet und zerstört. Die Mär von den Selbstmordattentaten als einer typisch islamischen Kampfform gehört in dieses falsche Gemälde.[36] Gegen solche Barbaren aber können die Gesetze der Zivilisation nicht gelten.

Der „Krieg gegen den Terror" ist die Formel, mit deren Hilfe die zivilisatorischen Normen des Kriegsvölkerrechts wie die elementaren Prinzipien der Genfer Konventionen außer Kraft gesetzt werden.[37] Die Erfindung des Begriffs der „ungesetzlichen Kämpfer" (*unlawful combatants*), die Guantánamo und die zahllosen unbekannten Haftorte rechtfertigen sol-

---

34 Bush, George W., State of the Union Address am 29.1.2002. „Staaten wie diese (Nord-Korea, Iran und Irak) und deren terroristische Alliierte bilden eine Achse des Bösen." http://www.whitehouse.gov/news/releases/2002/01/20020129-11.html, abger. 17.1.2007.

35 Drudge Report, 3 Oct 2002, http://www.drudgereportarchives.com/data/2002/10/03 /2002 1003_151936.htm abgerufen 17.1.2007. Vgl. auch Ruf, Werner, Islam: A New Challenge to the Security of the Western World; in: Ruf, Werner (Hrsg.), Islam and the West – Judgements, Prejudices, Political Perspectives. Münster 2002, S. 41-54.

36 Pape, Robert A., Suicide Terrorism and Democracy. What we have Learned since 9/11; in: Policy Analysis Nr. 582, 1. November 2006. Pape weist hier auf der Basis einer subtilen empirischen Studie nach, dass Selbstmordanschläge eine lange Tradition haben und in keiner Weise kulturell verortet werden können. Schon gar nicht sind sie „Produkt eines islamischen Fundamentalismus", sondern „eine Antwort auf fremde Besatzung" – wo auch immer in der Welt.

37 Vgl. Ruf, Werner, Politischer Islam – eine neue Befreiungsideologie? in: ÖSFK (Hrsg.), Der Krieg der Armen? Der internationale Terrorismus in der Neuen Weltordnung, Münster 2005, S. 107-120, insbes. S. 115-117,

len, gehören hierzu ebenso wie der Einsatz kriegsvölkerrechtswidriger Waffen wie weißer Phosphor, abgereichertes Uran oder Streubomben. Der moralisch legitimierte „Krieg gegen den Terror“ zerstört zugleich die Normen der Zivilisation schlechthin. Die Brutalität der Kriegführung, die gezielt darauf gerichtet ist, den Widerstand der Bevölkerung zu brechen, ist, folgt man dem von Kofi Annan zur Vorbereitung der UN-Reform eingesetzten *High Level Panel on Threats and Challenges,* nichts anderes als Staatsterrorismus:

> 164. Die Definition des Terrorismus sollte die folgenden Elemente enthalten:
>
> a) die Anerkennung dessen, … dass die Anwendung von Gewalt durch einen Staat gegen Zivilpersonen durch die Genfer Abkommen und andere Übereinkünfte geregelt wird und dass diese Gewalt, wenn sie entsprechende Ausmaße annimmt, ein von den betreffenden Personen begangenes Kriegsverbrechen oder ein Verbrechen gegen die Menschlichkeit darstellt;
>
> …
>
> d) die Beschreibung des Terrorismus als „jede Handlung, ... die den Tod oder eine schwere Körperverletzung von Zivilpersonen oder Nichtkombattanten herbeiführen soll, wenn diese Handlung auf Grund ihres Wesens oder der Umstände darauf abzielt, die Bevölkerung einzuschüchtern oder eine Regierung oder eine internationale Organisation zu einem Tun oder Unterlassen zu nötigen“.[38]

Den Angriff auf die zivilisatorischen Errungenschaften kann man gut und gern global nennen: Der Krieg gegen den Irak wurde vom Zaun gebrochen nicht nur wegen des Öls und der geostrategischen Lage des Landes, er wurde auch geführt, um das „Recht“ auf Kriegführung völkergewohnheitsrechtlich zu rehabilitieren und das Gewaltverbot der UN-Charta ein für allemal auszuhebeln.[39] Nicht zufällig jubelte Richard Perle, damals noch Vorsitzender des *defense policy board* des Pentagon, nach der Weigerung des UN-Sicherheitsrats, den USA einen Blanko-Check für diesen Krieg auszustellen: „Ich danke Gott dafür, dass die UNO tot ist.“[40]

4. Fazit: Ein West-Ost-Konflikt in kulturalistischem Gewande?

Schon unmittelbar nach Ende des Ost-West-Konflikts gelang es im Westen, das neue Feindbild Islam als kollektive Bedrohung zu etablieren.[41] Hun-

---

38 Vereinte Nationen, Generalversammlung A/59/565, 2. Dez. 2004.

39 Ruf, Werner, Wir und die Anderen: Demokratischer Anspruch und hegemoniale Arroganz; in: Schweitzer/Aust/Schlotter: Demokratien im Krieg. AFK-Friedensschriften, Bd. 31, Baden-Baden 2004, S. 127-144.

40 Frankfurter Rundschau, 28.3.2003.

41 Ruf, Werner, Islam: A New Challenge to the Security of the Western World?, in: Ruf, Werner (Hrsg.), Islam and the West – Judgements, Prejudices, Political Perspectives,

tingtons „Clash of Civilizations" von 1993[42] und sein dort ausgemaltes Bild von der islamischen Gefahr *(„Islam has bloody borders")* trifft in seiner Ausgangshypothese einen richtigen Tatbestand: In der globalisierten Welt des 21. Jahrhunderts sind Staaten nicht mehr die einzigen Gewaltakteure. Diese Feststellung gilt nicht nur für zerfallende Staaten, sondern auch für sich herausbildende innerstaatliche wie transnationale Konflikte – ganz zu schweigen von privaten Militärfirmen. Die Kulturalisierung von Konfliktakteuren ergibt sich geradezu zwangsläufig aus diesem Paradigma – sie entspricht geradezu spiegelbildlich dem missionarischen Sendungsbewusstsein des George W. Bush.

Während einerseits der (islamische) „Terrorismus" bekämpft werden soll, unternahmen die USA alles, um im Irak die ethnischen und religiösen Gruppen zu mobilisieren und gegeneinander auszuspielen. Wichtigster Alliierter sind hierbei die Kurden, die bereits seit dem Zweiten Golfkrieg ein hohes Maß an Autonomie genießen und auf einen separaten Staat hinarbeiten. Seine Verwirklichung wäre aufgrund der Präsenz kurdischer Minderheiten in Iran und Syrien, vor allem aber für den NATO-Partner Türkei geradezu ein Sprengsatz. Unter der arabischen Bevölkerung Iraks wurden die Konflikte zwischen den Sunniten und den Schiiten instrumentalisiert, wobei diese Politik die religiösen Gruppierungen aufwertete und schließlich zu organisierten Akteuren im Lande machte – auf Kosten der säkularen Mittelschichten.[43] Politische Artikulation und (relative) Partizipation ist seither nur über religiöse Gruppierungen und Stammesführer möglich. Pikant ist dabei, dass gerade die Aufwertung der Schiiten und des dem Iran nahe stehenden Ayatollah Sistani jene Kräfte stärkt, die die USA in Iran bekämpfen wollen. Die nun nach Verstärkung der militärischen Präsenz der USA wohl geplante Entwaffnung der schiitischen Sadr-Milizen könnte – neben dem „sunnitischen" Widerstand – eine weitere Front des Krieges eröffnen. Ähnlich führt die Kollaboration der US-Truppen in Afghanistan mit den dortigen Warlords[44] gleichfalls zu einer Verstärkung des Tribalismus und der Fraktionierung.

Das Messen mit unterschiedlichen Maßstäben und die Doppelbödigkeit westlicher Argumentation betrifft genauso den „Zentralkonflikt" des Nahen Ostens: Die Boykottierung der aus wirklich freien Wahlen hervorgegangenen Hamas-Regierung in den palästinensischen Autonomie-Gebieten, die Abstrafung der palästinensischen Bevölkerung durch die Blockierung der

---

Münster 2002, S. 41-54. Schulze, Reinhard: Vom Antikommunismus zum Antiislamismus. Der Kuwaitkrieg als Fortschreibung des Ost-Westkonflikts; in: Peripherie Nr. 41/ 1991, S. 5-12.

42 Siehe oben.

43 So waren die irakischen Kommunisten, bevor sie massenhaft von Saddam Husseins Regime ermordet wurden, in ihrer überwiegenden Mehrzahl „Schiiten".

44 Pohly, a.a.O.

Hilfszahlungen, bei der auch die EU schwere Verantwortung trägt, sind Ursache für die Entstehung bürgerkriegsähnlicher Verhältnisse. Diese wiederum liefern den Deckmantel für die fortdauernde israelische Besatzung, für die weitere Landnahme, den forcierten Ausbau von Siedlungen und Kriegsdrohungen gegen den Iran.

Während also einerseits der Staatszerfall als der Ort ausgemacht wird, an dem das Übel des Terrorismus seinen Nährboden fände, läuft die US-Politik und in ihrem Gefolge die der EU de facto darauf hinaus, bestehende Staatlichkeit zu zerstören. Ähnlich der Fall Somalia, wo nach fünfzehn Jahren Anarchie sich mit den Islamischen Gerichtshöfen eine Instanz herausgebildet hatte, die wieder eine gewisse und breit akzeptierte Ordnung errichtet hatte und wo jetzt – abermals unter dem Vorwand der Terroristenbekämpfung – eine „Regierung" installiert wird, die keinerlei Legitimität besitzt. Kennzeichnend ist für diese Politik, dass klientelistische Strukturen nach Opportunitätsgesichtspunkten des Augenblicks aufgebaut werden, was zwangsläufig die Entstehung unabhängiger und rechtsstaatlicher Strukturen verhindert. Das zunehmende Chaos ist damit programmiert. Diese Politik produziert das genaue Gegenteil der lauthals angekündigten Demokratisierung, sie fördert Staatszerfall und extralegale Gewalt.

Die systematische Verletzung völkerrechtlicher Normen, verbunden mit der terroristischen Kriegführung, der Rechtlosigkeit in den besetzten Ländern, der massenhaften Praxis von Entführungen und Folter (auch wenn diese mittlerweile von einheimischen Hilfskräften durchgeführt wird) produziert Hass, der nur Widerstand und Gewalt nähren kann, der den „Krieg gegen den Terror" zu einem Unternehmen werden lässt, das nichts anderes ist als die Förderung terroristischer Gewalt auf allen Seiten. Die Zehntausende von Toten in Afghanistan, die mittlerweile auf 650.000 Tote geschätzten Opfer in Irak schreien nach blutiger Rache. Glaubwürdigkeit und Unterstützung erhalten dadurch jene Kräfte, die am konsequentesten die „Kreuzzügler" des Westens bekämpfen und die Gewalt in deren Länder tragen. Die Hypothese scheint mir plausibel, dass der von der Hegemonialmacht geführte „Krieg gegen den Terror", der seinerseits den Terror produziert, auch dazu genutzt wird, die westliche Triade nochmals in eine einheitliche Front zu zwingen. Am deutlichsten zeigt dies derzeit der Versuch der USA, im Krieg in Afghanistan die Bündnispartner verstärkt in die Kampfhandlungen einzubeziehen. Gelingt es, insbesondere Westeuropa in diesem Konflikt zur Kriegspartei zu machen, wird dem im Orient gepflegten Feindbild vom aggressiven Westen die empirische Grundlage geliefert.

In Abwandlung des Huntington'schen Paradigmas hat Gilbert Achcar das Resultat dieser Politik auf den treffenden Nenner eines „Clash of Barbarisms" gebracht.[45] Die Politik der westlichen Triade bzw. die ihrer von

45 Achcar, Gilbert, The Clash of Barbarisms. The Making of the New World Disorder. London 2006.

ihren schwächeren Polen ungebremsten Hegemonialmacht hat es vermocht, dass wir in einen West-Ost-Konflikt geraten, dem zu entkommen umso schwieriger sein dürfte, als auf der östlichen Seite kein staatlicher Akteur mehr steht, sondern die militante Speerspitze einer allgemeinen Wut, die sich speist aus dem Wissen um Ungerechtigkeit, Doppelmoral, Menschenverachtung und Hysterie gegenüber allem, was mit dem Islam assoziiert wird.

Globalisierung mit Waffengewalt: Zur politischen Ökonomie des Dritten Golf-Krieges[1]

Ingrid El Masry

„Für viele von uns war der Krieg das entscheidende Argument, warum wir die Politik der amerikanischen Regierung ablehnten: Der Krieg erschien uns als das Schlimmste, was man einem Volk zufügen kann. Jetzt erkenne ich, dass es noch Schlimmeres gibt. Schlimmeres als die Bombardierung der Städte und die Schäden, die Splitterbomben der Bevölkerung und der Umwelt zufügen; Schlimmeres als die Besetzung, die für die Iraker unerträglich ist: Schlimmer als all dies ist, dass sie die Institutionen des Staates und der Zivilgesellschaft getötet haben, schlimmer sind Chaos und Erniedrigung."

Sihem Bensedrine[2]

Einleitung

Nur selten waren sich die Stimmen unterschiedlichster politischer Lager – mit weltweit wenigen Ausnahmen – vielleicht so einig wie in der Einschätzung des Prozesses gegen den irakischen Ex-Präsident Saddam Hussein und seiner raschen Exekution als politisch motivierten, bzw. zumindest politisch schädlichen symbolischen Akt. Als politisch schädlich wurden Prozess und vorschnelle Exekution – abgesehen von vielen, scharf zu kritisierenden, formaljuristischen Details[3] – insbesondere deshalb bewertet, weil

1 Für wichtige Hinweise zur Recherche dieses Beitrages danke ich Hans-Christof Graf von Sponeck, für wichtige Hinweise zur Ausarbeitung danke ich den Diskutanten der State of Peace Konferenz, darunter insbesondere Werner Ruf und Karin Kneissl.

2 Bensedrine, Sihem, Besiegte Befreite. Eine arabische Journalistin erlebt den besetzten Irak, München 2004.

3 Vgl. u.a. den ausführlichen Bericht der US-amerikanischen Menschenrechtsorganisation Human Rights Watch unter: http://hrw.org/reports/2006/iraq1106/ bzw. die öffentliche Stellungnahme von amnesty international unter: http://web.amnesty.org/pages/irq-281206 -statement-eng (Zugriff jeweils am 29.1.2007).

sie einerseits keinen Beitrag zur Konstituierung einer Rechtsgesellschaft in einem Land geleistet haben, dessen staatliche Strukturen vollständig zerschlagen worden waren, noch einen Beitrag zur Versöhnung einer zerrissenen, in sich schon historisch sehr heterogenen Gesellschaft, andererseits deshalb, weil damit die historische Chance zur Aufarbeitung einer sehr fragwürdigen, inner-irakischen bzw. regionalen und internationalen Historie zumindest tendenziell begraben wurde. Begraben wurde die Chance zur Aussöhnung zwischen den historischen Gegnern im ersten Golfkrieg 1980–1988, Irak und Iran, in dessen Verlauf schätzungsweise eine Million Menschen starben, und damit auch der politische Respekt vor der von der iranischen Regierung in diesem Zusammenhang erhobenen Völkermord-Anklage gegen Saddam Hussein. In den innerirakischen Wirren der aktuellen Auseinandersetzungen im Irak selbst untergehen dürfte – ebenfalls im Kontext interstaatlicher, regionaler Aussöhnung – die von der Regierung Kuwaits angestrengte Klage wegen der Annektion des ölreichen Emirats durch Irak am 2. August 1990. Öffentlich ungesühnt blieben auch die in dem nicht zu Ende geführte Prozess wegen Völkermords an bis zu 100.000 nordirakischen Kurden 1987/88 thematisierten Verbrechen Husseins, schließlich die Vielfalt systematischer Einschüchterungen, Folterungen und Hinrichtungen von Regimegegnern, die auch mit Brachialgewalt nicht in ein religiös-ethnisches Gewand zu kleiden sind, sondern vielmehr letztlich säkularer politischer bzw. sozialer Opposition zugeordnet werden müssen. Prozessiert wurde letztlich lediglich das Massaker an 148 Schiiten in Dujail 1982 – und eilig geahndet just am nach sunnitischer, aber nicht schiitischer Rechnung ersten Tag des Id al-Adhar (Opferfest).

Während die vielfältigen, im historischen Staatsbildungsprozess Iraks wurzelnden Risse hierdurch auf einen allenfalls noch durch die kurdischen Sezessionsbestrebungen aufgelockerten, religiös konstruierten Gegensatz zwischen Sunniten und Schiiten zugespitzt wurden, droht mit der überstürzten Exekution Husseins schließlich auch das ganze Ausmaß einer über zehnjährigen internationalen Kollaboration mit dem Irak Saddam Husseins beerdigt zu werden:

> „We've shut him up. The moment Saddam's hooded executioner pulled the lever of the trapdoor in Baghdad yesterday morning, Washington's secrets were safe. The shameless, outrageous, covert military support which the United States – and Britain – gave to Saddam for more than a decade remains the one terrible story which our presidents and prime ministers do not want the world to remember. And now Saddam, who knew the full extent of that Western support – given to him while he was perpetrating some of the worst atrocities since the Second World War – is dead.“[4]

---

4 Fisk, R., He takes his secrets to the grave. Our complicity dies with him. How the West armed Saddam, fed him intelligence on his 'enemies', equipped him for atrocities – and then made sure he wouldn't squeal (The Independent, 31.12.2006)

Wie in einem Brennglas scheinen sich im Verfahren und der Vollstreckung des Urteils gegen Hussein die Widersprüche der jüngeren Geschichte des Irak wie auch seiner Gegenwart zu kristallisieren: Der Krieg, der seiner letzten Legitimation zu Folge einen „Schlussstrich unter Jahrzehnte einer gescheiterten Politik im Nahen Osten … (‚die) Unterdrückung zugunsten von Stabilität“[5] toleriert hatte, ziehen sollte, ja über das Leuchtfeuer eines befreiten Irak die Macht der Freiheit demonstrieren sollte, um diese vitale Region zu transformieren,[6] wurde von einer wenig demokratischen Geschichte eingeholt, die letztlich in der kolonialen Erschaffung des irakischen Staates wurzelt, und nunmehr zur Neuordnung der regionalen Landkarte führen könnte: Die Forschung über die politische Ökonomie von Bürgerkriegen assoziiert nicht ohne Grund schwer plünderbare Ressourcen wie Erdöl mit langwierigen, separatistischen Konflikten, zumal dann, wenn sie in ethnisch abgegrenzten Gebieten liegen.[7]

Nun steht der Faktor Erdöl zwar gegenwärtig nicht ohne Grund an vorderster Stelle aller Reflektionen über die Zukunft des Irak (vgl. dazu Kneissl in diesem Band), doch wird darüber allzu leicht vernachlässigt, dass die Planungen für die Post-Oil-Era längst im Gange sind: Bietet die Region neben ihren Energieressourcen einerseits Investitions- und Absatzmärkten in lukrativen Dimensionen, so steht sie andererseits im Kontext der schwindenden Ölressourcen wie der Herausforderungen der neoliberalen Globalisierungspolitik vor den historischen Scheidewegen, ihre Rentierstaatsstrukturen zu überwinden und sich zugleich im Kontext ebendieser Globalisierungspolitik zu verorten.

Den repräsentativsten Ansatz einer solchen Selbstverortung bildet der parallel zum US-Terrorismusbekämpfungsprogramm und Irakkriegsszenario verlaufene Arab Human Development-Diskurs.[8] Die US-Regierung hat

---

5 Rede von US-Präsident G. W. Bush am 19.11.2003 in London, unter: http://www.us-botschaft.de/policy/d13_3.htm, zuletzt abgerufen am 30.7.2004

6 Vgl. dazu insbesondere die Rede von US-Präsident G. W. Bush am 26.2.2003 vor dem American Enterprise Institute, unter: http://www.whitehouse.gov/news/releases/2003/02/20030226-11.html abgerufen am 30.07.2004

7 Vgl. Ross, Michael L., Oil, Drugs and Diamonds: The Varying roles of Natural Resources in Civil War, in: Ballentine, Karen / Sherman, Jake (Hrsg.), The Political Economy of Armed Conflict. Beyond Greed & Grievance, Lynne Rienner: London 2003, S.47-70, hier S. 64f.

8 Das Grundkonzept des Human Development Diskurses lässt sich zusammenfassen in der Idee von Entwicklung als Entwicklung des Menschen, Entwicklung durch den Menschen und Entwicklung für den Menschen. Vgl. UNDP-RBAS/ AFESD 2002: The Arab Human Development Report 2002. Creating Opportunities for Future generations; New York 2002 (www.undp.org/rbas), S.16 sowie El Masry, Ingrid: Die arabische Region im Challenge neoliberaler Globalisierungspolitik, in: Berndt, Michael / El Masry, Ingrid (Hrsg.), Konflikt, Entwicklung, Frieden. Emanzipatorische Perspektiven in einer zerrissenen Welt – Eine Festschrift für Werner Ruf (Kasseler Schriften zur Friedenspolitik Bd. 8); Kassel 2003; S. 55-68.

sich in ihrem Bestreben, sich nach den Verwerfungen des Irakkrieges eine Rolle als zivilgesellschaftlicher Akteur in der Region zurückzuerobern, insbesondere im Kontext der ‚Greater bzw. Broader Middle East Initiative' (BMEI) legitimatorisch auf diese arabische Initiative bezogen.[9] Die amerikanische Rekonstruktionspolitik im Irak bildet in diesem Kontext einen Testfall, dessen Dimensionen durchaus Auswirkungen auf die Zukunft der gesamten Region haben könnten.

1. Historische Rahmenbedingungen: Ein Kunststaat im Ost–West–Konflikt

1.1 Die koloniale Erschaffung des Irak

Die alliierte Invasion des Irak vollzog sich in einem Staat, der zu diesem Zeitpunkt gerade siebzig Jahre nationalstaatlicher Entwicklung hinter sich hatte (der moderne Nationalstaat Irak ist nicht identisch mit dem historischen Mesopotamien[10]), und dies auf Basis sehr komplizierter Strukturen und einer auch daraus resultierenden, aber um die internationalen Rahmenbedingungen des West–Ost–Konfliktes zu ergänzenden, sehr wechselvollen Geschichte. Ohne die Kenntnis dieser Zusammenhänge ist weder das rasche Abgleiten der irakischen Gesellschaft in einen zermürbenden Bürgerkrieg nach der Zerschlagung seiner staatlichen Strukturen noch die fundamentale Fehlkalkulation der Besatzungsmächte, die spätestens mit eben dieser vollständigen Zerstörung der Staatstrukturen begann, zu verstehen bzw. zu erkennen.

Der moderne Nationalstaat Irak ist in erster Annäherung ein Produkt des britisch-französisch-russischen Sykes-Picot-Abkommen von 1916,[11] welches das Erbe des Osmanischen Reiches unter den aufsteigenden europäischen Kolonialmächten aufgeteilt hatte. Nach dem Ausfall Russlands wurde das ursprünglich sehr viel kleinere Territorium in mehreren Folgeabkommen und Verträgen (Abkommen von San Remo 1920, Konferenz

---

9 Scharf zurückgewiesen wurde dieser Bezug bereits Anfang 2004 vom Koordinator des AHDR, vgl. Fergany, Nader, Kritik des Greater Middle East Projektes: Die Araber müssen eine Reform von Außen zurückweisen (arabisch), Al-Hayat, 19 February 2004.

10 Vgl. u.a. Ayubi, Nazih N., Over-stating the Arab State. Politics and Society in the Middle East, London/New York 2006, S.110f., Lewis, Mark, in Metz, Helen Ch. (Hrsg), Iraq. A country study. Federal Research Division Library of Congress, 1988, http://lcweb2.loc.gov/frd/cs/iqtoc.html, Abruf 13.3.2007, Chapter 1, World War I and the British Mandate.

11 Text in: Institut für Internationale Beziehungen (Hrsg), Der Nahostkonflikt – Gefahr für den Weltfrieden. Dokumente von der Jahrhundertwende bis zur Gegenwart, Berlin 1987, S. 21 f.

von Lausanne 1922, Vertrag von Mossul 1926) insbesondere vor dem Hintergrund britisch-französisch-amerikanischer Erdölrivalitäten erheblich nach Norden (Einschluss der Öllagerstätten von Mossul und Kirkuk), aber auch nach Westen ausgedehnt.

Der Irak ist mithin ein Kunststaat, dessen Grenzen im Wesentlichen an den Schreibtischen europäischer Kolonialherren entsprechend ihren Interessen entgegen allen historisch gewachsenen, ethnischen und religiösen Strukturen der Region gezogen wurden: So stand die überwiegend kurdisch bevölkerte Nordregion mit dem Zentrum Basra historisch in engen Handelsbeziehungen mit den Gebieten des heutigen Syrien und der Türkei, während der überwiegend schiitische Süd-Osten enge kulturell-religiöse Beziehungen zum Iran aufwies. Haupteinflussgebiet der mit der Inthronisierung König Faisals 1921 geschaffenen Zentralmacht war schon seinerzeit die überwiegend sunnitische Mitte des Landes mit dem Zentrum Bagdad.

Ein Artefakt bildete der Nationalstaat Irak freilich nicht nur aufgrund seiner künstlichen Geographie, sondern auch deshalb, weil die gesellschaftlichen Strukturen der einbezogenen Gebiete tribal dominiert waren und eine hinreichend entwickelte bürgerliche Schicht nicht existierte, die Bedingungen der Konstituierung eines bürgerlichen Nationalstaates mithin nicht gegeben und die Institution eines (zentralen) Königtums der endogenen Geschichte fremd waren. Als Mittel zur Bändigung der erstarkenden nationalistischen Bewegung in ihrem Einflussgebiet kultivierte die britische Mandatsmacht schon seinerzeit schließlich erfolgreich eine Politik des *Divide et Impera*:

> „As a counterforce to the nationalistic inclinations of the monarchy and as a means of insuring the king's dependence, the British cultivated the tribal shaykhs, whose power had been waning since the end of the nineteenth century. While the new king sought to create a national consciousness, to strengthen the institutions of the emerging state, and especially to create a national military, the tribal shaykhs supported a fragmented community and sought to weaken the coercive power of the state. A major goal of the British policy was to keep the monarchy stronger than any one tribe but weaker than a coalition of tribes so that British power would ultimately be decisive in arbitrating disputes between the two."[12]

Die Stabilisierung des irakischen Staates wurde jenseits der Aspekte der künstlichen Geographie und der tribalen Strukturen schließlich noch durch eine dritte Problematik belastet: Die historisch ererbte, soziale und politische Vertiefung des islamischen, sunnitisch-schiitischen Schismas auf seinem Territorium. Hatte sich die religiöse Spaltung in der frühen Entwick-

12 Lewis, Mark, a.a.O., Chapter 1, World War I and the British Mandate.

lungsphase des Islam im 7. bis 9. Jahrhundert herausgebildet,[13] so erhielt sie gesellschaftliche Relevanz stets nur dadurch, dass sie mit konkurrierenden Machtgruppen und Herrschaftsinteressen korrelierte: Das historische irakische Territorium (Mesopotamien) war vom 16. bis in das frühe 20. Jahrhundert hinein zu einem zentralen Auseinandersetzungsfeld geriert zwischen dem schiitischen Safawiden – Reich in Persien, das die Kontrolle über die schiitischen Heiligtümer in Kerbela und Al-Nadschaf sowie Bagdad als historischem Zentrum des Abbasidenreiches anstrebte, und dem sunnitischen Osmanischen Reich, welches Mesopotamien als Pufferzone gegen die Safawiden zu stabilisieren suchte. Beide nutzten religiöse Identifikationen zur Stabilisierung ihrer Herrschaftsinteressen. Die Osmanen, die ab dem frühen 17. Jahrhundert bis gegen Ende des Ersten Weltkriegs ihre Vorherrschaft über das irakische Territorium zu festigen vermochten, schlossen im Interesse der Stabilisierung ihres Reiches nach außen die Schiiten vom Zugang zu zivilen und militärischen Bildungseinrichtungen weitgehend aus und führten sie damit tendenziell in die soziale und politische Marginalisierung.[14]

1.2 Eine Putsch-Kultur im Ost-West-Konflikt

Vor diesem Hintergrund kann es nicht überraschen, wenn die innenpolitische Entwicklung des Irak von seiner formalen Unabhängigkeit 1932 bis zur Machtübernahme Saddam Husseins 1979 eine Kette von versuchten oder gelungenen Putschen bildete: Die Einheit des staatlichen Flickenteppichs war nur aufrechtzuerhalten, wenn es einer Zentralmacht gelang, die Vielfalt von ethnischen, religiösen, ökonomischen und sozialen gesellschaftlichen Gruppen mit ihren je unterschiedlichen und häufig wenig ausgereiften politischen Konzepten und Strategien zu integrieren, eine Aufgabe, die schon für sich eine schwierige politische Gratwanderung bildete, und erst durch die Baath-Regierung unter Hussein mit diktatorischen Mitteln und einem teils blutigen Wechselspiel von Aufständen und staatlicher Gewaltanwendung oberflächlich Stabilität erzeugte.

Diese wurde freilich nicht unwesentlich verkompliziert durch internationale Rahmenbedingungen, welche die interne Machtbalance des jungen Nationalstaates immer wieder entscheidend beeinflussten: In der monarchischen Entwicklungsphase war es die anhaltende britische Fremdbestim-

13 Vgl. Busse, Heribert, Grundzüge der islamischen Theologie und der Geschichte des islamischen Raumes, in: Ende, Werner / Steinbach, Udo, Der Islam in der Gegenwart, Bonn: BpB, 2005, S. 21-54; Noth, Albrecht, Früher Islam, in: Haarmann, Ulrich, Geschichte der arabischen Welt, München 2001, S. 11-100, insbes. S. 73ff.

14 Vgl Pelletiere, Stephen, The society and its environment, in: Metz, Helen Ch. (Hrsg.), Iraq. A country study, a.a.O., Chapter 2.

mung und Intervention in die inneren und äußeren Angelegenheiten des Irak (gipfelnd im Bagdad-Pakt 1955), welche nach einer Serie von Putschen 1958 schließlich zur Abschaffung der Monarchie führte.

Als der Irak nach der Proklamation der Republik unter Qasim ab 1958 eine Abkehr vom Westen und eine Annäherung an die UdSSR einleitete und sich in seiner sozial-revolutionären Innenpolitik stark auf die Irakische Kommunistische Partei (IKP) stützte, geriet das das Land in den Fokus der US-Containment-Politik und seiner Spezifizierung in der Eisenhower-Doktrin,[15] schließlich einer entsprechenden Agenda der CIA.[16] 1963 waren das Qasim-Regime weggeputscht, die IKP zerschlagen und die Abkehr von der außenpolitischen Anbindung an die UdSSR eingeleitet.

Bereits unter der dann folgenden Regierung Arif begann die Retraditionalisierung der irakischen Innenpolitik (Rückgriff auf tribale Herrschaftsstrukturen) zum Zweck der Herrschaftsstabilisierung. Die außenpolitische Neutralitätshaltung des Irak im Junikrieg 1967 war wesentliche Grundlage für einen erneuten Putsch (1968) und die Stabilisierung der Baath-Herrschaft, die ab 1979 unter Saddam Hussein zwar ein vorbildliches Industrialisierungs-, Sozial- und Gesundheitswesen aufbaute, politisch aber immer mehr in tribal legitimierte, de facto aber diktatorisch funktionalisierte Herrschaftsmechanismen abglitt.

Außenpolitisch ging der Irak unter Hussein in seinem regionalen Hegemoniestreben bereits ab 1980 eine menschenverachtende Allianz mit einer internationalen Containment-Politik gegen Iran ein, die sich nun nicht mehr gegen das kommunistische, sondern ein islamistisches Feindbild (Umsturz im Iran 1979) richtete[17]. Der Erste Golfkrieg (1980–1988: Irak-Iran) leitete eine gigantische Aufrüstung des Irak durch West und Ost ein,[18] ohne die gleichzeitige Aufrüstung des Iran zu vernachlässigen (Iran-

---

15 Die Eisenhower-Doktrin (5.1.1957) ermächtigte die Streitkräfte der USA, die territoriale Integrität der Nationen „gegen eine offenbare bewaffnete Aggression seitens irgendeiner vom durch den Internationalen Kommunismus kontrollierten Nation zu bewahren". Sie wurde später in der Carter-Doktrin vom 23.1.1980 weitergeführt und modifiziert: „Ein Versuch irgendeiner ausländischen Macht, die Kontrolle über die Region des persischen Golfes zu erlangen, wird als Angriff auf die lebenswichtigen Interessen der Vereinigten Staaten betrachtet. Und solch ein Angriff wird unter Einsatz aller notwendigen Mittel, einschließlich militärischer Macht, zurückgewiesen werden." Texte in: Institut für Internationale Beziehungen (Hrsg.), Der Nahostkonflikt – Gefahr für den Weltfrieden, a.a.O., S. 60 f. und S. 186f.

16 Vgl. Lewis, a.a.O., Chapter 1, Republican Iraq; Fisk, R., He takes his secrets to the grave, a.a.O.

17 Vgl. Schulze, Reinhard, Vom Antikommunismus zum Antiislamismus. Der Kuwaitkrieg als Fortschreibung des Ost-West-Konflikts, in: Peripherie, 41/1991, S. 5-12.

18 Vgl. Ruf, Werner (Hrsg.), Vom kalten Krieg zur Heißen Ordnung? Der Golfkrieg – Hintergründe und Perspektiven, Münster 1991, insbesondere S. 51ff.; Lock, Peter, Waffen für den Irak, in: Nirumand, Bahman (Hrsg.),Sturm im Golf, Hamburg 1990, S. 69-87; Flitner, Michael, Krieg als Geschäft, in: Malanowski, Anja (Hrsg.), Bis die Gottlosen vernichtet

Contra-Skandal[19]). Im Falle des Irak waren in diesen Geschäften aber auch jene biologischen, chemischen und atomaren Bestandteile enthalten, wegen derer schließlich der Dritte Golfkrieg 2003 – zumindest in zweiter Legitimationsinstanz – geführt wurde. Dabei hatte schon der Zweite Golfkrieg 1990/91 zur Verhängung eines einzigartigen, nämlich zeitlich unbefristeten UN-Wirtschaftsembargos gegen den Irak geführt (UN-Resolution 661 von 1990), welches durch das „Oil for Food-Programm" (UN-Resolution 986 von 1996) nur bedingt gelockert und durch Korruptions- und Bereicherungsskandale überschattet wurde. In der Folge wurde das Land in den Zustand extremer Armut und damit einhergehend, struktureller, gesellschaftlicher Zerrüttung katapultiert:

> „In den zwölf Sanktionsjahren wurde aus dem Irak mit seiner wohlhabenden, mit moderner Infrastruktur ausgestatteten Gesellschaft und seinen Erziehungs- und Gesundheitssystemen, die zu den entwickeltsten im Nahen und Mittleren Osten gehörten, ein Land, in dem große Teile der Bevölkerung in Armut und Not leben und dazu verdammt waren, mit weniger als einem Dollar am Tag auskommen zu müssen. Kinder, Jugendliche, Frauen und ältere Menschen hatten dabei die härteste Last zu tragen."[20]

1998, acht Jahre nach Verhängung der Sanktionen, war das Bruttosozialprodukt des Irak um zwei Drittel gesunken, die landwirtschaftliche, handwerkliche und industrielle Produktion weitgehend zum Erliegen gekommen, das Pro-Kopf-Einkommen von 3416 Dollar (1984) auf 450 Dollar (1995) gesunken, waren über 500.000 Kinder unter fünf Jahren an den Folgen des Embargos gestorben, die Unterernährung bei Kindern und Neugeborenen weit verbreitet, die Preise für Grundnahrungsmittel um das 850fache gestiegen, Malaria und hygienebedingte Krankheiten zu Epidemien entwickelt, der Schulbesuch um 50 % zurückgegangen und eine kriminelle Parallelökonomie entstanden, die das Überleben vieler sichert, letztlich aber vor allem jene profitieren lässt, die die Schmuggelwege kontrollieren, d.h. die Eliten des Landes.[21]

---

sind, Hamburg 1987, S. 56-67.

19 Synonym für die geheimen Waffenlieferungen der USA an den offiziell boykottierten Iran, mit deren Gewinnen die Contras in Nicaragua finanziert wurden; vgl. im Einzelnen: Ege, Konrad (Hrsg), Irangate. Iran-Contra-Skandal und Tower-Report, Köln 1987.

20 Amorim, Celso (Außenminster Brasiliens), Vorwort, in: Graf Sponeck, H.-Ch., Ein anderer Krieg. Das Sanktionsregime der UNO im Irak, Hamburg 2005, S. 11.

21 Diese Zahlen entstammen dem Bericht einer Untersuchungskommission an den Präsidenten des UN-Sicherheitsrats. S/1999/356 vom 30. März 1999; entnommen aus: Ruf, Werner, Globalisierung und Terrorismus. Zur Gewaltförmigkeit des politischen Widerstands im Vorderen Orient, in: Pawelka, Peter, Religion, Kultur und Politik im Vorderen Orient. Die islamische Welt im Zeichen der Globalisierung, Wiesbaden 2004, S. 153-165, hier S. 158 f.

Die ausführliche und kritische Auseinandersetzung mit dem Sanktionsregime der UN unter den Bedingungen des Programms „Öl für Lebensmittel" im Irak von Graf Sponeck, der von 1998-2000 als UN-Koordinator und beigeordneter UN-Generalsekretär für ebendieses Programm zuständig war, schließlich aber aus Protest gegen die Folgen des Programms zurücktrat, lässt keinen wesentlich entspannteren Eindruck des Sanktionsregimes erkennen, lässt ihn vielmehr zu der Schlussfolgerung gelangen, dass die UN „in normativer und struktureller Hinsicht" reformiert werden müssen, um „den Mächten des engstirnigen Eigennutzes trotzen zu können".[22]

2. Die Globalisierung des Middle East

Die Begriffe der Freiheit und der Demokratie sind politische Konstruktionen mit schillernden Dimensionen. Die US-Regierung hat in ihren vielen Statements zu diesen Aspekten nie konkretisiert, was sie unter der Transformation zur Freiheit im ‚Middle East' versteht. In der AHDR-Perspektive stellt sich Freiheit als Prozess der Erweiterung von menschlichen Entfaltungsmöglichkeiten dar. Die Präsentation dieser Perspektive mag angesichts der bloßen Tatsache des Krieges und des Besatzungsregimes, schließlich angesichts deren ‚humanitärer Kollateralschäden' zynisch erscheinen – nichtsdestotrotz spiegelt dieser Zynismus eine Realität, die erklärt, warum der Irak unter den Bedingungen des Besatzungsregimes keinen Frieden finden, und die BMEI ernst genommen werden sollte: Dem irakischen Volk wurde mit dem externen Regimesturz nicht nur die Möglichkeit genommen, sich seines Diktators selbst zu entledigen; infolge von Krieg und Besatzungsregime haben einer aktuellen wissenschaftlichen Studie zufolge vielmehr über 650.000 Iraker ihr Leben verloren,[23] abgesehen von allen völkerrechtlichen, ethischen und identitären Verwerfungen, ja der Induktion eines Bürgerkrieges, Verbrechen, für welche die Besatzungsmächte, und darunter insbesondere die Führungsmacht USA, die Verantwortung tragen.[24]

Zu den am meisten ignorierten, aber vielleicht folgenschwersten Auswirkungen dieses Krieges gehören indessen die politisch-ökonomischen

---

22 Graf Sponeck, H.-Ch., Ein anderer Krieg, a.a.O., S. 213-216 und S. 336.

23 Studie unter: http://www.iraktribunal.de/dokus/studies/lancet2/mortality_invasion_study 2006.pdf; Kurzbericht mit Erläuterung der Erhebungsmethode im renommierten britischen Fachmagazin The vom 13.10.2006: http://www.thelancet.com/webfiles/images /journals /lancet /s0140673606694919.pdf.

24 Eine erschöpfende Darstellung würde Bände füllen, vgl. zu einer anschaulichen Auswahl Chomsky, Noam, Am Schauplatz des Verbrechens – Kriegsverbrechen im Irak unter: http://www.zmag.de/artikel.php?id=1778 sowie ders., Failed States: The Abuse of Power and the Assault on Democracy , New York 2006.

Weichenstellungen, welche wenige Wochen nach der Erklärung über das offizielle Ende der Kampfhandlungen im Mai 2003 gestellt wurden, und im Irak unter der Ägide der Provisorischen Koalitionsbehörde bereits umgesetzt (2.1.), für den Rest der BMEI-Staaten in Umsetzung begriffen sind (2.2.): eine Privatisierungs- und Globalisierungspolitik von bis dato unbekannter Radikalität.

2.1 Die Neuerschaffung des Irak

Es ist häufig thematisiert worden, hat aber in der Tat einen nachhaltigen Symbolgehalt: Während die US-Armee nach ihrer Einnahme Bagdads Panzer auffuhr, um das Ölministerium zu schützen, sah sie tatenlos zu, ja ermöglichte teilweise erst die Plünderung und Brandschatzung öffentlicher kultureller und medizinischer Einrichtungen, darunter des irakischen Nationalmuseums.[25] Sie leitete damit eine Politik gewaltsamer Globalisierung ein, die voraussichtlich im März 2007 einen ebenso symbolträchtigen, vorläufigen Abschluss finden wird: in der Globalisierung der vermutlich zweitgrößten Erdölreserven dieser Welt.

Die Voraussetzungen hierfür schuf die Einigung auf ein neues irakisches Ölgesetz[26] im irakischen Kabinett,[27] dessen Verabschiedung durch das Parlament im März 2007 als wahrscheinlich gilt. Die Gesetzesvorlage privatisiert und internationalisiert die irakischen Energieressourcen zwar nicht mehr wie der ursprüngliche Entwurf auf der Basis der von ausländischen Firmen erhofften Product Sharing Agreements: Das irakische Erdöl und -gas bleiben formell Eigentum des irakischen Volkes, wenngleich unter förderaler Verfügungsgewalt, doch könnten künftig die eigentlich profitablen Explorations-, Produktions- und Vermarktungsrechte in großem Ausmaß vertraglich an private Investoren vergeben werden, bei Gleichstellung einer neu zu gründenden irakischen Holding mit internationalen Konzernen und mit Vertragslaufzeiten von bis zu 25 Jahren. Abgesehen von zu zahlenden Steuern und Royalties soll ein unbegrenzter Gewinntransfer ins Ausland möglich sein, eine Verpflichtung zur Reinvestition von Gewinnen ist nicht vorgesehen. All dies würde eine Rückkehr zum Konzessionssystem der 1960er Jahre und ante im Interesse privater Firmen bedeuten, die Retardierung der arabischen Ölländer zu reinen Rohstoffexpor-

---

25 Vgl. Sommerfeld, Walter, Museen-Plünderungen in Bagdad – „Go in Ali Baba! It's all yours.", in: Süddeutsche Zeitung, 7.5.2003; ders., Land unter Schock – Der Irak nach dem Krieg, unter: http://www.embargos.de/irak/irakkrieg2/berichte/land_unter _schock _sommerfeld.htm.

26 Text unter: http://web.krg.org/uploads/documents/Draft%20Iraq%20Oil%20and%20Gas %20Law%20English__2007_03_09_h17m2s47 .pdf.

27 Vgl. Neue Zürcher Zeitung, 28.2.2007 und Frankfurter Allgemeine Zeitung, 18.1.2007.

teuren, das Ende einer eigenständigen Preis- und Förderpolitik, das Ende schließlich der Organisation Erdölexportierender Länder (OPEC), deren Erfolge seit den 1970er Jahren erst die finanziellen Grundlagen einer eigenständigen Entwicklungspolitik geschaffen hatten.

Der politische und wirtschaftliche Real- und Symbolgehalt des neuen irakischen Öl- und Gasgesetzes ist enorm: Es wird von paradigmatischer Bedeutung sein für die Verhandlungsmacht anderer arabischer Ölländer, die im Rahmen der 2003 konstituierten US-Middle East Free Trade Area (MEFTA) bereits in Konsultationen mit der US-Regierung über die Privatisierung und Globalisierung ihrer Energieressourcen stehen (vgl. dazu unten 2.2).

Im Irak selbst dürfte die Internationalisierung – als Ausverkauf eines Symbols nationaler Unabhängigkeit –, weniger vielleicht die Privatisierung der Energieproduktion, zumindest kurzfristig bis mittelfristig zur Eskalation der Gewalt, verstärkt auch in Form der Sabotage gegen Fördereinrichtungen und Pipelines, führen, eine Perspektive, welche die Energieproduktion – und damit für den eigenständigen Wiederaufbau des Landes dringend benötigte Ressourcen – lahm legen und zugleich die Dauer der Besatzung nur befördern könnte – in einer Spirale der Gewalt.

In kluger Voraussicht dieser Gefahren und in der Befürchtung eines Auseinanderfallens des Irak betrachtet die Iraq Study Group in ihrem Report vom 6.12.2006 die in der neuen irakischen Verfassung vorgesehene föderale Verfügungsgewalt über Ölrevenuen und Ölfelder als schädlich für die „nationale Versöhnung" des Irak und empfiehlt die „größtmögliche Unterstützung der US-Regierung für die Stärkung der Zentralgewalt in Bagdad, insbesondere in Bezug auf die Erdölpolitik": Sorge bereitet insbesondere, dass die regionalen schiitischen und kurdischen Führer bereits eigenständig Verträge mit ausländischen Firmen aushandeln.[28] Warum eigentlich?

Die US-Planungen für die Zukunft der irakischen Energieressourcen begannen nicht erst mit dem Report, sondern unmittelbar nach der Amtsübernahme von G. W. Bush. Von der Arbeit der am 29. Januar 2001 gegründeten „National Energy Policy Development Group" (NEPDG) unter Dick Cheney über die Tätigkeit der „Coalition of Provisional Authority" (CPA) unter Paul Bremer 2003–2004 mit ihren „100 Orders" lässt sich eine logische Kette bis zur Verabschiedung des neuen irakischen Ölgesetzes und den Empfehlungen der Iraq Study Group ziehen: Die Logik liegt in der Zielsetzung des Aufbaus einer neoliberalen Laisser-faire-Ökonomie begründet, welche im Idealfall der Kontrolle einer zentralen Ordnungsmacht unterliegt.

---

28 Baker, James A. / Hamilton Lee H., The Iraq Study Group Report, New York 2006, S. 39, 65, 24.

Die Öffnung der irakischen Energiewirtschaft für ausländische Investitionen begann bereits in der zweiten Hälfte der neunziger Jahre unter Saddam Hussein. Die damals ausgehandelten Verträge bzw. Verhandlungen waren durch das Sanktionsregime eingefroren, die Aufhebung der Sanktionen ohne eine radikale Neustrukturierung des Irak, wie sie mit dem Sturz von Hussein eingeleitet wurde, hätte die Wiederbelebung der alten Verträge eingeleitet. In einer Bestandsaufnahme, welche die Cheney Task Force mit Datum vom 5. März 2001 vorgelegt hatte, waren unter dem Stand der Vertragsverhandlungen des Hussein-Regimes mit mehr als 60 Firmen aus über 30 Ländern keine US-Firmen vertreten[29] – ein state of business, der laut neuem irakischen Ölgesetz nun überprüft werden soll. Angesichts der Einschätzung internationaler Experten, dass der Höhepunkt des Erdölzeitalters erreicht bzw. überschritten ist, ist zu befürchten, dass der Wettlauf um solche Verträge, deren Gewinne sowohl den internationalen Energiekonzernen als auch den arabischen Ölländern ihre Umstrukturierung für die Post-Oil-Era finanzieren könnten, zur Neustabilisierung eines beträchtlichen Korruptionspotentials führen wird.

Die US-Energiepolitik gegenüber dem Irak ist freilich nur eine Dimension ihrer Privatisierungs- und Globalisierungspolitik gegenüber dem zerrütteten Land, und zumal eine, deren politischen Resultate und gesellschaftlichen Auswirkungen sich erst nach der Verabschiedung des Ölgesetzes und seiner Umsetzung zeigen werden. Als gewichtig für das Abgleiten des Irak in einen Bürgerkrieg und die gegenwärtige Lage müssen denn auch eher jene entscheidenden Weichenstellungen für die Zukunft des Irak und deren realpolitische Umsetzungen begriffen werden, welche sich zwischen dem 6.5.2003 und dem 28.6.2004 unter der Tätigkeit der Coalition Provisional Authority (CPA) unter der Leitung Paul Bremers vollzogen.

In eben dieser Zeit suchte die CPA, den Irak neu zu erschaffen. Sie umging dabei nicht nur internationales Recht, sondern legte zugleich die Grundlagen für jenen Bürgerkrieg, welcher nach vier Jahren – zu Beginn des Jahres 2007 – nur noch in ethnisch-religiösen Kategorien denkbar scheint. Eben deshalb lohnt sich ein Rückblick:

Hatte die UN-Sicherheitsrats-Resolution 1483 vom 22. Mai 2003 mit der Anerkennung der CPA als Besatzungsbehörde eben dieser die Pflicht auferlegt, „den Wohlstand des irakischen Volkes zu fördern, insbesondere durch die Wiederherstellung von Bedingungen der Sicherheit und der Stabilität und von Bedingungen, unter denen das irakische Volk seine eigene politische Zukunft selbst gestalten könnte“, und dies in voller Übereinstimmung mit den Genfer Konventionen von 1949 und den Haager Landkriegsabkommen von 1907, und die Besatzungsbehörde damit u.a. an die Beachtung der existierenden Gesetze des Irak gebunden (Art. 43 HLA von

29 Zugänglich unter: http://www.judicialwatch.org/printer_iraqi-oil-maps.shtml.

1907), so wissen wir, dass in allen entscheidenden Punkten – über die Installierung des Irakischen Regierungsrates (22.7.2003) und die Verabschiedung einer Übergangsverfassung (8.3.2004) – die Bestimmungen der Resolution 1483 umgangen und mehr oder weniger ihr genaues Gegenteil eingeleitet wurde: An die Stelle der Sicherung der öffentlichen Einrichtungen des Staates gegen Plünderungen wurden diese geradezu gefördert; an die Stelle einer wirksamen Entwaffnung aller Kämpfer und die Sicherung der Außengrenzen gegen die Infiltration potentieller Kombattanten trat die vollständige und undifferenzierte Zerschlagung des irakischen Staates mitsamt Verwaltung, Militär und allen wirtschaftlichen Staatsunternehmen, während zugleich die weitgehende Privatisierung, Liberalisierung und Öffnung der irakischen Wirtschaft nach außen – mit Sonderregelungen für den Energiesektor – eingeleitet wurde.[30]

Auf diese Weise wurden einerseits hunderttausende irakischer Staatsbediensteter, incl. Militärangehöriger, auf die Strasse entlassen, die ihnen angesichts einer zusammengebrochenen öffentlichen Ordnung in vielen Fällen nicht mehr bieten konnte, als zu den Waffen zu greifen, wozu es dann nur noch des richtigen Funkens bedurfte, während andererseits über 20 Mrd. US-Dollar Wiederaufbauhilfe ohne Ausnahme in Aufträge an westliche Firmen flossen. Was Antonia Juhasz als „Corporate invasion of Iraq" symbolisierte, fasst sie wie folgt zusammen:

> „While some 150 U.S. companies received contracts for work in Iraq following the invasion, the big reconstruction winners (after Halliburton) were: Parsons Corporation of Pasadena, Calif. ($ 5.3 billion); Fluor Corporation of Aliso Viejo, Calif. ($ 3.75 billion); Washington Group International of Boise, Idaho ($ 3.1 billion); Shaw Group of Baton Rouge, Louisiana ($ 3 billion); Bechtel Corporation of San Francisco, Calif. ($ 2.8 billion); Perini Corporation of Framingham, Mass. ($ 2.5 billion); and Contrack International, Inc. of Arlington, Va. ($ 2.3 billion). These seven companies are responsible for virtually all reconstruction in Iraq, including water, electricity, bridges, roads, hospitals and sewers. One reason for their failure was that companies, such as Bechtel, came to Iraq with the hopes of ultimately winning contracts to privatize the services they were hired to rebuild. Because many U.S. contracts guaranteed that all of the companies' costs would be covered, plus a set rate of profit – known as „cost-plus contracts" – they took their time, built expensive new facilities that showcased their skills and would serve their own needs were they to run the systems one day."[31]

30 Vgl. Coalition Provisional Authority, CPA Official Documents („100 Orders"), darunter hier insbesondere die Verordnungen 37, 39 und 40, unter: http://www.iraqcoalition.org /regulations/.

31 Juhasz, Antonia, The Corporate Occupation of Iraq, 11.12.2006, unter: http://www .bushagenda.net/article.php?id=300.

Wenngleich die seit 2003 zunehmend eskalierte „Sicherheitslage" im Irak die ökonomische Invasion des Landes zunächst einmal gebremst hat,[32] schließlich die wirtschaftlich-soziale Lage weit davon entfernt ist, das Überleben auf Minimalniveau sicherzustellen, darf nicht vergessen werden, dass das Programm der Privatisierung und Öffnung der irakischen Wirtschaft solange aktuell bleibt, bis es durch Gesetzesänderungen außer Kraft gesetzt wird. Dafür trägt Art. 26 der provisorischen Übergangsverfassung Vorsorge.[33]

2.2 Die Neuerschaffung des Middle East

Das Projekt der Privatisierung, Öffnung und Globalisierung der arabischen Ökonomien war nie auf den Irak beschränkt. Vielmehr offenbart dieses den tieferen Sinn jener programmatischen Reden von US-Präsident Bush (darunter insbesondere die vom 26.2., 6.11. und 19.11.2003) über ‚Freiheit und Demokratisierung' im Irak wie der Gesamtregion, die in der Broader Middle East Initiative der G-8-Staaten vom Juni 2004 einen facettenreichen, zivil-militärischen Fokus erhalten haben.[34]

Wie das New Yorker Wall Street Journal bereits am 1. Mai 2003 schrieb, konstituierte der Irakkrieg in diesem Kontext einen Testfall, der Handlungsmöglichkeiten offen legen sollte:

> „For many conservatives, Iraq is now the test case for whether the U.S. can engender American-style free-market capitalism within the Arab world."[35]

Wenngleich der Irak sich bis dato nicht zu einem „dramatischen und inspirierenden Beispiel der Freiheit für andere Nationen der Region entwickelt hat" (George Bush) und der gewaltsame Umsturz von Regimen in der Region als Handlungsoption auf absehbare Zeit ausfallen dürfte, untermauert der Irakkrieg das Projekt einer von den Zielsetzungen der wirtschaftlichen Privatisierung und Öffnung her identischen ‚US-Middle East Free Trade Area' bereits seit Mai 2003. Gesponsert durch die ‚U.S.-Middle East Free

---

32 Vgl. Klein, Naomi, Bagdad im Jahr Null. Das Scheitern der neokonservativen Utopie, S. 45f., in: Blätter für deutsche und internationale Politik, 1 (2005), S. 33-54.

33 Vgl. Coalition Provisional Authority, Law of Administration for the State of IRAQ for the Transitional Period, 8 March 2004, unter: http://www.cpa-iraq.org/government/TAL.html.

34 Vgl. El Masry, Ingrid, Die politische Rezeption des Arab Human Development Report, in: Österreichisches Studienzentrum für Frieden und Konfliktlösung (Hrsg), Der Krieg der Armen? Der internationale Terrorismus in der Neuen Weltordnung, Münster 2005, S. 142-157.

35 King Jr, Neil, Bush Officials Draft Broad Plan For Free-Market Economy in Iraq, in: The Wall Street Journal, 1.5.2003.

Trade Coalition' soll das Projekt bis 2013 alle Staaten des Nahen und Mittleren Ostens und Nordafrikas in eine Freihandelsunion mit den USA integrieren: Algerien, Bahrain, Ägypten, Palästina gemeinsam mit Israel, Iran, Irak, Jordanien, Kuwait, Libanon, Libyen, Marokko, Oman, Qatar, Saudi Arabien, Syrien, Vereinigte Arabische Emirate, Tunesien and Yemen.

Ob dabei zu Recht auf eine Legitimierung durch den Koran („Let there be trading by mutual consent") zurückgegriffen werden kann, ist eine ebenso interessante Frage wie die, welche Auswirkungen ein als ‚Globalisierung mit Waffengewalt' gestartetes Projekt für das Ziel einer selbst bestimmten, demokratischen Entwicklung in der Region haben wird.

Literatur

Amnesty International, Public Statement, Amnesty International condemns Iraqi Appeal Court verdict against Saddam Hussein and co-accused, unter: http://web.amnesty.org/pages/irq-281206-statement-eng.

Amorim, Celso (Außenminster Brasiliens), Vorwort, in: Sponeck, Hans-Ch. Graf, Ein anderer Krieg. Das Sanktionsregime der UNO im Irak, Hamburg 2005.

Ayubi, Nazih N., Over-stating the Arab State. Politics and Society in the Middle East, London-New York: I.B. Tauris 2006.

Baker, James A. / Hamilton Lee H.: The Iraq Study Group Report, New York: Vintage Books 2006.

Bensedrine, Sihem, Besiegte Befreite. Eine arabische Journalistin erlebt den besetzten Irak, Münche 2004.

Burnmelm, Gilbert / Doocy, Shannon u.a., The Human Cost of the War in Iraq. A Mortality Study, 2002–2006, unter: http://www.iraktribunal.de /dokus/studies/lancet2/mortality_invasion_study2006.pdf; (Kurzbericht mit Erläuterung der Erhebungsmethode im renommierten britischen Fachmagazin The Lancet vom 13.10.2006: http://www.thelancet.com /webfiles/images/journals/lancet/s0140673606694919.pdf).

Bush, G. W., Strategie der Freiheit im Nahen und Mittleren Osten-Demokratie-Irak, Rede des US-Präsidenten am 19.11.2003 in London, unter: http://www.us-botschaft.de/policy/d13_3.htm, abgerufen 30.7.2004.

Bush, G. W., The Future of Iraq, Rede des US-Präsidenten am 26.2.2003 vor dem American Enterprise Institute, unter: http://www.whitehouse .gov/news/releases/2003/02/20030226-11.html, abgerufen 30.7.2004.

Busse, Heribert, Grundzüge der islamischen Theologie und der Geschichte des islamischen Raumes, in: Ende, Werner / Steinbach, Udo, Der Islam in der Gegenwart, Bonn: BpB, 2005, S. 21-54.

Chomsky, Noam, Am Schauplatz des Verbrechens – Kriegsverbrechen im Irak, unter: http://ww.zmag .de/artikel.php?id=1778.

Chomsky, Noam, Failed States: The Abuse of Power and the Assault on Democracy, New York 2006.

Coalition Provisional Authority, CPA Official Documents, unter: http://www.iraqcoalition.org/regulations/.

Coalition Provisional Authority: Law of Administration for the State of IRAQ for the Transitional Period, 8 March 2004, unter: http://www .cpa-iraq.org/government/TAL.html.

Ege, Konrad (Hrsg.), Irangate. Iran-Contra-Skandal und Tower-Report, Köln 1987.

El Masry, Ingrid, Die arabische Region im Challenge neoliberaler Globalisierungspolitik, in: Berndt, Michael / El Masry, Ingrid (Hrsg.), Konflikt, Entwicklung, Frieden. Emanzipatorische Perspektiven in einer zerrissenen Welt. Eine Festschrift für Werner Ruf (Kasseler Schriften zur Friedenspolitik Bd. 8), Kassel 2003; S. 55-68.

El Masry, Ingrid, Die politische Rezeption des Arab Human Development Report, in: Österreichisches Studienzentrum für Frieden und Konfliktlösung (Hrsg), Der Krieg der Armen? Der internationale Terrorismus in der Neuen Weltordnung, Münster 2005, S. 142-157.

Fergany, Nader, Kritik des Greater Middle East Projektes: Die Araber müssen eine Reform von Außen zurückweisen (arabisch), Al-Hayat, 19.2. 2004.

Fisk, Robert, He takes his secrets to the grave. Our complicity dies with him. How the West armed Saddam, fed him intelligence on his ‚enemies', equipped him for atrocities – and then made sure he wouldn't squeal, in: The Independent, London, 31.12.2006.

Flitner, Michael, Krieg als Geschäft, in: Malanowski, Anja (Hrsg.), Bis die Gottlosen vernichtet sind, Hamburg 1987, S. 56-67.

Human Rights Watch, Judging Dujail. The first trial before the Iraqi High Tribunal. November 2006, unter: http://hrw.org/reports/2006/iraq1106/.

Institut für Internationale Beziehungen (Hrsg.), Der Nahostkonflikt – Gefahr für den Weltfrieden. Dokumente von der Jahrhundertwende bis zur Gegenwart, Berlin 1987.

Juhasz, Antonia, The Corporate Occupation of Iraq, 11.12.2006, unter http: //www.bushagenda.net/article.php?id=300.

Klein, Naomi, Bagdad im Jahr Null. Das Scheitern der neokonservativen Utopie, in: Blätter für deutsche und internationale Politik, 1 (2005), S. 33-54.

King Jr, Neil, Bush Officials Draft Broad Plan For Free-Market Economy in Iraq, in: The Wall Street Journal, 1.5.2003.

Lewis, Mark, World War I and the British Mandate, in: Metz, Helen Ch. (Hrsg.), Iraq. A country study. Federal Research Division Library of Congress, 1988, http://lcweb2.loc.gov/frd/cs/iqtoc.html, Abruf 13.3.2007.

Lewis, Mark, Republican Iraq, in: Metz, Helen Ch. (Hrsg.), Iraq. A country study. Federal Research Division Library of Congress, 1988, http://lcweb2.loc.gov/frd/cs/iqtoc.html, Abruf am 13.3.2007.

Lock, Peter, Waffen für den Irak, in: Nirumand, Bahman (Hrsg), Sturm im Golf, Hamburg 1990, S. 69-87.

Noth, Albrecht, Früher Islam, in: Haarmann, Ulrich, Geschichte der arabischen Welt, München 2001, S. 11-100.

Pelletiere, Stephen, The society and its environment, in: Metz, Helen Ch. (Hrsg.), Iraq. A country study. Federal Research Division Library of Congress, 1988, http://lcweb2.loc.gov/frd/cs/iqtoc.html, Abruf 13.3.2007.

Ross, Michael L., Oil, Drugs and Diamonds: The Varying roles of Natural Resources in Civil War, in: Ballentine, Karen / Sherman, Jake (Hrsg), The Political Economy of Armed Conflict. Beyond Greed & Grievance, London: Lynne Rienner 2003, S. 47-70.

Ruf, Werner: Globalisierung und Terrorismus. Zur Gewaltförmigkeit des politischen Widerstands im Vorderen Orient, in: Pawelka, Peter, Religion, Kultur und Politik im Vorderen Orient. Die islamische Welt im Zeichen der Globalisierung, Wiesbaden 2004, S. 153-165.

Ruf, Werner (Hrsg.), Vom kalten Krieg zur Heißen Ordnung? Der Golfkrieg – Hintergründe und Perspektiven, Münster 1991.

Schulze, Reinhard, Vom Antikommunismus zum Antiislamismus. Der Kuwaitkrieg als Fortschreibung des Ost-West-Konflikts, in: Peripherie, 41/1991, S. 5-12.

Sommerfeld, Walter, Museen-Plünderungen in Bagdad – „Go in Ali Baba! It's all yours.", in: Süddeutsche Zeitung, 7.5.2003.

Sommerfeld, Walter, Land unter Schock – Der Irak nach dem Krieg, unter: http://www.embargos.de/irak/irakkrieg2/berichte/land_unter_schock_sommerfeld.htm.

Sponeck, Hans-C. Graf., Ein anderer Krieg. Das Sanktionsregime der UNO im Irak, Hamburg 2005.

UNDP-RBAS / AFESD 2002, The Arab Human Development Report 2002. Creating Opportunities for Future generations; New York 2002, (www .undp.org/rbas).

TEIL 2.

DIE ROLLE INTERNATIONALER AKTEURE IM KRISENHERD NAHER UND MITTLERER OSTEN

2.1 Blickpunkt USA: Eine Supermacht und ihr geopolitischer Interventionismus

Transformation der US-Streitkräfte am Beispiel des Irak-Krieges

Heinz Gärtner

Anfang 2007 startete der US Präsident *George Bush* einen weiteren Versuch, mit der verfahrenen Situation im Irak zurechtzukommen. Er kündigte an, weitere 26.000 Soldaten nach Bagdad und Umgebung zu schicken. Gleichzeitig ringt die Demokratische Partei darum, die Administration auf einen Termin für einen Abzug der Soldaten festzulegen. Ein militärischer „Sieg" der USA im Irak ist trotz der Truppenaufstockung sehr unwahrscheinlich. Das scheint auch die Administration zu ahnen, da sie gleichzeitig über Abzugspläne nachdenkt.[1] Wie konnte es zu dieser ausweglosen Situation kommen? In diesem Beitrag wird nicht nach den vorgeblichen und tatsächlichen Gründen dieses Krieges gefragt, sondern es werden die militärisch-strategischen Grundlagen und Entscheidungen diskutiert. Allerdings hängen diese auch mit der politischen Entscheidung, den Krieg zu führen, zusammen. Undurchsichtige Umstände und unrichtige politische Lagebeurteilungen zur Einleitung eines Krieges haben selbstredend Auswirkungen auf die Kriegführung.

Die erste Phase des Krieges im Irak haben die USA erfolgreich durchgeführt. Sie erfolgte mit einer neuen Doktrin und reformierten Streitkräften. Für die Phase, nach der der Präsident im am 1. Mai 2004 die Hauptkampfhandlungen für beendet erklärt hatte, scheinen die USA hingegen weder geeignete Pläne noch eine wirksame militärische Strategie zu haben.

1 Los Angeles Times, March 13, 2007.

Der Hauptgrund für diese Kluft zwischen erfolgreicher Invasion und bisher erfolgloser Besetzung liegt wohl in der politischen Fehleinschätzung, dass die Befreiung vom irakischen Regime durch die Invasionstruppen unmittelbar in moralische und politische Unterstützung durch die irakische Bevölkerung umschlagen würde. Die Befreier wurden aber entweder zunehmend als Besatzer gesehen, oder zumindest wurde es für einen Großteil der Iraker immer schwieriger, zwischen Befreiern und Besatzern zu unterscheiden.

Ein weiterer Gund für den bisher versagten Erfolg liegt in einer Transformation der US-Streitkräfte, die nur einen Teil der militärischen und sicherheitspolitischen Erfordernisse im Irak abdecken. Die im Irak angewendete Strategie der ersten Phase, den Krieg mit kleinen, beweglichen, schnellen Einheiten mit hohem Informations- und Kommunikationsniveau zu gewinnen, war nicht zugleich dazu geeignet, eine stabile Situation herzustellen und eine tief greifende Wiederaufbauphase einzuleiten. Eine revolutionierte Strategie mit transformierten Streitkräften wurde mit der traditionellen politischen Vorstellung verknüpft, dass der Krieg mit dem Sturz des Diktators, *Saddam Hussein*, beendet sein werde. Diese politische Einschätzung führte dazu, dass andere wichtige Dimensionen vernachlässigt wurden. Gleichzeitig entzieht sich ein transformiertes Militär immer weiter der Kontrolle der Politik.

Der Beitrag zeichnet zuerst die Transformation der US-Streitkräfte nach, die vor allem mit US-Verteidigungsminister *Donald Rumsfeld* verbunden ist, aber bereits unter Präsident *Clinton* begonnen hatte. Dann werden die negativen Konsequenzen und Defizite aufgezeigt, die dadurch entstehen, dass bestimmte andere Dimensionen der Transformation, wie *post-conflikt nation-building* vernachlässigt wurden. Diese Defizite werden gerade im Irak deutlich. Abschließend wird die Militärtransformation im Zusammenhang von *Nuclear Posture Review* und *National Security Strategy* diskutiert.

Die Rumsfeld-Reform und die NATO Response Force

Nach Ende des Kalten Krieges wurde bald klar, dass künftige Kriege nicht mehr der großen Armeen mit Unmengen von schwerem Gerät bedürfen, sondern kleinere, leichter bewaffnete Einheiten mit hoher Mobilität erfordern. Die NATO orientierte sich bereits auf ihren Konferenzen in London 1990 und Rom 1991, und dann in ihrem neuen strategischen Konzept 1999 von Washington auf internationale Einsätze, für die Begriffe wie *Military Operations other than War* (MOOTWA) oder *Peace Support Operations* (PSO) oder schlicht *Peace Operations* verwendet wurden. Von amerikanischer Seite war damit jedoch eine entscheidende Bedingung verbunden: die Vermeidung und Verringerung von amerikanischen Opfern. Durch das

Vietnam-Trauma mit 50.000 gefallenen US-Soldaten und die Somalia-Schmach 1992, als einige von den 18 toten Amerikanern durch die Straßen von Mogadishu gezerrt wurden, wurde dieses Prinzip Voraussetzung jeglicher Reform. Es war Grundlage des Luftkrieges der NATO gegen Jugoslawien im Kosovo 1999 und galt im Anschluss als *Clinton-Doktrin*. Kritiker wendeten damals ein, dass Kriege nicht ohne Bodentruppen gewonnen werden können, da Territorium erobert werden muss, was aus der Luft nicht möglich sei.[2]

Mit dem Antritt der Regierung Bush 2001 hatte es sich Verteidigungsminister Donald Rumsfeld zur Aufgabe gemacht, die US-Streitkräfte von Grund auf zu reformieren. Er beauftragte die Marshall-Kommission, Pläne auszuarbeiten, die zum Teil sehr weitreichend waren und den zunehmenden Einsatz von unbemannten Kriegsmaschinen vorsahen.[3] Im Kern jedoch schlug die Kommission vor, die US-Streitkräfte auf hohe Mobilität kleiner Einheiten, die schnell über große Distanzen verlegbar sind, umzustellen. Diese Einheiten sollten mit größtmöglicher Information ausgestattet sein und mit den Kommandozentralen in direkter und ständiger Kommunikation stehen. Diese Art der Kriegführung bekam später den Namen *Network Centric Warfare* (NCW). Der NCW soll Informationsüberlegenheit in Kampfkraft umsetzen, indem sie die Informationseinheiten im Kampfgebiet effektiv miteinander verknüpft. NCW zielt darauf ab, mittels fast perfekter Aufklärung, die Satelliten, Flugzeuge, unbemannte Drohnen und andere Sensoren liefern, Kommandanten in die Lage zu versetzen, die richtigen Ziele zu identifizieren und sie mit Präzisionsmunition zu zerstören. *Marshalls* Transfomationskonzept beinhaltete aber für viele Generäle auch schmerzliche Vorschläge. Auf schweres Gerät, das für traditionelle Schlachten geeignet war, könne fast gänzlich verzichtet werden.

Als *Rumsfeld* Verteidigungsminister wurde, machte er sich daran, dieses Konzept so weit wie möglich, umzusetzen. Anfänge wurden schon unter der Administration *Clinton* mit seinem *Joint Vision 2010* und *2020* gemacht. Angesichts des veränderten Bedrohungsumfeldes schien dies eine überfällige Reform. Obwohl die USA ihre Streitkräfte nach dem Ende des Kalten Krieges um 30 Prozent von 2 auf 1,4 Mill. aktive Soldaten reduziert hatten, fragte sich Lawrence J. Korb[4] in Foreign Affairs, ob die amerikanischen Streitkräfte angesichts der kaum vorhandenen potentiellen Gegner

---

2 Robertson, David, Modern technology and the future of the Soldier, in: Gärtner, Heinz / Hyde-Price, Adrian / Reiter, Erich (Hrsg.), Europe's New Security Challenges, Lynne Renner: Boulder/London 2001, S. 71-90.

3 Keller, Bill, The Fighting Next Time: Why Reformers believe that preparing the military for next-generation warfare is radical and crucial – and one more casualty of 9/11, in: New York Times Magazine, March 10, 2002.

4 Lawrence J. Korb war Mitarbeiter des Pentagons während der Administration Reagan, dann Mitarbeiter der Brookings Institution und des Council on Foreign Relations.

und der großen Anzahl der Verbündeten nicht zu aufgebläht (*overstuffed*) seien.[5] Als Rumsfeld begann, schweres Gerät abzubauen, regte sich heftiger Widerstand in den Streitkräften. Am stärksten war dieser Widerstand in der *Army*, die am meisten von diesen Kürzungen betroffen gewesen wären, am geringsten bei den *Marines*, die am meisten von den Erneuerungen profitiert hätten. Im Spätsommer 2001 spekulierte man bereits über den Rücktritt des Verteidigungsministers.[6]

Dann kam es zu den tragischen Ereignissen des 11. September und die darauf folgende Entscheidung, in Afghanistan zu intervenieren, wobei Rumsfeld auch bereits eine Intervention im Irak ins Auge fasste.[7] Diese Periode war verbunden mit einer patriotisch, politisch-medialen Überhöhung des Militärs. Rumsfeld nutzte die Gunst der Stunde und setzte schrittweise drastische Erhöhungen des US-Militärgbudgets[8] durch, das 2008 bei 481 Mrd. Dollar liegen wird, was doppelt so viel ist, wie die übrige Welt fürs Militär ausgibt. Das ist ein Anstieg um mehr als 60 Prozent seit dem 11. September 2001[9] und um 11 Prozent seit 2007. Nicht enthalten sind die Kosten für den Krieg im Irak und in Afghanistan. Dafür mussten mittlerweile $ 500 Mrd. aufgewendet werden.[10] Für 2008 werden weitere $ 100 Mrd. dazukommen. Bis 2009 werden die Ausgaben für diese Kriege laut Voranschlag insgesamt etwa $ 800 betragen.

Der Anstieg der Verteidigungsausgaben hatte zwei Konsequenzen: Der Verteidigungsminister überlebte, und die Streitkräftereform wurde möglich. Die Höhe des Verteidigungsbudgets erlaubte es, die alten Strukturen und die Waffen für traditionelle Kriegsführung zu behalten und gleichzeitig eine Transformation durchzuführen. Einerseits blieben die traditionellen hierarchischen Strukturen erhalten, in denen die strategische, taktische, operative und individuelle Ebene fein säuberlich getrennt sind. Anderer-

5 Korb, Lawrence J., Our Overstuffed Armed Forces, in: Foreign Affairs, November/December 1995, S. 22-34.

6 Dieser Dualismus zwischen Reformern und Traditionalisten zeigt sich auch in der NATO. Letztere wollen an Territorial- und Bündnisverteidigung festhalten, erstere befürworten eine Transformation in Richtung internationale Missionen. Die Forderung aller NATO-Generalsekretäre seit den 1990er Jahren nach mehr „Kapazitäten" unterstreicht ihre Erwartungen an eine Transformation, denn alte Kapazitäten hätte die NATO ausreichend.

7 Woodward, Bob, Plan of Attack, New York, 2004; Clarke, Richard A., Against All Enemies: Inside America's War on Terror, New York, 2004.

8 U.S. Department of Defense, Year 2006 Budget (FY06), Transmitted to Congress on February 2, 2005. Covers the fiscal year beginning October 1, 2005.

9 Außerdem nicht im Budget enthalten sind Atomprogramme mit etwa $ 20 Milliarden jährlich, die fiskalisch im Energieministerium geführt werden.

10 Somit geben die USA für die Kriege im Irak und in Afghanistan mit monatlich fünf Mrd. Dollar mehr aus als die Vereinten Nationen für ihre 17 laufenden Friedensoperationen im Jahr. James Dobbins, the UN's Role in Nation-building: From the Belgian Congo to Iraq, Survival, vol. 46, no. 4, Winter 2004-05, S. 81-102, hier S. 99.

seits wurden diese Strukturen dadurch zunehmend aufgelöst, dass der Krieg nicht mehr in dieser Sequenzabfolge gesehen wird. Was zählt, sind gleichzeitige Information, Schnelligkeit und Präzision. Ein Beispiel für eine solche Gleichzeitigkeit der Ebenen sind die neu geschaffenen *Stryker Brigade Combat Teams*.

Einerseits wurden die schwere Artillerie (vorerst sogar der 80 Tonnen schwere *Crusader*), die schweren Panzer (wie *Abrams* und *Bradley*), die Flugzeugträger der Nimitzklasse sowie Programme für drei *fighter jets* (F/A-18, F/A-22 *Raptor* und der *Joint Strike Fighter* – JSF) beibehalten. Andererseits wurden die Weichen in Richtung neuer Aufklärungs- und Kommunikationssysteme, präzisions- und satellitengesteuerter Waffen, unbemannten Fluggeräts (UAV), Sensoren u.a. gestellt. Auf strategischer Ebene wird die Doktrin der gleichzeitigen Siege in zwei größeren Kriegen abgelöst. Jetzt gilt, neben der Verteidigung des Heimatterritoriums, die Vorwärtsstationierung in vier kritischen Regionen und, wenn notwendig, schnelle Niederschlagung zweier gleichzeitig stattfindender feindlicher Offensiven.

Von den Reformen nicht unberührt bleibt auch das atlantische Bündnis. Traditionelle Militärbündnisse mit stehenden Armeen passen nicht mehr in die neue Geopolitik. Deshalb hat Rumsfeld eine „Koalition der Willigen" vorgeschlagen, bei der die Mission bestimmt, welches Bündnis für sie erforderlich und geeignet ist, und nicht umgekehrt. NATO-Europäer beklagten, dass die NATO nicht primärer Adressat eine solchen Koalition sei. Eine solche muss jedoch nicht notwendigerweise für die Europäer von Nachteil sein. Sie entspricht in der Tat den neuen sicherheitspolitischen Herausforderungen (Terrorismus, Massenvernichtungswaffen, regionale Konflikte) besser als die starren Bündnisse des Kalten Krieges. Die von der NATO auf dem Gipfel in Prag im November 2002 beschlossene und von den USA angeregte Bildung einer schnellen Eingreiftruppe von 21.000 Soldaten zum Kampf gegen Terrorismus und staatliche und nicht-staatliche Akteure mit Massenvernichtungswaffen entspricht durchaus diesem neuen Konzept. Die schnelle *Response Force* soll flexibel auf unterschiedlichen Schauplätzen und in angepasster Zusammensetzung – auch präemptiv – verwendbar sein. Diese *Response Force* wird so weit wie möglich mit den 13 neuen kleinen, aus jeweils ca. 1.500 Soldaten bestehenden Gefechtsverbänden (*battle groups*) der Europäischen Union (EU) interoperabel und kompatibel sein, wodurch sich die Möglichkeiten von flexibel zusammengesetzten Koalitionen vervielfachen. Die Truppen werden in der Regel für beide Eingreiftruppen verwendbar sein. Das *Berlin plus*-Abkommen, wonach die EU im Bedarfsfall auf NATO-Ressourcen und -Infrastruktur zurückgreifen kann, erleichtert eine solche Kooperation.

Afghanistan und Irak

Der Krieg in Afghanistan war eine erste Gelegenheit, die eingeleitete Transformation zu testen und anzuwenden. Im Kampfgebiet wurden die alten Hierarchien bereits aufgelöst. Es gab eine Verknüpfung von gleichzeitig arbeitenden Systemen, die umgebauten B-52-Bomber und die B-1 dienten nicht nur dem Transport von Bomben, sondern auch als fliegende Kommunikations- und Kommandozentralen. Satellitenaufklärung und *Unmanned Aerial Vehicles* (UVAs) übermittelten Informationen über Ziele am Boden an Kampflugzeuge und Bodentruppen. Der Informationsfluss verlief aber auch in die umgekehrte Richtung. Informationen vom Boden wurden an die B-52 und Jets vermittelt.

Der Irakkrieg bot Gelegenheit, die Reformen weiter voranzutreiben. Rumsfeld wollte beweisen, dass mit wenig Truppen, schnellen Einheiten mit hohem Informationsstand und leichtem Gerät durch entschiedene Schläge (*decisive operations*) in kurzer Zeit viel Raum gewonnen werden kann. Die strategischen Konzepte für die Afghanistan- und Irakkriege beinhalteten eine Reihe revolutionärer Elemente:[11]

- Boden-, und Luftoperationen sind interdependent, wenn nicht integriert. Die traditionelle Trennung zwischen Boden- und Luftstreitkräften wird bei speziellen Operationen aufgehoben. Gemeinsame bewegliche und präzise Operationen relativ unabhängiger Einheiten mit hoher Information sollen entscheidende Schläge durchführen.
- *Special Operations* übernahmen viele Aufgaben, die früher der konventionellen Kriegsführung vorbehalten blieben, bzw. wurden in diese integriert, wie Aufklärung am Boden, Einsätze im Hinterland, humanitäre- und Katastropheneinsätze sowie die Jagd nach Kommandanten.
- Geschwindigkeit ersetzt Masse. Dieses Newton'sche Prinzip sollte große und schwerfällige Truppenbewegungen überflüssig machen. Historisches Vorbild für dieses Prinzip war die Trennung beweglicher Panzereinheiten von der langsameren Infanterie im deutschen Blitzkrieg des Zweiten Weltkrieges. Die Panzer wurden mit kabelloser und Radiokommunikation verbunden, wodurch sich ihre Autonomie von den Bodentruppen erhöhte. Nur 15 Prozent der modernen mechanisierten Streitkräfte reichten für die neue Stoßkraft aus.[12]

---

11 Vgl. u.a. Williamson, Murray/Scales jun., Robert H., *The Iraq War: A Military History*, Cambridge, MA, 2003.

12 Wolfowitz, Paul, Deputy Secretary of Defense, Prepared Statement for the Senate Armed Services Committee Hearing On Military Transformation, In: United States Department of Defense, Washington, D.C., April 9, 2002.

- Präzision ersetzt Quantität. Das Verhältnis von Angriffen mit Präzisionsmunition (z.B. *Joint Direct Affect Munition* – JDAM) zu konventionellen Luftangriffen war etwa 2:1 (20.000:9.000). Im Ersten Golfkrieg 1991 lag es noch bei 1:10. In früheren Kriegen war Präzisionsmunition faktisch nicht vorhanden.
- Das traditionelle Schlachtfeld wird aufgelöst bzw. extrem ausgeweitet. Luft-, Land- und Wasseroperationen finden überall, ständig, gleichzeitig und integriert statt.
- Alle oben genannten Elemente benötigen entwickelte Informations-, Aufklärungs-, Kommunikations- und Führungssysteme. Ohne diese Systeme wären sie unwirksam, wenn nicht extrem gefährdet.
- Ebenso sind für alle Elemente entsprechend ausgebildete und trainierte Soldaten nötig. Deren geringere Quantität kann nur durch ihre Qualität kompensiert werden.
- Entscheidungen müssen vielfach dezentralisiert werden. Entscheidungen, die früher auf strategischer Ebene erfolgten, werden jetzt auf taktischer und operativer Ebene getroffen, was eine Abflachung der traditionellen Hierarchien zur Folge hat.

Konsequenzen und Defizite

Der Militäreinsatz im Irak widersprach den bis dahin geltenden Doktrinen. Die *Weinberger*[13] Doktrin von 1984 besagt, dass amerikanische Truppen nur bei der Gefährdung vitaler amerikanischer Interessen mit ganz klaren politischen und militärischen Zielen, mit ausreichender Unterstützung der amerikanischen Bevölkerung und als letztes Mittel eingesetzt werden sollen; eine Strategie für einen Abzug muss vorbereitet sein. Als *Colin Powel*, der damalige Berater Weinbergers, während des Golfkrieges 1991 Vorsitzender der Vereinigten Stabschefs war, entwickelte er die *Powel-Doktrin*, nach der Kriege nur mit überwältigenden militärischen Mitteln zur Erreichung von klar definierten Zielen, die für die USA lebensnotwendig sind, geführt werden sollen. Diese Doktrin bewegte sich im Rahmen des Denkens von *Clausewitz*, für den Militärmacht ausschließlich als ein Instrument zur Erreichung von politischen Zielen eingesetzt werden darf.

Der Krieg im Irak wurde weder mit allen zur Verfügung stehenden militärischen Mitteln noch mit klaren politischen Zielen geführt. Die politischen Ziele variierten von der Beseitigung von Massenvernichtungswaffen, über den Kampf gegen den Terrorismus bis zur Demokratisierung des Irak und des gesamten Mittleren Ostens. Dadurch wurde in weiten Bereichen

13 Caspar Weinberger war Verteidigungsminister unter der Administration Ronald Reagan.

dem Militär überlassen, die strategischen Ziele der Besetzung zu bestimmen.

Die Invasion sollte die Effektivität eines transformierten Militärs beweisen, das ohne numerische Überlegenheit auskommt. Waren im Golfkrieg gegen den Irak von 1991 noch 600.000 US Soldaten beteiligt, so waren es gemeinsam mit den Koalitionspartnern diesmal die Hälfte, gegenüber einer irakischen Truppenstärke von 400.000. Die Koalition setzte 2.200 Panzer, gepanzerte Fahrzeuge und Artillerie ein, gegenüber 8.500 des Iraks. Es war eine „Invasion-lite", mit der das Regime gestürzt wurde. Die irakische Gegenwehr war aber auch geringer als erwartet, was zum Teil auf dessen mangelnde politische Unterstützung zurückzuführen war. Zugrunde lag die politische Fehleinschätzung, dass der Krieg mit der Beseitigung der politischen Führung beendet sein werde. Eine transformierte Kriegsführung verfolgte ein traditionelles politisches Ziel.

Wegen der geringen Truppenstärke gab es immer wieder Probleme mit dem Nachschub und der Logistik. Der so genannte „Rollende Start" (*rolling start*) war vielfach eine Rechtfertigung dafür, dass nicht genügend Truppen verfügbar waren. Die kleinen Einheiten konnten sich rasch fortbewegen und ließen dadurch den irakischen Truppen kaum Zeit, sich zu formieren und neu zu formieren. Die Raumüberwindung durch Geschwindigkeit ließ jedoch vieles unerledigt. Es war kein wirklicher Raumgewinn, weil er nicht gesichert wurde. Widerstandsnester blieben unberücksichtigt. Der Angriffssturm blies einfach über sie hinweg. Die Geschwindigkeit verschob viele Kampfhandlungen lediglich auf später. Strategische Ziele wurden erreicht, ohne dass taktische oder operationelle Zwischenschritte gemacht worden wären, die in der konventionellen Kriegführung Voraussetzung für die Erreichung strategischer Ziele gewesen waren. Das ist eine Umdrehung des Clausewitz'schen Prinzips, wonach die taktischen Schritte, die Streitkräfte in Aktion, die Mittel zur Erreichung des strategischen Zieles sind. Das strategische Ziel des Krieges wurde unter Vernachlässigung der Taktik angestrebt. Das Kriegsziel wurde am 1. Mai 2003 mit der Erfolgsmeldung des Präsidenten *„mission accomplished"* auf dem Flugzeugträger *Abrahm Lincoln* als erreicht erklärt; operationelle und taktische Aufgaben waren unerledigt geblieben und mussten danach nachgeholt werden.

Geschwindigkeit erfordert Leichtigkeit. Schwere Panzerung verlangsamt die Geschwindigkeit. Dieses Prinzip hatte für die erste Phase des Krieges Gültigkeit. Als sich der Krieg nach dem Sturz des Diktators verlangsamte, die Zeit keine Rolle mehr spielte und gegen Aufständische nur mehr um Raum ohne Zeit gekämpft wurde, wurde Panzerung wieder notwendig, war aber nur unzureichend vorhanden. Als Donald Rumsfeld bei seinem Besuch in Bagdad im Dezember 2004 von einem Soldaten daraufhin angesprochen wurde, wehrte er rechtfertigend ab: „Ihr habt mit der Armee zu kämpfen, die ihr habt!" Rumsfeld wollte nicht wahrhaben, dass sich der Charakter des Krieges gewandelt hatte. Die Soldaten kämpften mit einer Armee, die vielleicht für die erste Phase zweckmäßig war, nicht mehr aber für einen asymmetrischen Krieg, der der reinen Raumsicherung (insbesondere von Städten) dient. Elemente des traditionellen Krieges wurden plötzlich wieder notwendig.

Leichtigkeit erhöht die Verwundbarkeit. Ein Mittel, um diese zu reduzieren, ohne Geschwindigkeit zu verlieren, ist der Kampf aus der Entfernung. Dieser wird durch Präzisionswaffen möglich. Kampf aus der Entfernung bedeutet aber auch Vernichtung und nicht Eindämmung, Zurückdrängung, Entwaffnung, Vertreibung oder Gefangennahme. Die Schläge müssen tödlich sein. Ein Beispiel sind die „Todeszwinger“ (*kill boxes*), in die die Iraker gedrängt und dann vernichtet wurden.

Es stellte sich heraus, dass Präzisionswaffen sowie auch schwere Waffen für den Städtekampf nicht geeignet waren, weil sie nicht präzise genug sind. Hier gibt es nur zwei traditionelle Alternativen: Häuserkampf oder flächendeckende Zerstörung. Die Einnahme von Falluja im Dezember 2004 war eine Kombination von beiden. (Tabelle 1)

Im Februar 2003 hatte Paul Wolfowitz, der stellvertretende Verteidigungsminster, vor dem Kongress erklärt, dass im September 2003 im Irak nur mehr 40.000 Soldaten vonnöten sein würden.[14] Zu Jahresbeginn 2007 wird klar, dass 140.000 nicht ausreichend sind, um das Land zu stabilisieren. Politische Fehleinschätzung und militärisch einseitige Kriegführung sind Ursache dieser Fehlkalkulation.

Tabelle 1: Vor- und Nachteile von Reformmaßnahmen

Reform	Vorteil	Nachteil
Leichtigkeit	Schnelligkeit	Verwundbarkeit
Geschwindigkeit	Rasche Raumüberwindung	Keine Raumsicherung
Schwere Panzerung	Geringere Verwundbarkeit	Langsamkeit
Präzisionswaffen	Einsatz aus der Entfernung Geringe Kollateralschäden	Ungeeignet im Städtekampf
Entfernung	Geringe Verwundbarkeit	Vernichtung meist einzige Option

14 Paul Wolfowitz, der stellvertretende Verteidigungsminster, vor dem Kongress im Februar 2003, zitiert von: Fareed Zakaria, What We Should Do Now, Newsweek, Aug. 24, 2003.

Die anhaltende Widerstandsbewegung im Irak zeigt aber auch die Schwächen der Streitkräftetransformation der USA. Die Aufständischen greifen die Koalitionsstreitkräfte nicht direkt an, sondern zivile Einrichtungen wie das UN-Hauptquartier, sie töten Zivilisten, neu ausgebildete irakische Sicherheitskräfte und einzelne US-Soldaten. Damit wird der lebensnotwendige Aufbau einer zivilen Infrastruktur erfolgreich unterlaufen. Den Streitkräften soll die Kontrolle über den Krieg entzogen werden. Die Transformation des Militärs zielt u.a. darauf ab, die eigenen Opferzahlen möglichst gering zu halten, und gerade dadurch wird jeder Gefallene ein Misserfolg der eigenen Strategien und Technologien – und ein Erfolg für die Aufständischen.[15]

„Overstuffed“ oder „overstressed“?

Von den knapp 500.000 im Einsatz befindlichen Soldaten der US-Armee sind etwa zwei Drittel in 120 Ländern stationiert (150.000 im Irak, 100.000 in Europa, 100.000 in Asien, 30.000 in Kuwait, 10.000 in Afghanistan, 5.000 auf dem Balkan u.a.). Von 33 Kampfbrigaden der Army sind mehr als die Hälfte im Irak. Hier werden zunehmend mehr Soldaten gebraucht, „zeitweise“, wie das Pentagon betont. Plötzlich waren die Streitkräfte nicht mehr aufgebläht (*overstuffed),* sondern ausgezehrt (*streched thin / overstreched*). Diese Gegenüberstellung ist jedoch irreführend. Es geht nicht nur um zuviel oder zuwenig, es geht um zuviel oder zuwenig von bestimmten Streitkräften. Von konventionellem Gerät ist zuviel vorhanden, von Soldaten eines transformierten Militärs, das einen Abnützungskrieg führt, zu wenig. Von den 800.000 Bodentruppen der *Army, Reserve, National Guard und Marine Corps* sind weniger als 180.000 kampftauglich, zieht man das Personal der Systemerhalter in den Kommandozentralen, der Logistik und Ausbildung, in der Beschaffung usw. ab.[16] Von den 200.000 Reservisten stehen nicht einmal mehr 40.000 zur Verfügung. Von den 15 Brigaden der Nationalgarde sind 14 im Einsatz oder bereiten sich darauf vor.

Verschiedene Gegenmaßnahmen werden überlegt. Rumsfeld machte einen neuen Versuch, schweres Gerät loszuwerden. 2003 gelang es ihm nach monatelangen Kampf das Artilleriegeschütz *Crusader* aus dem Programm zu nehmen. Im März 2004 wurde das $ 40 Mrd. teure Programm des *Comanche Helicopters* gestrichen. Vorschläge für Umstrukturierungen und Einsparungen bei Gerät im Budget 2006 wurden nicht oder nur halbherzig

---

[15] Rasmussen, Mikkel Vedby, The Revolution in Military Affairs and the Boomerang Effect, Danish Institute for International Studies, DIIS Report 6/2004.

[16] Luttwak, Edward, Governing Against Type, in: New York Times, November 28, 2004.

durchgeführt. Der von Rumsfeld noch favorisierte Schwerpunkt auf schnell verlegbare und schlagkräftige modulartig organisierte Truppen mit flexibler Größe wurde beibehalten, die Reduktionen und Umstrukturierungen waren jedoch halbherzig, und die Ausgaben werden in vielen Fällen lediglich aufgeschoben – und zum Teil wieder zurückgenommen:[17]

- Ende Dezember 2004 gab das Pentagon bekannt, dass es die Anzahl des *F/A-22 Raptor* stark reduzieren will. Dieser *stealth fighter* war für den Luftkampf mit sowjetischen MIGs konstruiert worden. 1985, am Höhepunkts des Kalten Krieges, waren 750 Stück dieses Kampfflugzeuges mit dem angeblichen Stückpreis von $ 35 Mill. vom Pentagon gefordert worden. 2004 kündigte das Pentagon an, dass die Produktion 2008 eingestellt würde, nachdem das Pentagon 180 Stück, von dem nun ein Stück $ 258 Mill. kostet, gekauft haben wird. Im Budget 2006 waren für dieses Flugzeug $ 4,3 Mrd. bezahlt und 2008 waren weiterhin $ 4,6 Mrd. vorgesehen. Für 2008 sind für den *Joint Strike Fighter* weiterhin $ 1,2 Mrd. vorgesehen, nachdem in den letzten Jahren jeweils etwa $ 5 Mrd. ausgegeben worden waren. Dieser soll zunehmend den *F-16* und den *A-10* der Luftstreitkräfte, den *AV-8B* der Marine und der *F/A-18* der Seestreitkräfte und Marine ersetzen.
- Ein anderes Beispiel sind die 30 Unterseeboote der *Virginiaklasse,* die $ 60 Mrd. kosten. Sie waren für das Aufspüren von feindlichen Unterseebooten mit Nuklearbewaffnung im Kalten Krieg geplant gewesen. In den nächsten sechs Jahren sollen statt zwei nur eines jährlich gekauft werden. Nach dem Budget 2007 hat die *Navy* $ 2,6 Mrd. dafür bezahlt und für 2008 $2,5 Mrd. beantragt.
- Die Anzahl des senkrecht startenden Flugzeugs *V-22 Osprey*, das bei Tests extrem fehleranfällig war, soll zwar reduziert werden, was jedoch den Stückpreis auf $ 100 Mill. hochtreibt. Trotzdem sollen 458 Stück bestellt werden. *V-22 Osprey* hatte *George H. W. Bush* gestrichen, Bill *Clinton* jedoch wieder auf das Programm gesetzt. Ein nächster Präsident könnte also leicht wieder die Reduktionen rückgängig machen. Im Budget 2008 sind dafür jedenfalls wieder $ 2,6 Mrd. für 26 Stück veranschlagt.
- Obwohl kleinere und schnellere Schiffe, die in Küstengebieten eingesetzt werden können, nötig wären, werden von dem Zerstörer *DD(X)* und den *LPD-17* Amphibienschiffen nur einige weniger angekauft. Für

17 U.S. Department of Defense, Fiscal Year 2006 Budget (FY06), Transmitted to Congress on February 2, 2005. Covers the fiscal year beginning October 1, 2005. U.S. Department of Defense, Defense Department Fiscal Year 2006 Budget Briefing, February 7, 2005. Korb, Lawrence J., The Pentagon's New Math, New York Times, January 11, 2005; Ders.: A Realistic Defense for America, Report, March, 2006; Boot, Max, The Struggle to Transform the Military, Foreign Affairs, March/April 2005, S. 103-118..

das Schiff mit der Kennung DDG-1000 sollen 2008 $ 3 Mrd. ausgegeben werden. Einer (*John F. Kennedy*) der 12 Flugzeugträger der Seestreitkräfte wird außer Dienst gestellt. In andere Schiffe einer neuen Generation wird ungekürzt investiert: in den Flugzeugträger *CVN-21* mit größerer Landefläche aber geringeren Besatzung mit $565 Mill., sowie in das schnelle und wendige Kampfschiff *Littoral Combat Ship* mit *Stealth* Technik mit $ 613 Mill. Kosten.

- Die Ausgaben für ein Raketenabwehrsystem sollen in den nächsten Jahren nicht nur nicht gekürzt, sondern erhöht werden. Im Budget des Pentagon für 2006 wurden $ 11 Mrd. für Entwicklung, Tests und Stationierung ausgegeben, 2008 sind dafür bereits $ 15,9 Mrd. veranschlagt.
- Die Einsparungen, die ersten seit dem 11. September 2001, sollen eine Reduktion des veranschlagten Verteidigungsbudgets in den nächsten sechs Jahren von knapp $ 60 Mrd. bringen. Davon sind die Kriegskosten im Irak und in Afghanistan nicht betroffen. Das Verteidigungsbudget insgesamt wird jedoch sogar bis 2011 auf $ 502 Mrd. jährlich wachsen. Die Einsparungen werden erst gegen Ende des Jahrzehnts wirksam. Zwischen 2006 und 2011 wird das Pentagon $ 2,5 Mrd. ausgeben.
- Von den Umstrukturierungsplänen ist die Army mit $ 5 Mrd. Erhöhung ihres Budgets jährlich Gewinner. Im Rahmen der Modernisierung werden die Kampfbrigaden der Einsatztruppe von derzeit 33 auf 43 erhöht, die der Reserve auf 34. Die Army reduziert die Anzahl der Artillerie- und Luftverteidigungseinheiten, während Transport- und Militärpolizeieinheiten hinzugefügt werden.

Ein Mittel, die knappen Personalressourcen auszugleichen, besteht in der Verlängerung der Dienstpflicht. Ob eine Wehrpflicht formal wieder eingeführt wird, bleibt offen. Eine Maßnahme wurde jedoch wieder aktiviert, die so etwas wie eine versteckte Wehrpflicht darstellt. Die *stopp loss order* ermöglicht es, Soldaten bis zum Ende ihrer vertraglichen Verpflichtungen im Ausland zu belassen – und darüber hinaus noch 90 Tage nach der Heimkehr. Davon sind bisher mehr als 10.000 Soldaten betroffen. Der übliche Auslandseinsatz beträgt etwa sechs Monate. Reservisten sollen über die derzeitige Begrenzung auf 24 Monate hinaus einberufen werden können. Als weitere Maßnahme hat die Army die Altersgrenze für die Nationalgarde und Reservisten von 34 auf 39 erhöht. Das Problem wird sich weiter verschärfen, da die Hälfte der im Irak stationierten Soldaten angegeben hat, dass sie sich nicht wieder verpflichten werden.

Die Anzahl der Eingezogenen von 500.000 auf 600.000 aufzustocken, wird überlegt, was jedoch mit Karriereanreizen und Solderhöhungen verbunden sein muss, soll offene Wehrpflicht vermieden werden. Weitere Entlastungsmaßnahmen waren der Abzug von 30.000 bis 40.000 Mann militärischem Personal aus Deutschland und von 15.000 bis 20.000 aus Asien.

Verfehltes „Nation-Building"

Im Widerspruch zu Rumsfelds Konzept der *minimal force* hatte General *Eric Shinseki* vor einem absehbaren Dilemma *vor* dem Krieg im Irak gewarnt und hervorgehoben, dass „einige hunderttausend Soldaten" für einen derartigen Krieg notwendig sein würden. Sein Vertrag wurde nicht mehr verlängert. Rumsfelds Transformation ließ zwei Dimensionen unberücksichtigt: erstens, dass sich eine schnelle Eroberung oder Befreiung in eine Besetzung gegen fortwährenden Widerstand verwandeln kann, zweitens, dass mit Befreiung und Besetzung Wiederaufbau oder *nation-building* notwendig wird.[18] Aus politisch/ideologischen Gründen hatte man angenommen, dass keine oder kaum Besetzung notwendig sein wird und dass der Wiederaufbau von den Irakern selbst übernommen würde. Bereits vor ihrem Amtsantritt im Jahr 2001 hatten der spätere Präsident und seine künftige Sicherheitsberaterin klar gemacht, dass das amerikanische Militär für den Kampf und nicht für Wiederaufbau zuständig sei.[19]

Der pensionierte General *Anthony Zinni* hat die Notwendigkeit von *nation-building* und dessen Unterschied zur Transformation des Militärs gesehen und betont:

> When the Pentagon talks about the ‚transformation' of the military services, the implication is that transforming means becoming faster, lighter, more precise and efficient. But given what is going on in the world today, transformation should rather focus on better preparing and training U.S. forces for peacekeeping and nation-building duties.[20]

Die Transformation des Militärs vergrößerte zunehmend den Abstand zum *nation-building*. Sie orientiert sich am oberen Ende des Konfliktspektrums, der *high-intensity, high-speed* und *high-technnology* Kriegsführung. Das ist jedoch nur eine kleine Phase des Konfliktspektrums. Die Phasen der Stabilisierung und des Wiederaufbau gehören aber ebenso dazu.[21] Sie erfordern

---

18 Die *Reserve* und *National Guard* nehmen diese Aufgaben teilweise aber ungenügend wahr.

19 Damals hatten die Europäer Angst, dass sich die USA aus dem Balkan zurückziehen würden. Doch US Außenminister Powel verkündete, dass man den Balkan nur gemeinsam verlassen werde, da man die Operation auch gemeinsam begann.

20 Zitiert in Christina M. Schweiss, Challenging US Hegemony: The European Union's Comparative Advantage in Nation-Building and Democratization, Paper Presented at the Annual Conference of the International Studies Association, Montreal, Quebec, Canada, March 17-29, 2004, 22.

21 Diese können auch vor dem Ausbruch eines gewaltsamen Konfliktes eingesetzt werden.

aber im Vergleich zu einem traditionellen und transformierten Militär unterschiedlich ausgebildete Sicherheitskräfte und anderes Gerät. Aufgaben zur Sicherung von zivilen Einrichtungen sind ebenso erforderlich wie militärisches Personal mit zivilen Qualifikationen, wie die Übernahme von Polizeiaufgaben, Sprachkenntnisse, handwerkliche und diplomatische Fähigkeiten, juristische Kenntnisse usw. Soldaten sind die ersten, die einer Nach-Konfliktphase verfügbar sind, noch bevor ausgebildete zivile Kräfte die notwendigen Aufgaben übernehmen können. Schwere Artillerie, eine große Anzahl von Kampfpanzern sind für Stabilisierungs- und friedenserhaltenden Maßnahmen genau so wenig erforderlich wie Kampfflugzeuge mit kurzer Reichweite und Präzisionswaffen. Moderne Führungs-, Kommunikations- und Aufklärungssysteme sind für *nation-building* Operationen allerdings ebenfalls notwendig.

Stabilisierungs- und Wiederaufbauaufgaben sind viel personalintensiver als ein *high-tech*-Krieg. Gewissermaßen sind sie eine Umdrehung der Rumsfeld'schen Militärtransformation, die die Anzahl des militärischen Personals auf ein Minimum reduzieren will. Der Trend, in Gerät mehr zu investieren als in Personal, war in den amerikanischen Streitkräften schon immer stärker als in den meisten europäischen. Gerade 4,6 Prozent der US-Streitkräfte sind Infanterie, davon 51.000 Personen in der Army und 20.000 im Marine Corps. Während der Anteil der Personalausgaben in den USA bei 35 Prozent liegt, ist er in Deutschland und Frankreich mit 60 und in Italien mit 75 Prozent vergleichsweise hoch. In den USA wurde der Unterschied zwischen Kampf- und Friedensoperationen traditionell kaum wahrgenommen.[22] Es galt das Prinzip *a good soldier is also a good peacekeeper*. Lediglich der erste Verteidigungsminister der Administration Clinton, *Les Aspen,* versuchte, spezielles Training für unterschiedliche Friedenseinsätze durchzusetzen. Verteidigungsminister Rumsfeld ließ hingegen im Frühjahr 2003 das *Peacekeeping Institute* beim U.S. Army War College in Carlisle Barracks, Pennsylvania, schließen und benannte das *Office of Peacekeeping and Humanitarian Operations* in seiner eigenen Abteilung in *Office of Stability Operations* um. Das Institut wurde zwar unter dem Namen *U.S. Army Peacekeeping and Stability Operations Institute* wiederbelebt, fristet seither aber ein stiefmütterliches Dasein.

James Dobbins von der RAND Corporation kritisierte vor dem Committee on Foreign Relations des Senats, dass es, verglichen zu den steigenden Investitionen und dramatischen Verbesserungen in der Kriegsführung im letzten Jahrzehnt, „keinen vergleichbaren Anstieg in der Fähigkeit der

22 Das gilt selbst für Militärwissenschaftler außerhalb des Pentagon wie, Michael O'Hanlon, The Need to Increase the Size of the Deployable Army, in: Parameters, Autumn 2004, S. 4-17.

US-Streitkräfte oder (der) zivilen Organisationen bei Post-Konflikt-Stabilisierung und Wiederaufbau-Operationen gegeben" habe.[23]

Es geht gerade um den Bereich, in dem das Militär, das den Konflikt befriedet hat, mit Sicherungs-, friedenserhaltenden- und Wiederaufbauarbeiten beginnen muss, bevor zivile Kräfte funktionsfähig sind und derartige Aufgaben vom Militär übernehmen können (in Graphik die Linie a – b). Die Tragik im Irak ist, dass dieser Punkt in weite Ferne gerückt ist. Ein erfolgreiches *nation-building* ist die beste *exit strategy*.

Graphik 1: Stabilisierungs und Wiederaufbauoperationen des Militärs

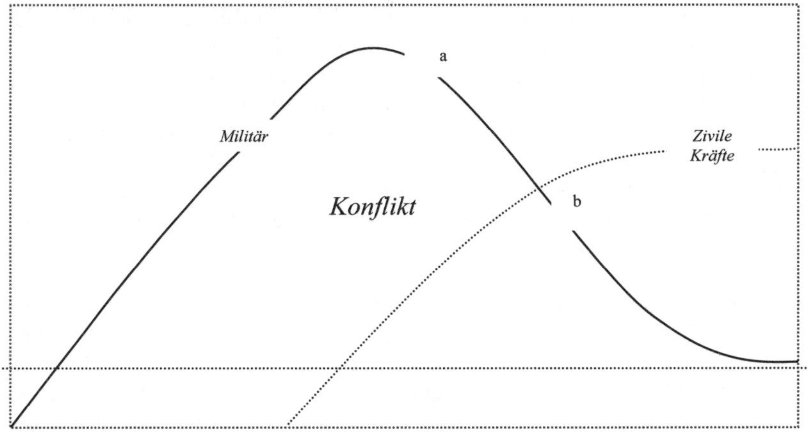

USA – EU: Qualifizierte Arbeitsteilung

Wegen der politischen Ablehnung des und der mangelnden militärischen Vorbereitung auf das *nation-building* übernahmen europäische Staaten einen Großteil von friedenserhaltenden Maßnahmen. Die etwa 7.000 Soldaten der *International Security Assistance Force (ISAF)* kommen fast vollständig[24] aus europäischen und einigen asiatischen Ländern. Während die USA im Kosovokrieg 1999 mehr als 80 Prozent der Kampfaufgaben

---

23 James, Dobbins, „Next Steps in Iraq and Beyond". Testimony presented before the Committee on Foreign Relations, United States Senate, on September 23, 2003, RAND, S. 3.

24 2005 wurden zwei US Provincial Reconstruction Teams (PRT) in Herat und Farah der NATO zugewiesen.

übernahm (Einsatzflüge, Aufklärungs-, Kommunikations-, und Informationssysteme), stellen die Europäer mehr 80 Prozent der Stabilisierungstruppe KFOR. In Bosnien hat die Europäische Union im Dezember 2004 die SFOR von der NATO übernommen und in die EUFOR übergeführt. Die NATO behält ein Verbindungsbüro mit einer kleinen US Präsenz.

Es scheint sich eine vernünftige Arbeitsteilung zwischen den USA und Europa herauszubilden: Die USA führen den modernen Krieg, und die Europäer übernehmen die Friedensaufgaben. In vieler Hinsicht spiegelt eine derartige Arbeitsteilung sowohl die politischen Präferenzen wie auch die reale Situation wider. Allerdings zeigt gerade das Beispiel Irak, dass hier weder die politischen noch die militärischen Voraussetzungen für eine derartige amerikanisch-europäische Arbeitsteilung gegeben sind. Einmal weigern sich viele Europäer wegen verfehlter Koalitionsbildung und fehlender klarer UN-Autorisierung des Krieges, insbesondere die französische und deutsche Regierung, auch stabilisierende und friedenssichernde Aufgaben, die über das Training irakischer Sicherheitskräfte hinausgehen, zu übernehmen. Zum anderen ist die militärische Lage so prekär, dass solche Aufgaben nur gleichzeitig mit der andauernden Aufstandsbekämpfung durchzuführen sind. Aber auch die Europäer werden sich nicht immer auf die USA verlassen können, wenn es zur Bewältigung von Konflikten am oberen Spektrum etwa im Balkan oder auch in Afrika kommt. Europa darf also diese Fähigkeiten nicht verlieren, wobei das Schwergewicht jedoch auf das mittlere und untere Spektrum, wie Stabilisierung, Friedenssicherung und Friedenserhaltung, Wiederaufbau, gelegt werden sollte. Gleichzeitig müssen die USA als einzige Supermacht der Welt ihr Schwergewicht wohl weiterhin auf die Fähigkeit konzentrieren, einen *high-intensity* Krieg zu führen. Allerdings wäre es notwendig, dass sich die US-Armee besser auf mittlere und untere Konfliktebenen, der in nächster Zukunft weitaus häufigste Konflikttyp, der nicht nur militärische, sondern auch polizeiliche und zivile Fähigkeiten erfordert, vorbereitet.[25]

Bei gemeinsamen Operationen der USA und der Europäischen Union (EU) ist geteiltes Risiko, aber auch eine jeweilige Beteiligung an den Entscheidungen erforderlich. Sinnvoll wäre daher eine „qualifizierte Arbeitsteilung“ (Graphik 2) mit teilweise gemeinsamen Kommandostrukturen für bestimmte Operationen,[26] wobei sich die USA auf das obere Konfliktspektrum und die EU auf das mittlere und untere konzentrieren, die Kapa-

---

25 Larrabee, F. Stephen / Gordon IV, John / Wilson, Peter A., The Right Stuff: Defense Planning Challenges for a New Century, in: The National Interest, Fall 2004.

26 Gärtner, Heinz, After 9/11 and the Wars in Afghanistan and Iraq, in: Gärtner, Heinz / Cuthbertson, Ian (Hrsg.), European Security and Transatlantic Relations after September 11 and the Iraq War, (Palgrave-MacMillan: Houndmills), 2005. Gärtner, Heinz, NATO, Europe, the US and Qualified Division of Labour, in: World Defence Systems, The International Review of Defence Acquisition Issues, Vol. 7, No. 2, Autumn 2004.

zität für eine beschränkte Beteiligung an den jeweilig anderen Ebenen aber möglich bleibt.

Graphik 2: Qualifizierte Arbeitsteilung

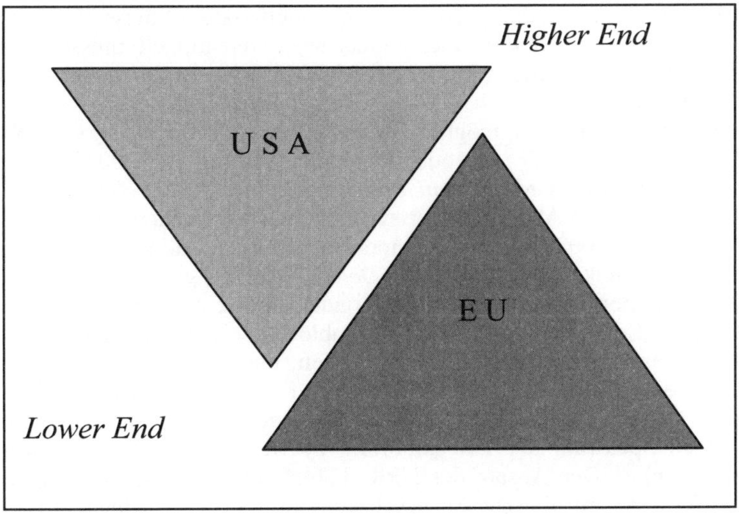

„Nuclear Posture Review" und "National Security Strategy": „capabilities-based" und „preemptiv"

Zwei Rahmenbedingungen[27] für die Transformation des US Militärs müssen noch erwähnt werden. Es sind dies die *Nuclear Posture Review (NPR)*[28] des Pentagon vom Jänner und die *National Security Strategy (NSS)*[29] des Präsidenten vom September 2002. Beide sind unabhängig von einander und von der Militärreform, ergeben aber zusammen mit ihr be-

27 Gärtner, Heinz, Präemption, Nuklearstrategie, Nationbuilding und die Transformation der amerikanischen Streitkräfte, in: Reiter, Erich (Hrsg.), Jahrbuch 2003, (E:S. Mittler & Sohn GmbH: Hamburg/Berlin/Bonn), 2004, S. 421-440.

28 United States Department of Defense, Special Briefing on the Nuclear Posture Review: News Transcript, January 9, 2002.

29 The National Security Strategy of the United States of America, Washington, D.C. September 2002.

stimmte neue Konstellationen. Die NPR ist zwar als neue Nuklearstrategie konzipiert, entscheidend für die Transformation des Militärs ist jedoch die Bedrohungsanalyse. Sie nimmt nicht mehr wie im Kalten Krieg existierende Bedrohungen bestimmter Staaten (*threat-based*) zur Grundlage, sondern lässt eine weite Bandbreite von Möglichkeiten zu, für die ausreichend Kapazitäten (*capabilities-based*) entwickelt werden sollen. Nukleare und konventionelle Reaktionsfähigkeiten für alle denkbaren Anlassfälle müssen vorhanden sein. Waffensysteme, nuklear wie konventionell, müssen kleiner und durchschlagskräftiger werden.[30] Abschreckung ist nur mehr eine von vielen Strategien. Dadurch wird eine drastische Reduzierung der strategischen Nuklearwaffen möglich, wie sie im SORT (*Strategic Offensiv Weapons Reduction Treaty)* oder Moskauer Vertrag von 2002 angestrebt wird. Gleichzeitig wird der *Anti Ballistic Missile* (ABM) Vertrag, der als Teil des nuklearen Abschreckungssystems die Zweitschlagsfähigkeit erhalten sollte und 2002 im Einvernehmen mit Russland aufgekündigt wurde, verworfen. Raketenabwehr (*Missile Defense)* soll möglich sein. Durch diese Kombination entsteht eine neue Triade, die die alte Triade, bestehend aus Land-, See- und Luftstreitkräften, ablösen soll. Sie besteht laut NPR aus nuklearen und nicht-nuklearen Waffen, einem Raketenabwehrsystem und aus einer Infrastruktur von Führungs-, Kommunikations- und Aufklärungssystemen. Die Transformationsstrategie des Pentagon beansprucht, im gesamten Spektrum der Kriegsführung überlegen zu sein (*full-spectrum dominance*).[31] Der Ansatz der NPR, Fähigkeiten für alle Anlassfälle zu entwickeln, ist mit diesem Anspruch kompatibel. Er ist seinem Anspruch nach aber auch grenzenlos in dem Sinne, dass die Anzahl der Anlassfälle nach oben offen ist. – Auf tragische Weise hat *Osama Bin Laden* am 11. September 2001 die Grenzen dieses Ansatzes sichtbar gemacht. Ebenso unterlaufen die Aufständischen im Irak tagtäglich diesen Anspruch.[32]

Das am meisten diskutierte Element der NSS ist das der Präemption oder des Präventivkrieges.[33] Es gibt eine eingehende völkerrechtliche Dis-

---

30 In den Medien wurde das Schlaglicht lediglich auf die Forschung- und Entwicklung von kleinen panzerbrechenden Nuklearwaffen (*mini-nukes*) geworfen. Für 2005 hatte der Kongress die Forschungsgelder von $ 27 Millionen gestrichen, $ 18 Millionen davon tauchten im Budget 2006 wieder auf. Gleichzeitig wurde aber an einer neuen Generation von robusteren, verlässlicheren und langlebigeren Nuklearwaffen gearbeitet, wofür bisher aber lediglich $ 9 Millionen für Forschung ausgegeben wurden. New York Times, February 7, 2005.

31 Quardennial Defense Review Report, September 30, 2001 (Washington DC: Department of Defense, 2001), S. 29.

32 Rasmussen, Mikkel Vedby, The Revolution in Military Affairs and the Boomerang Effect, Danish Institute for International Studies, DIIS Report 6/2004.

33 In der akademischen Diskussion werden diese Begrifflichkeiten unterschieden: Präemption ist militärisches Handeln, um unmittelbar bevorstehende Gefahren zu bekämpfen, wenn ein Akteur glaubt, zu antizipieren, was ein anderer Akteur beabsichtigt zu tun. Prä-

kussion darüber, inwieweit Präemption mit der individuellen und kollektiven Selbstverteidigung in Art. 51 der UN-Charta vereinbar ist.[34] Weitgehende Einigkeit besteht, dass die Abwehr eines unmittelbar bevorstehenden Angriffes einen Akt der Selbstverteidigung darstellt. Militärstrategisch und -taktisch ist Päemption keine Neuigkeit. *Elisabeth* vernichtete die spanische Armada 1588 vor deren Angriff auf England. Preußen griff 1756 die sich formierende Koalition von Österreich, England, Russland und Frankreich an. Mittlerweile klassisches Beispiel ist Israels Angriff von 1967 auf Ägyptens herannahende arabische Armeen. Die USA bereiteten 1962 einen Schlag auf die als bedrohlich empfundenen Raketenstellungen auf Kuba vor und zogen einen Ring mit Schlachtschiffen um die Insel.

Anders verhält es sich mit Interventionen in Ländern, von denen keine unmittelbare Gefahr ausgeht, wo aber künftige Bedrohungen vermutet werden. Die USA haben im zwanzigsten Jahrhundert unzählige Male gegen europäische oder kommunistische Einmischung in Lateinamerika interveniert, obwohl die damit verbundene Bedrohung der USA zumeist stark überschätzt wurde. Die Irakintervention von 2003 fällt wohl auch in diese Kategorie. Als Reaktion auf den Bericht des US Hauptwaffeninspektors, *Charles A. Duelfer,* im Oktober 2004, wonach keine Massenvernichtungswaffen Irak gefunden wurden, wohl aber die Absicht bestanden habe, solche zu produzieren, sagte der Präsident, dass letztere für den Waffengang ausgereicht hätten. Damit wird Präemption noch einmal weiter nach vorne verlagert: Nicht reale Bedrohung oder auch bestimmte Fähigkeiten sind notwendig, sondern Absichten genügten bereits. Eine Reaktion auf angenommene Absichten ist komplementär mit der Transformationsdynamik und der NPR, die sich an allen denkbaren Absichten von allen denkbaren Feinden orientiert.

Ein Panel,[35] das im November 2004 einen vom Generalsekretär der Vereinten Nationen in Auftrag gegebenen Bericht zur Reform der Vereinten Nationen präsentierte, anerkennt das neue Bedrohungsumfeld, das durch den internationalen Terrorismus entstanden ist. Terrorismus könne eine „antizipatorische Selbstverteidigung" notwendig machen, wenn auch keine unmittelbare Bedrohung erkennbar sei. Dennoch, so der Bericht, müsse in diesem Fall der UN-Sicherheitsrat eine militärische Operation authorisieren. Militärisches Handeln kann nach Ansicht der UN-Kommis-

---

ventivkrieg ist eine bewusste Entscheidung eines Akteurs, militärische Gewalt anzuwenden, wenn er glaubt, militärisch überlegen zu sein und/oder sich strategische Vorteile davon verspricht. In der NSS werden sie aber gleichwertig verwendet.

34 Stellvertretend sei hier erwähnt: Arend, Anthony Clark, International Law and the Preemptive Use of Military Force, in: Washington Quartely, Spring 2003, S. 89-103.

35 Report of the High-level Panel on Threats, Challenges and Change, A more secure world: Our shared responsibilty, (commissioned by UN Secretary General Kofi Annan), United Nations, December 2004, 49/164.

sion auch nur erfolgen, wenn die Gefahr bedrohlich ist, wenn es einen ausreichenden Grund gibt, und, wenn andere Optionen erschöpft sind, als letztes Mittel, das nicht unverhältnismäßig eingesetzt werden darf, und wenn eine Nicht-Intervention katastrophale Konsequenzen hätte.

Ein transformiertes Militär ist zur Präemption besser geeignet als ein traditionelles. So sollen zum Beispiel schnelle kleine Boote Transporte mit Massenvernichtungswaffen abfangen. Dazu haben die USA die *Proliferation Security Initiative* (PSI) ins Leben gerufen. Sie soll verhindern, dass entsprechende Waffen in die Hände von terroristischen Gruppen oder Schurkenstaaten fallen.

Ein transformiertes Militär kann Truppen schnell verlegen und aus der Entfernung zuschlagen können. Entsprechend der NPR soll es auch auf derartige Anlassfälle vorbereitet sein. Es gibt gewissermaßen sogar einen Zwang zur Präemption. Das transformierte Militär ist leicht gepanzert und daher verwundbar (Tabelle 2). Es muss handeln, bevor es angegriffen wird. Schnelle Prävention ohne darauf folgendes *nation-building* kann sich jedoch als Bumerang erweisen, wie das Beispiel Irak zeigt.

Das Prinzip der Abschreckung wurde in der US „National Security Strategy“ (NSS) vom September 2002 durch das des Präventivkrieges ersetzt und 2003 gegen den Irak angewendet. Wegen möglicher Massenvernichtungswaffen – die letztlich nicht vorhanden waren – hätte der Krieg aber nicht geführt werden müssen. Vor allem Vertreter der realistischen Schule argumentieren, dass Abschreckung ausgereicht hätte, um den Irak in Schach zu halten. 2006 gab es eine Neuauflage dieser Debatte in Bezug auf den Iran.[36] Dem Argument, dass Militäreinsatz notwendig wäre, um den Iran von der Fortsetzung seines Nuklearprogramms abzuhalten, steht dasjenige entgegen, dass die Androhung eines Gegenschlages im Falle eines nuklearen Angriffes weiterhin gültig ist. Selbst autoritäre Regime, wie der Iran, seien am eigenen Überleben interessiert. Würden sie Nuklearwaffen einsetzen, würden sie die eigene Vernichtung riskieren. Auch wenn Staaten bewusst Terroristen beherbergen, die einen Anschlag mit einer Nuklearbombe planen, würde sie wohl das gleiche Schicksal ereilen.

---

36 National Security Strategy of the United States of America, March 2006, Sec. 5.

Tabelle 2: Transformation des Militärs – Nuclear Posture Review und Präemption

	Nuclear Posture Review (capabilities based)	*National Security Strategy (preemption)*
Transformation des Militärs	Fähigkeiten für das gesamte Spektrum der Anlassfälle	Erleichterung von Präemption durch rasche Verlegungsfähigkeit und Einsatz aus Distanz
	Defizit: unvorbereitet auf 9/11, den asymmetrischen Krieg im Irak und *nation-building*	*Defizit*: Hohe Verwundbarkeit und daher Zwang zur Präemption

Vietnam-Analogien

Die Architekten der Transfomation des US Militärs stellen den Anspruch, dass die reformierten Streitkräfte das „gesamte Spektrum" der modernen Kriegsführung abdecken. Kleinere, schnellere und mobilere Einheiten mit Präzisionswaffen sollen die langsamen, schwerfälligen und stark gepanzerten Armeen des Kalten Krieges ablösen. Das Konzept entspricht dem neuen Bedrohungsumfeld, das keine großen feindlichen Armeen mehr kennt, sondern Terrorismus, zerfallene Staaten und Massenvernichtungswaffen. Fast jedem Vorteil der transformierten Kriegsführung steht ein Nachteil gegenüber. Leichtigkeit und Schnelligkeit bedingen Verwundbarkeit; rasche Raumüberwindung lässt vieles unerledigt; Kampf aus der Entfernung ersetzt nicht den Kampf aus der Nähe.

Die politische Fehleinschätzung im Irak aber auch die Selbstüberschätzung der Planer und Architekten des transformierten Militärs (sprich des Verteidigungsministers), dass mit erfolgreicher Invasion auch der Krieg zu Ende sei und der Wiederaufbau von den Irakern selbst übernommen würde, ließen auch die Schwächen der Militärtransformation deutlich werden: mangelnde Fähigkeit im kaum von der Stelle kommenden asymmetrischen Abnützungskrieg und keine ausreichende Vorbereitung auf *nation-building*. Das „volle Spektrum" der Kriegsführung wies große Lücken auf. Die von der NPR geforderte Bedrohungsanalyse, die sich an umfassenden Fähigkeiten und nicht an existierenden Bedrohungen orientiert, beansprucht, alle Anlassfälle in Betracht zu ziehen. Sie ließ aber nahe Liegendes außer Acht. Militärische Präemption vernachlässigt Folgeprobleme.

Die USA können diese nicht in ihrer Gesamtheit den Europäern überlassen, genau so wenig, wie die EU die gesamte transformierte Kriegsführung den USA überantworten können. Eine qualifizierte Arbeitsteilung ist erforderlich.

Mit immer höherer Transformationsentwicklung und gleichzeitiger Verstrickung in einen Abnützungskrieg entfernt sich Militär von Politik und damit vom Clausewitz'schen Verständnis vom Krieg als Mittel und nicht als Ziel. Hier gibt es Parallelen des Kriegs im Irak zum Vietnamkrieg. In beiden Kriegen gab es eine schrittweise militärische Eskalation. In Vietnam wurde nach jeder militärischen Eskalation das Ende des Krieges versprochen, wie der damalige Verteidigungsminister *McNamara* in seinen Erinnerungen[37] schreibt. Im April 2003 plante das Pentagon das Ende der Besetzung des Iraks für Dezember 2004. Dieser Monat brachte aber eine weitere Eskalationsstufe mit blutigen Anschlägen. Obwohl 2004 durchschnittlich 1.000 bis 3.000 Aufständische im Irak verhaftet oder getötet wurden, vervierfachte sich ihre Zahl im selben Zeitraum auf über 20.000. Nach dem Vietnamkrieg gab es nach zehn Jahren mehr als 50.000 tote Amerikaner, im Irak ist die Opferzahl trotz Transformation, die Opfer zu vermeiden sucht, nach drei Kriegsjahren auf 3.000 gestiegen; es stehen im Vergleich zu Vietnam mit ca. 150.000 Soldaten bisher allerdings auch nur etwa ein Drittel der Soldaten im Irak. Es gibt zwischen 30.000 und 50.000 verwundete US-Soldaten; die letztere Zahl bedeutete ein Drittel der Verwundeten im gesamten Vietnamkrieg. Die Anzahl der Todesopfer im Vergleich zum Vietnamkrieg wäre noch höher, wären nicht die medizinischen Möglichkeiten zur Lebensrettung ungleich höher geworden. Im Irakkrieg fallen auf einen getöteten Soldaten 16 Verwundete, im Vietnamkrieg waren es nur 2,6. Allein in den ersten zehn Monaten 2006 starben nach einem Bericht der Vereinten Nationen 30.000 irakische Zivilisten und Polizisten. Eine Studie, die in der medizinischen Zeitschrift „Lancet" publiziert wurde, spricht von 650.000 getöteten irakischen Zivilisten im Irakkrieg; diese Zahl wird allerdings von den Regierungen der USA und des Irak sowie von *Iraq Body Count* angezweifelt.

Gerade das ist aber Rumsfelds Konzept der *minimal force*, das durch eine offenbar notwendig gewordene Erhöhung der Anzahl der Truppen untergraben würde. Der Krieg im Irak kostet mit ca. 500 Mrd. Dollar jetzt schon fast halb soviel wie zwei Drittel des Vietnamkrieges. Zunehmende Opferzahlen und die (versteckte) Einführung der Wehrpflicht können zu einer neuen Antikriegsbewegung führen. Politik muss wieder die Führungsrolle übernehmen und das transformierte Militär als ein Mittel einsetzen und nicht umgekehrt das Militär die Politik als Legitimation zur transformierten Kriegsführung.

---

37 Robert S. McNamara, Vietnam: Das Trauma einer Weltmacht, München 1997.

Um den Vietnamkrieg „mit Ehre“ zu beenden, schickte *Nixon* noch Truppen nach Kambodscha und *Ford* leitete die „Vietnamisierung“ nach vorheriger Erhöhung der Anzahl der Soldaten ein; diese „Ehre“ sollte weiteren tausenden Soldaten das Leben kosten. Ebenso erhöht die Administration die Truppenpräsenz im Iraq um 25.000 Soldaten, überlegt aber gleichzeitig Rückzugspläne.

Letztes Kapitel

Ende 2006 gibt es verzweifelte Versuche der USA, aus dem Irakdebakel zu entkommen:

- Die *Iraq Study Group,*[38] geleitet vom früheren Außenminister *James Baker* und *Lee Hamilton,* schlug eine schrittweise Reduktion der Truppen im Irak wie die Kontaktaufnahme mit Iran und Syrien vor. Die irakischen Streitkräfte sollen gleichzeitig mehr Kontrolle und Verantwortung übernehmen. Derartiges wurde allerdings schon seit Beginn 2004 wenig erfolgreich versucht.
- Der Verteidigungsminister Donald Rumsfeld tritt zurück und wird durch *Robert Gates* ersetzt.
- Der Präsident schlug im Gegensatz zur *Iraq Study Group* ein *surge* von 21.500 Soldaten (fünf Brigaden) vor,[39] eine Erhöhung, die die USA mit „Ehre“ aus dem Krieg aussteigen lassen soll. Auch diese zeitweise Erhöhung der Truppenpräsenz hatte es bereits 2004, 2005 und im Sommer 2006 (bereits über 160.000 Mann) gegeben. Diese *surge* würde weitere $ 5 Mrd. kosten, begleitet von einem „Arbeitsbeschaffungsprogramm“ in der Höhe von einer Mrd. Dollar.
- Der Oberkommandierende der US-Streitkräfte im Irak, *George W. Casey,* der für einen kontinuierlichen Rückzug der US Streitkräfte eingetreten war, wird durch General *David H. Petraeus* ersetzt.
- Die Forderung nach dem *surge* wird gleich mit der insgesamten Erhöhung der Army und der Marine-Infantrie begleitet, die derzeit 500.000 bzw. 180.000 Soldaten zählen. Die Army soll um 17.500, die Marine-Infantrie um 4.000 Soldaten aufgestockt werden. Entsprechend eines bereits Mitte März 2005 bekannt gewordenen, aber nicht veröffentlich-

---

38 Baker III, James A. / Hamilton, Lee H. (Co-Chairs), The Iraq Study Group Report, New York, 2006.

39 Diese Erhöhung wurde von Federick Kagen vorgeschlagen. Kagan, Federick Choosing Victory: A Plan for Success in Iraq, Report by the American Enterprise Institute, Washington D.C., 2006.

ten Dokument[40] sollen die Streitkräfte sowohl auf eine traditionelle Auseinandersetzung mit großen Staaten (Nordkorea greift Südkorea, China Taiwan an) als auch auf die Bekämpfung von Aufständischen in weit entfernten Schauplätzen vorbereiten. Es dürfte sich um eine Erhöhung um 40.000 Soldaten handeln. Vorzug wird der Army gegenüber Navy und Air Force gegeben, da bei ihr der größte Mangel an Personal herrscht. Dieses Niveau ist zwar immer noch niedriger als in den achtziger Jahren, aber damals verließ man sich auf eine konventionelle Armee ohne Transformationsanspruch.

- Alternativen wie *go home*, *go big* oder *go long* werden diskutiert. Das Problem ist, dass höchstens *go big and long* ein für die USA annehmbares Ergebnis erbringen könnte, was aber innenpolitisch wegen der zunehmenden Antikriegsstimmung und der demokratischen Mehrheiten im Kongress nicht möglich ist.
- Im Gegensatz zu den ersten Kriegsjahren setzt sich die Ansicht durch, dass *nation-building, peacekeeping* und Wiederaufbauleistungen nötig sind. Allerdings werden sie nicht als eigenständige Bemühungen, sondern in Verbindung mit Aufstandsbekämpfung gesehen. Gemeinsam ist ihnen der asymmetrische Charakter des Konfliktes, wobei die Feinde, wie terroristische Organisationen, kriminelle Gruppen, Milizen, Kriegsfürsten und Guerilla- und Aufstandsbewegungen als „irregulär" bezeichnet werden.

Definitorisch werden hier Operationen miteinander vermischt, die völlig unterschiedliche Strategien und Durchführungsmethoden erfordern. *Peacekeeping* erfolgt, *nation-building* und *peacebuilding* erfolgen in einer Nachkriegsphase, wobei Kampfhandlungen die Ausnahme sind, während sie bei *counterinsugency* und Aufstandsbekämpfung die Regel sind. Der Aufbau von funktionierenden Strukturen (Polizei, Recht, Verwaltung) und die Niederschlagung von gewaltsamen Aufständen mögen einander zeitlich überlappen, sie sind aber zwei völlig verschiedene Missionen. Ein taktischer Grund, counterinsurgency, Stabilitätsoperationen und nation-building gleichzeitig durchzuführen, liegt darin, dass Schutz- und Hilfeleistungen für die Bevölkerung deren Vertrauen gewinnen sollen, weil nur so der Krieg gegen die Aufständischen gewonnen werden könne. Sie werden damit Mittel zum Zweck und nicht Selbstzweck.[41] Quantitativ ist die Anzahl des *surge* sowohl für eine Absicherung eines wirtschaftlichen Wiederaufbaus als auch zur Aufstandsbekämpfung innerhalb eines Jahres zu ge-

---

40 Teile des Dokuments wurden dem Wall Street Journal, March 11, 2005 bekannt.

41 Melillo, Michael R., Outfitting a Big-War Military with Small-War Capabilities, in: Parameters, Autumn, 2006, S. 22-35.

ring.[42] Mitte März wurde bekannt, dass weitere 5.000 Personen als Unterstützung stationiert werden sollen. Möglicherweise wird es weitere Truppenaufstockungen geben, obwohl die Demokratische Partei im Frühjahr 2007 versuchte, die Regierung auf einen Abzugstermin festzulegen. Letztlich wird sich die US-Präsenz im Irak aber darauf beschränken müssen, den Krieg einzudämmen, Truppen an sensiblen Grenzen zu stationieren, sowie zum Schutz der Internationalen (Grünen) Zone und des Bagdad International Airport zu belassen.[43]

Zudem wird Aufstandsbekämpfung dem „Krieg gegen den Terrorismus“ untergeordnet. Bei Aufstand, Krieg und Terrorismus handelt es sich jedoch um verschiedene Phänomene. Aufständische streben nach einer Änderung der Regierung oder Territorialgewinn, was bei Terroristen nicht der Fall ist. Der Aufstand ist definitorisch eine bestimmte Form des innerstaatlichen Krieges (wie z.B. des Guerillakrieges, kleiner Krieg). Viele Soldaten, die an Missionen in Afghanistan und Irak teilnahmen, gaben aber an, dass sie keinem aufgabenspezifischen Training unterzogen worden waren.[44]

Trotzdem setzt sich die Erkenntnis durch, dass Wiederaufbauaktivitäten nötig sind. 2003 wollte das Pentagon noch die volle Kontrolle der Nachkriegsbesetzung behalten, 2007 – nach dem Abgang von Rumsfeld als Verteidigungsminister – besteht es darauf, dass andere Ministerien und zivile Organisationen den zivilen Wiederaufbau unterstützen sollen. Plötzlich sickern bisher geheim gehaltene Studienergebnisse[45] durch, wonach eine zweiprozentige Erhöhung der Beschäftigung eine 30prozentige Verringerung von Anschlägen und eine 17prozentige Abnahme ziviler Todesfälle zur Folge hätten.

---

42 Zur Aufstandsbekämpfung sind 10 bis 20 Personen pro 1.000 Einwohner erforderlich. Das wäre bei einer Bevölkerung von 26 Millionen im Irak 260.000 bis 520.000 Soldaten. Jones Seth G. et al, Establishing Law and Order after Conflict (RAND Corporation: Santa Monica) 2005. – Mit dem *surge* sind etwa 160.000 stationiert. Für Bagdad wären etwa 100.000 notwendig. Stationiert sind nach der Erhöhung etwa 40.000 US-Soldaten. Die irakischen Sicherheitskräfte sind unverlässlich und können in diese Zahlen nicht wirklich aufgenommen werden.

43 Simon, Steven N., After the Surge: The Case for U.S. Military Disengagement from Iraq (Council on Foreign Relations: New York) CSR No. 23, February 2007.

44 Gespräche des Autors mit Veteranen im März 2007.

45 Joint Warfare Analysis Center of the Defense Department, Dahlgren, Va. Zitiert in New York Times, 7. Februar 2007.

Literatur (Auswahl)

Baker III, James A. / Hamilton, Lee H., (Co-Chairs), The Iraq Study Group Report, New York, 2006.

Clark, Arend, Anthony, International Law and the Preemptive Use of Military Force, Washington Quartely, Spring 2003, S. 89-103.

Clarke, Richard A., Against All Enemies: Inside America's War on Terror, New York, 2004.

Dobbins, James, „Next Steps in Iraq and Beyond", Testimony presented before the Committee on ForeignRelations, United States Senate, on September 23, 2003, RAND.

Gärtner, Heinz, After 9/11 and the Wars in Afghanistan and Iraq, in: Gärtner, Heinz / Cuthbertson, Ian (Hrsg.), European Security and Transatlantic Relations after September 11 and the Iraq War, (Palgrave-MacMillan: Houndmills), 2005.

Gärtner, Heinz, NATO, Europe, the US and Qualified Division of Labour, in: World Defence Systems, The International Review of Defence Acquisition Issues, Vol. 7, No. 2, Autumn 2004.

Gärtner, Heinz, Präemption, Nuklearstrategie, Nationbuilding und die Transformation der amerikanischen Streitkräfte, in: Reiter, Erich (Hrsg.), Jahrbuch 2003, (E:S. Mittler & Sohn GmbH: Hamburg/Berlin/Bonn), 2004, S. 421-440.

Gärtner, Heinz / Hyde-Price, Adrian / Reiter, Erich (Hrsg.), Europe's New Security Challenges, (Lynne Rinner: Boulder/London) 2001.

Jones, Seth G. / et al., Establishing Law and Order after Conflict (RAND Corporation: Santa Monica) 2005.

Kagan, Federick, Choosing Victory: A Plan for Success in Iraq, Report by the American Enterprise Institute, Washington D.C., 2006.

Korb, Lawrence J.: Our Overstuffed Armed Forces. in: Foreign Affairs, November/December 1995, S. 22-34.

Korb, Lawrence, A Realistic Defense for America, Report, March, 2006.

Larrabee, F. Stephen / Gordon IV, John / Wilson, Peter A., The Right Stuff: Defense Planning Challenges for a New Century, The National Interest, Fall 2004.

Luttwak, Edward, Governing Against Type, in: New York Times, November 28, 2004.

McNamara, Robert S., Vietnam: Das Trauma einer Weltmacht, München, 1997.

Melillo, Michael R., Outfitting a Big-War Military with Small-War Capabilities, Parameters, Autumn, 2006, S. 22-35.

Murray, Williamson/Scales, Robert H. junior, The Iraq War: A Military History, Cambridge, MA, 2003.

National Security Strategy of the United States of America, March 2006, Sec. 5.

O'Hanlon, Michael, The Need to Increase the Size of the Deployable Army, Parameters, Autumn 2004, S. 4-17.

Quardennial Defense Review Report, September 30, 2001 (Washington DC: Department of Defense, 2001), 29.

Rasmussen, Mikkel Vedby, The Revolution in Military Affairs and the Boomerang Effect, Danish Institute for International Studies, DIIS Report 6/2004.

Report of the High-level Panel on Threats, Challenges and Change, A more secure world: Our shared responsibility, (commissioned by UN Secretary General Kofi Annan), United Nations, December 2004, 49/164.

Schweiss, Christina M., Challenging US Hegemony: The European Union's Comparative Advantage in Nation-Building and Democratization, Paper Presented at the Annual Conference of the International Studies Association, Montreal, Quebec, Canada, March 17-29, 2004.

Simon, Steven N., After the Surge: The Case for U.S. Military Disengagement from Iraq (Council on Foreign Relations: New York) CSR No. 23, February 2007.

The National Security Strategy of the United States of America, Washington, D.C. September 2002.

Woodward, Bob, Plan of Attack, New York 2004.

Die Geopolitik des Erdöls und Erdgases: Kriegerischer oder friedlicher Zugang zu den Reserven am Golf

Karin Kneissl

Energieversorgungssicherheit ist kein neues Thema, es wird nur stets aufs Neue wieder entdeckt. Den Erdölpreisschocks von 1973 und 1979 folgten nach einigen weiteren Krisen – man erinnere sich des Tankerkriegs am Persischen Golf 1980–1988 – dann am Neujahrstag 2006 und 2007 die Erdgaskrisen zwischen Russland und seinem „nahen Ausland". Der Ruf nach Diversifizierung wird bei jeder Krise neu erhoben, doch tatsächlich geschieht sehr wenig. Denn die fossilen Energieträger, allen voran Erdöl, dominieren den globalen Energiemix. Erdöl und Erdgas werden gemäß der Internationalen Energieagentur (IEA) auch weiter an Bedeutung gewinnen.

In ihrer aktuellen Vorschau vom Dezember 2006 sieht die IEA den Anteil des Erdöls weiterhin als wesentliches Segment im Energiemix, wenngleich auch Einbrüche in der Nachfrage aufgrund zu erwartender Rezessionen sehr wohl möglich sind.[1] Da die Produktion in den Staaten außerhalb der OPEC (Organisation Erdölexportierender Länder) insbesondere in den Nachfolgestaaten der ehemaligen Sowjetunion, spätestens ab 2012 stark zurückgehen soll, wird die Nachfrage nach OPEC-Erdöl übermäßig wachsen. Beträgt die weltweite Erdölproduktion heute rund 83 Mio. Fass pro Tag, so wird sie bis 2030 auf rund 120 Mio. Fass pro Tag steigen.[2] Ausschlaggebend hierfür wird vor allem die Nachfrage aus den Schwellenstaaten China, Indien und den Entwicklungsländern sein. Diese zusätzliche Produktion wird von der OPEC übernommen werden müssen. Saudi-Arabien, der Iran und der Irak verfügen über die erforderlichen Reserven innerhalb der OPEC, der gegenwärtig zwölf Förderländer mit verstaatlichten Erdölkonzernen angehören.

Doch allein Saudi-Arabien hat in den letzten Jahren begonnen, neue Förderkapazitäten zu erschließen. Es handelt sich um Investitionen von rund 700 Mrd. US-Dollar. Der Iran ist infolge der US-Sanktionen und des

---

1 International Energy Agency, World Energy Outlook 2006, veröffentlicht am 7. November 2006.

2 Ein Fass entspricht rund 159 Litern. Diese alte englische Maßbezeichnung gilt seit den ersten Tagen der industriellen Erdölproduktion.

Drucks der USA auf europäische und asiatische Banken und Firmen von großen Investitionen teils ausgeschlossen. Einige europäische Konzerne, allen voran die italienische ENI-Gruppe, lassen sich zwar nicht abschrecken, doch wäre das Investitionsvolumen zweifellos höher, wenn der Iran nicht von den USA 2002 auf die „Achse des Bösen" gesetzt worden wäre und in der Folge die Reformkräfte geschwächt wurden, was im Sommer 2005 zur Wahl des radikalen Populisten Mahmud Ahmadinedschad führte. Hinzu kommt die schwierige rechtliche und administrative Situation in dem Land, das nicht nur zweitwichtigster OPEC-Produzent ist, sondern auch über die zweitgrößten Erdgasvorkommen nach Russland verfügt. Der Irak befindet sich in der katastrophalen Situation, in welche das Land die USA und ihre Verbündeten mit einem Krieg geführt haben, der jedenfalls zu verhindern gewesen wäre, wenn jene Regierungen der Diplomatie und den Inspektoren der Atombehörde IAEA mehr Zeit gegeben hätten.[3] Von einer Erdölförderung, wie sie noch bis zum Tag der Invasion am 20. März 2003 bestand, ist das einst wohlhabende Zweistromland indes weit entfernt. Der Streit um die irakische Konkursmasse hat erst begonnen. Ein Blick auf die Kriege des 20. Jahrhunderts zeigt, in welchem Ausmaß Kriege um den physischen Zugang zu wichtigen Erdölfeldern geführt wurde.[4]

Die Karte des Nahen Ostens, wie sie nach dem Ersten Weltkrieg infolge der Neuordnung in den Pariser Vororte-Verträgen von den Siegermächten Großbritannien und Frankreich beschlossen wurde, ist das Ergebnis des Erdölabkommens von San Remo 1920. Die Grenzen des Irak sollten der Trasse jener Pipeline folgen, welche Erdöl aus dem britisch kontrollierten nördlichen Mesopotamien in die ebenfalls unter britischer Mandatsherrschaft stehende Hafenstadt Haifa in Palästina transportierte. Die Staatlichkeit des Irak ist eng mit der Erdölpolitik der Europäer verbunden. Die mögliche Implosion des Irak könnte ebenso entlang von Erdölfeldern erfolgen.

Das 21. Jahrhundert begann mit den Invasionen in Afghanistan im Oktober 2001 und im Irak im März 2003. Bei diesen Feldzügen ging es zum einen um den Zugang zur Pipeline, die turkmenischen Erdgas durch Afghanistan transportieren soll. Im Fall des Irakkrieg sollten alle jene Gegner Recht behalten, auf deren Transparenten während der großen Demonstrationen im Februar 2003 zu lesen war: „no blood for oil". Die Aufteilung der noch nicht in Produktion befindlichen Felder unter den neu geschaffenen Regionalregierungen birgt viel Sprengstoff für den ohnehin de facto ge-

3 Kofi Annan, Generalsekretär der Vereinten Nationen, in einem BBC-Interview am 3.12. 2006. Annan hat die Lage im Irak als „viel schlimmer" als in einem Bürgerkrieg bezeichnet. Das Leben für den normalen Iraker sei heute schlechter als unter dem Regime von Saddam Hussein.

4 Yergin, Daniel, The Prize – The Epic Quest for Oil, Money and Power. London 1991. Der Historiker Yergin beschreibt detailliert u.a. die Feldzüge des Zweiten Weltkriegs und die Nahostkriege, wobei die Kontrolle von Erdölfeldern stets eines der Kriegsziele war.

spaltenen Irak. Die im Oktober 2005 in Kraft getretene Bundesverfassung spiegelt die Rolle der Rohstoffinteressen in der gesamten Irakpolitik der USA und ihrer Verbündeten wider. Auf die Neugestaltung der irakischen Erdölindustrie wird später noch eingegangen.

Erdöl- und Erdgas sind strategische Rohstoffe. Kurz- und mittelfristig bestimmt die Politik den Preis, erst langfristig greift das Gesetz von Angebot und Nachfrage. Diese Diagnose des früheren saudischen Erdölministers Zaki Yamani, der sie vor 30 Jahren auf das Erdöl zuspitzte, gilt auch für die Gegenwart. Die EU ist entzweit, wenn es um die Schaffung gemeinsamer Energiepolitik geht. Dies soll nicht erstaunen, denn Energie ist Teil der domaine reservé, des harten Kerns der Souveränität. Wie die Mitgliedstaaten nicht auf ihre nationalen Kompetenzen zugunsten einer gemeinsamen Außenpolitik verzichten wollen, werden sie kaum ihre nationale Energiepolitik für eine europäische aufgeben. Um Energieversorgungssicherheit zu garantieren, muss sie als Teil von Außen- und Sicherheitspolitik gestaltet werden. Die USA, Japan und Russland hingegen hatten schon zu einem frühen Zeitpunkt die Bedeutung dieser Rohstoffe und der Energiefrage insgesamt erkannt. In diesen Staaten wurden daher Energieministerien geschaffen, die Energiepolitik mit dem entsprechenden militärischen Gewicht betreiben sollten. In den USA lautete bereits in den 1930er Jahren die Devise: „The oil business is too important to leave it to the oil people.“ Russlands Präsident Vladimir Putin setzte genau diese Doktrin ab 2003 um, indem er eine forcierte Renationalisierung der zuvor privatisierten Energiekonzerne mit rechtsstaatlich sehr bedenklichen Methoden durchzog. Putin praktiziert hierbei aber genau jenes Konzept, das für die großen Förderstaaten, so auch die USA, stets galt: Die Politik habe die Energiepolitik zum Schutz der nationalen Interessen zu steuern. Die meisten EU-Staaten hinken jedoch in ihrer Energieagenda schon allein aus Kompetenzkonflikten hinter den großen Akteuren nach. In Europa ist die Materie Energiepolitik vielmehr zwischen sehr unterschiedlichen Instanzen zersplittert.

Am Beispiel der beiden Golfstaaten Irak und Iran sollen einige Aspekte internationaler Politik im Lichte des Zugangs zu den Erdöl- und Erdgasfeldern untersucht werden, denn zentral ist die Frage der Energieversorgung der westlichen und asiatischen Industriestaaten. Die Region wurde Anfang des 20. Jahrhunderts, ebenso wie zu Beginn unseres Jahrhunderts, von der Geopolitik des Erdölhungers geprägt. Für die Völker, insbesondere die Iraker, wurde der Erdölreichtum vom „Geschenk Gottes“ zum „Fluch Gottes“. Vom Recht auf Selbstbestimmung, das US-Präsident Woodrow Wilson noch 1919 feierlich verkündete, sind die Menschen in dieser Region weit entfernt, solange geopolitische Interessen, wie „Zugang zu billigem Erdöl“, über Krieg und Frieden entscheiden.

Grenzziehungen im Namen von Pipelines

Entlang von Pipelines wurden Grenzen gezogen, gestalten sich Einflusszonen internationaler Konzerne, entstehen geradezu exterritoriale Gebiete, bewacht von den Sicherheitskräften der Konsortien. Als Siegermacht des Ersten Weltkriegs setzte London daher auch in der Folge alles daran, direkt an den strategisch entscheidenden Rohstoff Erdöl heranzukommen. Zielgebiet war das nördliche Mesopotamien, der heutige Irak. Über die großen Erdölreserven von Mossul waren die Briten durch ihre Geologen, die oft auch als Archäologen getarnt in der Spionage wirkten, perfekt informiert. Die physische Kontrolle über Erdölgebiete sollte zum entscheidenden Kriterium in der Aufteilung des Osmanischen Reiches werden. Erdöl war zum strategischen Rohstoff aufgestiegen, denn Erdöl zu haben oder nicht zu haben, war erstmals ein kriegsentscheidender Faktor. Der Erste Weltkrieg brachte binnen weniger Jahre einen gewaltigen Innovationsschub in der Kriegs- und damit auch in der Zivilindustrie. Die ersten Luftschlachten und die deutschen U-Boot-Angriffe – so auf US-Handelsschiffe, die zum Kriegseintritt der USA 1917 führten – hatten ihre Auswirkungen auf die Transportmittel des 20. Jahrhunderts. Ohne den Treibstoff Erdöl ging oder lief von nun an nichts mehr.

Frankreich wollte aber ebenso Zugriff auf den essentiellen Rohstoff. Zwischen London und Paris tobte während der Verhandlungen um die Neuordnung des Osmanischen Reiches 1919 in den Pariser Vororten ein wilder Streit. Großbritannien wollte seine Kontrolle der viel versprechenden Erdölfelder von Mossul nicht aufgeben, nicht nur aus wirtschaftlichen Gründen. Frankreich sah sich seinerseits „historisch berufen", die Region zu dominieren. Nach einigen Unstimmigkeiten wurde eine Aufteilung vorgenommen, wonach Frankreich 25 Prozent Anteile an der Turkish Petroleum Company erhielt, die die Konzessionen in Mesopotamien hatte,. Im Gegenzug würde Frankreich die Errichtung zweier Pipelines durch das französisch kontrollierte Mandatsgebiet Syrien gestatten.

Wenn es um die Aufteilung der Provinzen des Osmanischen Reiches und die Schaffung britischer und französischer Mandatsgebiete im Nahen Osten 1920 geht, denken die meisten Betroffenen in der Region an das berüchtigte Sykes-Picot-Abkommen von 1916. Es handelte sich um eine geheime diplomatische Korrespondenz zwischen London und Paris während des Ersten Weltkriegs. Ziel war die Schaffung von Einflusssphären, um die jeweiligen imperialen Interessen zu fördern, meist durch Unterstützung von ausgewählten Volksgruppen. So sah sich Frankreich als Schutzmacht der arabischen Christen, während Großbritannien mittels der Balfour-Deklaration den zionistischen Plan einer „jüdischen Heimstätte in Palästina" förderte. Wäre es jedoch nach dem Sykes-Picot-Abkommen gegangen, sähe der Nahe Osten heute völlig anders aus. Die Franzosen hatten aufgrund ihrer ursprünglich durch ein dichtes Netz von Konsulaten, Schulen und Orden fest verankerten Position viel mehr Einfluss als Großbritannien. Das Interesse Londons konzentrierte sich auf die Wasserwege, denn die außenpolitische Doktrin lautete: free passage through Suez to India. Wichtiger war der Golf, wo zahlreiche britische Handelsniederlassungen bestanden. Aus diesen „Trucial States", wörtlich Waffenstillstandsstaaten, sollten später die kleinen Golfemirate, von Bahrain bis Kuwait werden.

Doch nicht das ominöse Sykes-Picot-Abkommen sollte Realität werden;[5] eine andere Karte wurde gezeichnet. Und zwar, wenn die Anekdote stimmt, auf dem Tischtuch des Hotels Londra in San Remo an der italienischen Riviera. Im April 1920 trafen sich britische und französische Unterhändler in diesem Kurort der europäischen Aristokratie vor 1914. Die USA waren von diesem Kuhhandel in der Tradition europäischer Kolonialpolitik völlig ausgeschlossen. So saß der US-Delegierte im Garten des Hotels und konnte nur die Zeitung lesen, während drinnen Briten und Franzosen um die Zukunft des Erdöls feilschten. Im Zentrum der Gespräche stand die Ziehung einer neuen Pipelinetrasse von Mossul nach Haifa. Großbritannien kontrollierte die Mandatsgebiete des soeben geschaffenen Irak, einem willkürlich zusammengesetzten Staatsgebiet aus ethnisch sehr unterschiedlichen Regionen, und Palästinas mit der wichtigen Hafenstadt Haifa.

Um Erdöl aus dem Nordirak ans Mittelmeer zu transportieren, musste eine Pipeline errichtet werden. Transitrechte quer durch das französische Mandatsgebiet von Syrien und Libanon wurden vereinbart. Zu diesem Zweck wurde das Ölabkommen von San Remo geschlossen. Die Grenzen zwischen dem Irak, Jordanien und Syrien wurden entlang der Pipeline gezogen. Die Nationalstaaten dieser Region wurden 1920 von den europäischen Mächten in bester neokolonialer Manier geschaffen. Bei Entlassung in die Unabhängigkeit wurden diese Grenzen beibehalten.

Wie fragil jedoch diese Territorien sind, zeigt ihre Geschichte der letzten Jahrzehnte. Zahlreiche Konflikte – jenseits des eigentlichen Kerns der Nahostkrise, nämlich des israelisch-palästinensischen Problems – beherrschen die Beziehungen zwischen den Staaten. Grenzstreitigkeiten reißen seither nicht ab. Die Grenzen sind äußerst umstritten, so zwischen Saudi-Arabien und seinen Nachbarn. Es sollte die Ölimporteure von Japan bis Frankreich, die Ölfirmen und die Börsen nicht erstaunen, wenn wir in den kommenden Jahren in dieser Region noch heftige Grenzverschiebungen beobachten werden. Allein die Ankündigung einer Neuordnung der Karten

5 Wäre dies der Fall gewesen, dann wäre vielleicht auch nie die Palästinafrage in aller Brisanz ausgebrochen. Denn weder die Briten noch die Franzosen hatten ein Interesse, dieses Gebiet zu beanspruchen. Vielmehr sollte hier ein alliiertes Kondominium entstehen, wobei für die Heiligen Stätten bereits von einer internationalen Souveränität die Rede war. Interessanterweise wurde eben diese Idee u.a. bei den von US-Präsident Bill Clinton im Juli 2000 vermittelten Gesprächen in Camp David neuerlich diskutiert.

in der Region („reshuffle the Middle East") durch den ehemaligen US-Außenminister Colin Powell im Herbst 2002 zeigt die möglichen Veränderungen auf. Das letzte Mal, dass eine solche Neuordnung von Karten möglich war, ist mit dem Ende des Ersten Weltkrieges zu datieren. Wenngleich es damals noch keinen Palästinakonflikt, keinen global agierenden islamistischen Terror und noch keine Satelliten-TV-Sender gab, so taten sich die Kolonialmächte dennoch schwer, ihre politischen Ziele zu verwirklichen. Die Briten zogen infolge des starken Widerstands 1932 ihre Truppen aus dem Irak ab.

Implodiert der Irak – explodiert der Preis

Bei der von den USA und ihren Verbündeten am 20. März 2003 gestarteten Invasion in den Irak galt von Anbeginn der Planungen besonderes Augenmerk dem Erdöl. Die Kriegsgründe, wie das irakische Arsenal von Massenvernichtungswaffen und die Terrorismusachse zu Osama bin Laden, waren bloß vorgeschoben. Dies war den Entscheidungszirkeln in Washington klar, wie zahlreiche Autoren seither bestätigten.[6] Seit Jahresbeginn 2002 bereiteten sich die USA darauf vor, durch andere Lieferanten von irakischem Öl unabhängiger zu werden. Die britische Fachpublikation „Petroleum Argus" schrieb schon im August 2000: „Basra Light ist das einzige Rohöl aus dem Golf, das den Kräften des Markts folgt und in Richtung USA fließt." Indes wurde der Irak, bis dato auf Platz Sieben der US-Importliste, aus „sicherheitspolitischen Überlegungen" im Mai 2002 von eben dieser Liste gestrichen.

Während sich nämlich wesentliche Erdölreserven ihrem Ende zuneigen, war es nicht nur im Interesse der USA, die Hand auf neue Fördergebiete zu legen. Der Irak mit seinen gesicherten Reserven von 115 Milliarden Fass Rohöl verfügt über die weltweit drittgrößten Reserven. Zudem lauten die Schätzungen der Erdgasreserven auf 110 Billionen Kubikfuß. Der Irak war und ist ein Objekt der Begierden internationaler Energiekonzerne. Achmed Chalabi, mehrfach wegen Betruges verurteilt, war zum Intimus der US-Regierung geworden. Auf ihn als Führer einer zweifelhaften irakischen Oppositionsgruppe, des in London angesiedelten Iraqi National Congress, bauten die Planer des Feldzugs der Bush-Regierung. Zum einen wurden Chalabis Behauptungen, der Irak verfüge über Massenvernichtungswaffen entgegen geheimdienstlicher Kritik übernommen, zum anderen sollte der säkular orientierte Schiite an der Spitze einer von den USA eingesetzten neuen irakischen Regierung stehen. Chalabi versprach US-Ölkonzernen den Löwenanteil an den irakischen Ölkonzessionen. Russische und franzö-

6 So der ehemalige Mitarbeiter des Nationalen Sicherheitsrates Richard Clarke, der Washington Post Journalist Bob Woodward und andere.

sische Firmen waren umso ablehnender gegen einen Irak-Feldzug unter US-Ägide eingestellt, nachdem Bagdad ihnen wesentliche Verträge in Aussicht gestellt hatte.[7] Chalabi wurde in der Folge von seinem Arbeitgeber, der US-Regierung, verstoßen. Neben dem Spionagevorwurf war wohl der Hauptgrund für diesen Rauswurf, dass die von Chalabi vorgebrachten Fakten zu den irakischen Massenvernichtungswaffen frei erfunden waren, wie die Untersuchungen im Auftrag der CIA schließlich feststellen mussten. Die US-Regierung vertraute ohne Prüfung der Sachlage einer ihr genehmen Quelle, um einen ohnehin geplanten Krieg argumentativ zu untermauern.

Die USA sind vom Golföl viel weniger abhängig als Japan oder europäische Importeure. Doch den USA ging es seit dem Ende des britischen Imperiums, das es als regionale Hegemonialmacht im Golf beerbte, stets um eine Doktrin: freie Zufahrt durch den Golf. Waren für die Briten die Wasserwege von Suez bis zum Golf noch im Lichte seiner „free passage to India“ von essentieller Bedeutung, so haben die USA diese Forderung im Sinne des Zugriffs auf die Erdölreserven abgewandelt.

Welche genaue Rolle das Thema Öl in der Planung und Durchführung des Irakkrieges gespielt hat, sei nun nicht in allen Einzelheiten dargestellt. Die Weltöffentlichkeit konnte sich bereits im Mai 2003 ihren Reim darauf machen, als das Museum von Bagdad mangels Wachpersonal geplündert, das Ölministerium als einziger Ort jedoch sicher bewacht wurde. Uns soll in diesem Zusammenhang viel mehr interessieren, warum das völlig verfehlte Kalkül des Pentagons – ein befreiter Irak würde sich aus eigener Kraft dank Öleinnahmen den Wiederaufbau selbst finanzieren – nicht aufgehen konnte. Es sollte jedem Ölgeschäftsmann klar sein – und Washington ist voll von solchen Experten – dass der Irak, seit 13 Jahren von der internationalen Technologie abgeschnitten, erst den Anschluss an den Markt wieder finden musste. Investitionen in den Wiederaufbau würden sich daher unter der Voraussetzung von Sicherheit und funktionierender Wirtschaft erst nach frühestens drei Jahren amortisieren.[8] Unmittelbar nach der Okkupation begann eine Gewaltperiode den Irak zu erschüttern, die abseh-

---

7 The Observer vom 3.11.2002: „The leader of the London-based Iraqi National Congress, Ahmed Chalabi, has met executives of three US oil multinationals to negotiate the carve-up of Iraq's massive oil reserves post-Saddam". ... Although Russia, France and China have existing deals with Iraq, Chalabi has made clear that he would reward the US for removing Saddam with lucrative oil contracts, telling the Washington P*ost* recently: ‚American companies will have a big shot at Iraqi oil.‘ Indeed, the issue of who gets their hands on the world's second largest oil reserves has been a major factor driving splits in the Security Council over a new resolution on Iraq. ... As of last month, Iraq had reportedly signed several multi-billion dollar deals with foreign oil companies, mainly from China, France and Russia.“

8 Interview der Autorin mit dem OPEC-Generalsekretär Alvaro Silva-Calderon am 16.3. 2005: „Unter den jetzigen Umständen würde ich (Anm: Alvaro Silva-Calderon) schätzen, dass der Irak frühestens in drei Jahren auf sein Normalniveau zurückkehrt.“

bar gewesen war. Der Irak driftete in den Bürgerkrieg ab. Genau aus diesem Grunde hatte übrigens die Regierung von George H. Bush 1991 nach der Befreiung Kuwaits von einem Einmarsch in den Irak Abstand genommen.

Der Irak produzierte vor Kriegsausbruch im März 2003 im Rahmen des „Öl für Lebensmittel Programms" des UN-Sicherheitsrats rund zwei Mio. Fass pro Tag. Doch die fast täglichen Sabotageakte gegen Pipelines, vor allem gegen jene wesentliche Route Richtung Nordwesten in die Türkei, machten alle Prognosen zur irakischen Ölförderung zunichte. Als Transportroute bleibt nur der Wasserweg. Hier wiederum wird auf dem Fluss Schatt el Arab emsig geschmuggelt. Die bisherigen Prognosen, vor allem seitens der USA im Sinne von Öleinnahmen für den Wiederaufbau, haben sich als falsch erwiesen. Im Gegenteil, das Interesse an Verträgen internationaler Konzerne hat infolge der Entführungen und Hinrichtungen von Ausländern sowie Irakern, die mit den Besatzungstruppen kooperierten, rapide abgenommen. Der große „oil rush" im Irak hat entgegen den Ankündigungen der Politiker nicht stattgefunden. Ebenso wenig ist es bislang zur Privatisierung der Ölindustrie gekommen, die Washington ursprünglich gefordert hatte,.

Der irakische Ölminister Ibrahim Bahr al Ulum, der im April 2005 nach einer Interimsperiode erneut dieses Amt übernahm, wollte die Korruption in seinem Ministerium bekämpfen und die Produktion ankurbeln. Knapp 1,5 Mio. Fass pro Tag produziert das kriegsgeschüttelte Land. Unter normalen Umständen hätte der Irak das Potential für sechs Mio. Fass pro Tag. Bahr al Ulum setzte alles daran, sein Ministerium auf ‚Vordermann' zu bringen. Ende 2005 wurde er von seinem Posten entfernt, indes streiten sich Provinzen und Zentralregierung um ihre Kompetenzen in Energiefragen. Dieses Chaos haben sie der neuen irakischen Verfassung, die im Herbst 2005 auf US-Druck nach einem Referendum erlassen wurde, zu verdanken. Denn mit der Einführung des Föderalismus in einem rohstoffreichen Land, das keine föderale Tradition hat, wird um die Ressourcenkontrolle erwartungsgemäß gestritten. Ob sich Investoren finden, hängt verständlicherweise vom Ende des Chaos ab. Vorverträge sind gegenwärtig hauptsächlich mit norwegischen Energiekonzernen im Gange.[9]

Schon nabelt sich der kurdische Norden dank Erdöl ab

Seit dem Irakkrieg 2003 rückte neuerlich die Frage eines unabhängigen Kurdistan in den Blickpunkt. Denn im kurdisch dominierten Nordirak befinden sich die wichtigen Ölfelder von Mossul, die der Grenzziehung von

9 Nach DNO wurde Hydro die zweite norwegische Ölfirma, die sich im Irak engagiert. Vorrangig sind Ausbildungsprogramme für irakische Ingenieure.

1920 zugrunde liegen. Ursprünglich hatte London den Kurden einen eigenen Staat in ihren Siedlungsgebieten im Osmanischen Reich zugesagt. Doch löste Großbritannien dieses noch im Vertrag von Sèvres 1920 wiederholte Versprechen nicht ein. Mit der Gründung der modernen Türkei auf Basis der Verträge von Lausanne war die kurdische Frage offiziell wieder vom Tisch. 70 Jahre später sollten sich die Briten, diesmal unter Führung der USA, wieder mit den Kurden befassen.

Auslöser war der kurdische Exodus im Frühjahr 1991 nach der Operation „Desert Storm" zur Befreiung Kuwaits. Die Kurden im Norden des Irak versuchten, die Gunst der Stunde für ihren Aufstand zu nutzen, doch Saddam Husseins Truppen attackierten daraufhin kurdische Dörfer. Die Türkei fühlte sich von den kurdischen Flüchtlingsmassen bedroht und rief den UN-Sicherheitsrat an. Dieser erklärte den Nordirak zur Flugverbotszone. De facto ist der Nordirak seit 1991 nicht mehr unter der Kontrolle von Bagdad. Britische und US-amerikanische Truppen flogen bis zum Einmarsch im März 2003 regelmäßig Einsätze auf Ziele im Irak und stellten zugleich sicher, dass die irakische Armee in bestimmten Teilen des Landes nicht mehr präsent war. Der kurdische Norden erlebte in der Folge einen gewaltigen wirtschaftlichen Aufschwung, der sich unter anderem auf den regen Ölhandel, insbesondere den Ölschmuggel, gründet.

Seit dem Sommer 2004 lösen sich die kurdischen Landesteile immer stärker vom übrigen Irak, der in Anarchie und einem sich abzeichnenden Bürgerkrieg versinkt. Die Desintegration des irakischen Territoriums ist im Gange. Begonnen hat sie mit der Flugverbotszone 1991 und der wirtschaftlichen Autonomie dank Erdölgeschäft. Es ist auch bereits ernsthaft die Rede von Handelsbeziehungen mit Israel; so wurde in der kurdischen Stadt Suleimaniyah ein israelisches Generalkonsulat eröffnet. Noch zu Kriegsbeginn 2003 hatten US-Regierungskreise von einer Wiedereröffnung der Pipeline Mossul-Haifa gesprochen, eben jener Pipeline, die zur Ziehung der Grenzen zwischen dem Irak, Syrien, Jordanien und dem Mandatsgebiet Palästina in San Remo 1920 geführt hatte. Ob es so weit kommt, ist angesichts der völlig verworrenen Lage im Irak vorerst zu bezweifeln.

Informierte Quellen warnen bereits vor weiterem „reshuffling the maps". Laut einem viel beachteten Artikel von Seymour Hersh in „The New Yorker" ist Israel zu dem Schluss gekommen, die US-Regierung sei nicht in der Lage, im Irak Stabilität oder Demokratie zu schaffen und benötige daher andere Optionen.[10] Derzeit bilden offenbar Israelis Kurden aus, um sie gegen schiitische Milizen aufzubauen. Israel hatte schon in der Vergangenheit die Kurden als Gegengewicht zu Saddam Hussein unterstützt. Die israelischen Experten sollen nunmehr bei Einsätzen in der Türkei auch die Grenze zum Iran überschritten und dort geholfen haben, Vorrichtungen

10 www.thenewyorker.com vom 21.6.2004.

zu installieren, um das iranische Atomprogramm auszuspionieren.[11] Quelle dieser Informationen sei laut türkischen Medien der türkische Außenminister Abdullah Gul, den Seymour Hersh interviewt hatte. Das Wohlwollen der Türkei in diesem byzantinischen Spiel unterschiedlicher Interessen, die sich aber wiederum um die Erdölachse drehen, hängt jedenfalls davon ab, dass der Irak nicht auseinanderfällt. Im Juli 2005 drohte Ankara neuerlich mit einem Einmarsch im Nordirak, um die Nachschublinien für die verbotene kurdische PKK zu durchbrechen. Die PKK hat sich dank des Chaos im Irak und der dortigen starken kurdischen Autonomie von ihren Rückschlägen erholt. Mit Anschlägen begann sie bereits, touristische Einrichtungen in der Türkei zu terrorisieren.

Eine Implosion des Irak wird immer wahrscheinlicher. Weder die irakische Übergangsregierung noch die Besatzungstruppen können eine zentrale Kontrolle sichern. Dabei wird die Auflösung des Irak auf mehreren Ebenen einen Dominoeffekt haben. So wird die schwache, aber dennoch vorhandene irakische Erdölproduktion von ca. 1,5 Mio. Fass pro Tag von keinem der anderen OPEC-Staaten rasch kompensiert werden können. Die Zusatzkapazitäten der OPEC, sprich Saudi-Arabiens, liegen unter zwei Mio. Fass. Allerdings handelt es sich beim irakischen Rohöl um relativ leichtes Rohöl, das für die Treibstoff-Raffinierung besonders gut geeignet ist. Saudi-Arabien mit seinem schweren Öl wird diesen Ausfall – auch schon wegen der nicht vorhandenen Raffinierungskapazitäten – kaum wettmachen können. Die Folge wird eine weitere Preisexplosion sein. Die geopolitischen Konsequenzen sind auch nicht auszublenden. Denn das Chaos und der Virus des Staatenzerfalls könnte rasch auf weitere Nachbarn in der Region übergreifen. Mit wenigen Ausnahmen – wie Ägypten, Iran und Jemen – sind die meisten Staaten in ihren Grenzen das Ergebnis kolonialer Diktate. Die Pipelines legten die Grenzsteine fest. Die Angst vor einem Zerfall des Irak ist daher begründet. Letztlich kausal hierfür sind die Interventionen seit 1991.

Kontrolliert der Iran bald den Südirak?

Unbehagen löste die Wahl des neuen iranischen Staatspräsidenten Mahmud Ahmadinedschad im Juni 2005 in vielen westlichen Hauptstädten aus. Der ehemalige Bürgermeister von Teheran entstammt der Garde der jungen Revolutionswächter, verfügt über engen Kontakt zum eigentlichen Machtzentrum, Ayatollah Ali Khamenei, dem spirituellen Führer der Revolution seit 1989. Es sei kurz angemerkt, dass der spirituelle Führer der Islamischen Republik und der revolutionäre Wächterrat, die Pasdaran, die

11 Die Jerusalem Post vom 18.6.2004 berichtet, dass Israel Vorbereitungen für einen Präventivschlag gegen den iranischen Atomreaktor in Buscher durchführt.

Kompetenzen des Staatspräsidenten überlagern. Die beiden letzten iranischen Präsidenten, Khatami und Rafsandschani, wurden vom Westen in Verkennung der eigentlichen iranischen Machtverhältnisse oft als Reformer und daher Handelspartner bezeichnet. Gegen den mächtigen Klerus konnten sie sich nicht durchsetzen. Rafsandschani war landesweit als schwer korrupt bekannt, so hatte er einen Großteil seiner Verwandtschaft in der Ölindustrie untergebracht. Der stets milde lächelnde Khatami war zwar beliebter Gast im Westen, doch seine Anhänger, kritische Studenten und Journalisten, konnte er vor Prozessen und Haft nicht bewahren. Mit der neuen politischen Führungsriege, die vor allem aus ehemaligen Revolutionären mit wenig politischer Erfahrung besteht, wird auch eine Wiederbelebung militanter Expansionslust in Richtung Südirak befürchtet. Vor dem Hintergrund des allmählichen Zerfalls des Irak ist ein solches Szenario gegenwärtig fast wahrscheinlicher als während des Iran-Irak-Krieges von 1980 bis 1988. Damals setzte zwar Revolutionsführer Ayatollah Ruhollah Khomeini, der 1989 verstarb, auf ein Überlaufen der Schiiten im Südirak, doch letztere empfanden sich primär als Iraker und Araber und wurden nicht zur ‚Fünften Kolonne' der Iraner im Irak.

Ob ihre schiitische Identität diesmal ausschlaggebend sein könnte, um sich mit Teheran zu verbünden, hängt von der weiteren Desintegration des Irak ab. Die beiden US-Kriege in Afghanistan und im Irak haben paradoxerweise vor allem dem Iran geholfen, da seine wesentlichen Gegner, das säkulare Baath-Regime des Saddam Hussein und die Taliban, gestürzt wurden. Der Iran ist weniger isoliert, als es die USA glauben wollen. Wenn der Südirak unter iranischen Einfluss kommen sollte, wären auch die wesentlichen Öl- und Gasfelder des Südens unter Teherans Kontrolle. Einer der beiden irakischen „Elefanten", wie große Erdölfelder genannt werden, befindet sich im Norden des Landes, in Kirkuk, der andere im Süden in Rumaila. Kirkuk hat eine Förderkapazität von ca. 600.000 Fass pro Tag, Rumaila gar von bis zu 1,3 Mio. Fass pro Tag. Shell und BP haben zwei Machbarkeitsstudien im Auftrag des irakischen Energieministeriums übernommen. De facto übernehmen die beiden Firmen aus Sicherheitsgründen die technischen Daten von den Irakern. Eine komplizierte und ebenso unsichere Form, Explorationen vorzubereiten – abgesehen von den oben beschriebenen geopolitischen Risken. In welchem Staat werden die beiden Felder liegen? Eventuell nicht mehr innerhalb der Grenzen eines Irak von 1920.

Ein aufschlussreiches Indiz für wachsenden iranischen Einfluss ist das Projekt eines so genannten Barters, das heißt eines Tauschhandels von irakischem Rohöl aus Basra für iranische Ölderivate. Der historische Besuch des irakischen Ministerpräsidenten Ibrahim Jaafari in Teheran Mitte Juli 2005 irritierte die USA. Ergebnis der Gespräche zwischen den beiden ehemaligen Erzfeinden war die Errichtung von drei Pipelines. Irakisches Rohöl soll in den Iran fließen, iranische Ölderivate in die Gegenrichtung. Emsig arbeitet Iran auch an Pipeline-Projekten in Richtung Indien, wobei auch Pakistan erfasst werden soll.[12] Der Iran benötigt jedenfalls dringend ausländische Direktinvestitionen, für die sich der frühere Erdölminister Bijan Zanganeh gegen den Widerstand der mächtigen Revolutionsgarden stark gemacht hatte. Ohne neue Technologie und Investitionen könnten die iranischen Erdölquellen, die gegenwärtig um bis zu 400.000 Fass pro Tag im Rückgang sind, weiter versiegen. Im Falle der erforderlichen Investitionen könnte der Iran hingegen seine Jahresproduktion um eine Mio. Fass pro Tag steigern. Unter der neuen Präsidentschaft des konservativen Mustafa Ahmadinedschad ist kurzfristig nicht mit einer Öffnung des Energiesektors für ausländische Konzerne zu rechnen. Das iranische Atomprogramm beschäftigt zudem seit 2003 die UNO, die USA und die EU. Das iranische Festhalten an einem eigenständigen Forschungsprogramm zur Urananreicherung, der Ausstieg aus seinen Vertragspflichten und die Aufgabe der Zusammenarbeit mit der Atombehörde IAEO könnten im Zuge des Jahres 2007 zu einer offenen militärischen Konfrontation im Persischen Golf führen. Teheran hat an Selbstbewusstsein gewonnen und möchte seine regionale Führungsrolle ausbauen. Die Kontrolle des Südirak ist ein Facette dieser Politik. Auch eine gemäßigtere Teheraner Führung, die vielleicht Ahmadinedschad ablöst, würde wohl im Südirak weiter mitmischen.

Alte und neue Begehrlichkeiten: Ansprüche auf Erdöl- und Erdgasfelder

Politische Grenzen und die Grenzen von Erdöl- und Erdgasfeldern fallen bekanntlich nicht zusammen. Angesichts zunehmender Kämpfe um Ressourcen werden daher in absehbarer Zukunft auch Grenzkonflikte wegen dieser Bodenschätze zahlreicher werden. Wie rasch ein solcher Disput in einen Krieg ausarten kann, zeigte sich im Sommer 1990 mit der Besetzung Kuwaits durch den Irak. Hintergrund war unter anderem der Vorwurf aus Bagdad, dass Kuwait aus einem grenzüberschreitenden Ölfeld mehr abzapfte, als ihm rechtlich zustand. Zudem erhob Saddam Hussein die alte Forderung, dass Kuwait als integraler Bestandteil des irakischen Territoriums anzusehen sei. Das Emirat, das 1970 von seiner Kolonialmacht Großbritannien in die Unabhängigkeit entlassen worden war, bildete bis zur Befreiung im Januar 1991 die 19. Provinz des Irak.

Die Arabische Halbinsel ist reich an Grenzkonflikten, die sich alle um Erdöl- und Erdgasfelder drehen. Von besonderem Interesse ist die neutrale Zone von ca. 6.200 km², die auf Basis eines Abkommens zwischen Kuwait und Saudi-Arabien zu gleichen Teilen aufgeteilt wurde. Diese Zone enthält

12 MEES vom 18.7.2005.

geschätzte fünf Mrd. Fass Öl und interessante Erdgasvorkommen. Die gegenwärtige saudisch-kuwaitische Ölexploration beträgt 600.000 Fass pro Tag. Im Juli 2002 schlossen Kuwait und Saudi-Arabien einen Joint Venture-Vertrag zur Ausbeutung der ihrer offshore-Reserven vor der Küste ab. Diese Form der Zusammenarbeit zwischen zwei Nachbarstaaten soll über die grundsätzliche Problematik dieser Region nicht hinwegtäuschen: Der Status der Grenzen auf der Arabischen Halbinsel ist sehr fragil. Wie schon eingangs dargestellt, können die schwelenden Grenzkonflikte jederzeit ausbrechen. Dies gilt nicht nur für die neutrale Zone, sondern ebenso für die Grenze zwischen Saudi-Arabien und Katar und die Grenzen von Bahrain. Die schiedsgerichtlichen Vereinbarungen konnten zwar einige Konflikte lösen, doch ein Wiederaufflammen ist jederzeit möglich, wie die Kriege des Iraks mit Kuwait und dem Iran zeigten.

1980 brach Saddam Hussein den Krieg mit dem Iran vom Zaune. Auslöser war die umstrittene Grenze im Fluss Schatt el Arab, der Zusammenfluss von Euphrat und Tigris, der auf einer Länge von knapp 200 km die Grenze zwischen dem Irak und Iran bildet. Er mündet bei Basra in den Golf, der vom Iran als Persischer Golf und von den anderen Anrainern als Arabischer Golf bezeichnet wird. Bis 1975 gehörte der gesamte Fluss an der iranischen Grenze zum Irak. Diese Grenzziehung beruhte noch auf den britischen Entscheidungen nach dem Ersten Weltkrieg. Da der Irak damals unter britischer Kontrolle stand, hatte London ein Interesse, den Fluss direkt zu kontrollieren, iranische Schiffe mussten eine Maut entrichten und einen irakischen Lotsen an Bord nehmen. Im Abkommen von Algier 1975 wurde die Grenzlinie nach geltendem Völkerrecht neu in der Mitte des Flusses gezogen. Vorausgegangen war ein heftiger Konflikt um die iranische Unterstützung irakischer Kurden, die der Schah zur Schwächung des Iraks betrieb. Im September 1980 erklärte Saddam Hussein den Grenzvertrag für null und nichtig. Es folgte der blutige Stellungskrieg, wobei das säkulare Baath-Regime von Saddam Hussein sowohl von den arabischen Golfstaaten als auch vom Westen, besonders den USA, militärisch und finanziell unterstützt wurde. Alle fürchteten das neue iranische Regime unter Ayatollah Khomeini, das sich dem Export der islamischen Revolution verschrieben hatte. Die iranische Armee der Revolution übernahm gefüllte Arsenale, denn der 1979 gestürzte Schah war zuvor der beste Rüstungskunde des Westens gewesen. Der Krieg endete 1988 nach einer gewaltigen Materialschlacht mit einer Million toter Menschen, einem vom Westen aufgerüsteten Irak und ungeregelten Grenzen. Bis heute ist der Grenzkonflikt nicht gelöst. Neue iranische Einflussnahme könnte im Irak vor dem Hintergrund einer Desintegration des seit 2003 okkupierten Landes auch diesen latenten Konflikt wieder zum Ausbruch bringen.

Die Rolle der internationalen und nationalen Erdölkonzerne

Die internationalen Konzerne und die Regierungen der wesentlichen Förderstaaten sind in einer Limbosituation. Keiner weiß genau, in welche Richtung sich Politik und Märkte entwickeln werden. Die Devise lautet daher auch, lieber abwarten als allzu schnell richtungsweisende Investitionen zu tätigen. Neben den Veränderungen in den Explorationsgebieten und den klimatischen und politischen Unwägbarkeiten wirft in erster Linie die Entwicklung der Energiepolitik viele Fragen auf. Die Erdölkonzerne, egal ob es sich um die großen internationalen Konzerne, die so genannten „majors", oder um staatliche Konzerne handelt, erweitern immer mehr ihr Arbeitsgebiet. Zum einen wird die Förderung und Verarbeitung von Erdgas mit ihren vielfältigen Methoden, wie vor allem das gefragte, aber kostenintensive LNG-Verfahren, also die Erdgasverflüssigung, zunehmend wichtig für die Deckung der Energienachfrage. Zum anderen gewinnen auch die erneuerbaren Energien im Portfolio fast aller Konzerne verstärkt an Bedeutung. Ölkonzerne transformieren sich in Energiekonzerne, doch nicht alle werden diesen Umbruchprozess gleichermaßen erfolgreich bewältigen.

Die Energiekonzerne verfügen zweifellos über volle Kassen, sie selbst zeigen sich aber sehr zögerlich, wenn es um zukünftige Investitionen geht. Diese Vorsicht kritisiert der Internationale Währungsfonds (IWF) in seinem jüngsten „World Economic Outlook": „Basierend auf den gegenwärtigen Investitionsplänen, werden die Produktionskapazitäten kaum wachsen, um die kommende Nachfrage zu befriedigen und ausreichend Ausfallskapazitäten zu schaffen. ... Die internationalen Ölkonzerne sollten dazu (Anm.: zu einer Entspannung) beitragen, indem sie ihre Investitionsentscheidungen auf einer realistischeren Analyse auch ihrer Amortisierungskosten, basieren."[13] Der IWF geht bei seinem Ausblick auf den Erdölpreis für 2005 und 2006 von einer Bandbreite von 45 bis 55 US $ pro Fass aus.

Alle Investoren, die in irgendeiner Form am upstream-Geschäft teilhaben wollen, benötigen daher einen langen finanziellen Atem, um die Ungewissheiten der Vorvertragszeit infolge interner saudischer Machtspiele oder parlamentarischem „filibustering", wie dies im Iran in den letzten 15 Jahren oft der Fall war, aussitzen zu können. Hatten die westlichen Firmen einst selbst das Steuer des Ölgeschäfts inne, so sind sie heute auf den guten Willen und den Kapitalbedarf der nationalen Konzerne angewiesen. An dieser Situation wird sich auf absehbare Zeit wenig ändern. Die nationalen Konzerne verfügen zweifellos über die größeren und qualitativ interessanteren Reserven. Die Renationalisierung in Russland beschleunigte jüngst diese Entwicklung sowohl im Erdöl- als auch im noch wichtigeren Erdgassektor. Was den verstaatlichten Konzernen jedoch fehlt, sind Kapital und

13 IMF World Economic Outlook 2006.

Technologie, um die teils komplizierte und damit teure Erschließung neuer Felder zu ermöglichen. Den Interessensausgleich zwischen Investoren, deren Aktionären und den politischen Bedingungen in den Förderstaaten zu finden, ist von Fall zu Fall verschieden.

Erschwerend wiegt für die „international majors“ nunmehr auch die Konkurrenz der nationalen asiatischen Konzerne, ob aus China, Indien oder Malaysia, die international auf Einkaufstour sind, unter geringeren Sicherheitsauflagen arbeiten, weniger Löhne und Abgaben leisten und zudem oftmals in den Staaten, in denen sie investieren, eher willkommen sind als die großen westlichen Konzerne.

Auf der Suche nach neuen Investitionsformen

Angesichts der hohen Investitionsrisiken für internationale Konzerne, die nicht Eigentümer der Bodenschätze sind, wurden einige Modelle zwecks besserer Risikoverteilung entwickelt. Die Förderstaaten benötigen Kapital und Technologie, die Konzerne wollen für ihr langfristiges Engagement möglichst viel Sicherheit, um z.B. einer Enteignung vorzubeugen.

Die Buyback Contracts werden vor allem im Iran eingesetzt. Das Konzept funktioniert ähnlich wie beim Risk Service Contract,[14] doch ist die Laufzeit mit fünf bis sieben Jahren nach einer rund dreijährigen Entwicklungsphase meist geringer. In der Folge wird der staatliche Ölkonzern hauptverantwortlich für das Projekt und erhält sämtliche Einnahmen. Die Zahlung an den investierenden ausländischen Konzern erfolgt in Form von Erdöl und nicht in bar. Berechnet wird sie auf Basis der getätigten Investitionen. Der Investor trägt auch hier das Risiko, dass die Produktion wenig ergiebig ist.

Unter Saddam Hussein erfolgten im Irak in den späten 1990er Jahren Development and Production Contracts. In dem Fall entwickelte und verwaltete die Firma für einen fixen Zeitraum von durchschnittlich zwölf Jahren ein Ölfeld. Danach würde es an den staatlichen Ölkonzern zurückfallen, doch die ausländische Firma würde über ein Technical Service Agreement für weitere15 Jahre das Recht behalten, Öl zum Marktpreis oder niedrigeren Preisen zu kaufen.

In diesen Vertragsformen sind die Profite der Ölfirmen beschränkt. Es kommt zu keiner Beschränkung in der souveränen Verfügbarkeit des För-

---

14 Eine ausländische Firma investiert Kapital und wird bei Produktionsbeginn mit Einnahmen aus dem Ölverkauf für ihre Kosten entschädigt. Zudem erhält sie pro produziertem Fass Öl eine fixe Zahlung. Die Firma kann ihren Profit erhöhen, indem sie die Produktion erweitert, trägt aber das Risiko des Scheiterns, insbesondere wenn sie in die Exploration eingeschaltet ist.

derstaates über seine Bodenschätze, wie dies bei den Production Sharing Agreements – je nach Vertrag in unterschiedlichem Umfang – der Fall ist.

Production Sharing Agreements (PSA)

Das Erdöl verbleibt de jure im Eigentum des Förderstaates, die fördernden Firmen werden für ihre Investitionen in die Ölinfrastruktur und die übernommenen Risken kompensiert. Indonesien begann Ende der 1960er Jahre erstmals solche PSA abzuschließen. Die Vertragsstruktur, die gerade die Rechte der Öllander wahren sollte, lässt sich jedoch auch ins Gegenteil verkehren. Vor allem die Tatsache, dass das Öl bei PSA offiziell weiter dem Staat gehört, kann leicht ausgenutzt werden. Denn der Staat wird quasi zu seinem eigenen Vertragspartner, die eigentliche Regie in der Exploration und Produktion geht an die Konzerne. Gerichtsstand im Falle von Streitigkeiten ist meist im Ausland. Vertraglich geregelt werden vor allem Lizenz- und Steuerfragen, wobei je nach Geschicklichkeit und Handlungsfreiraum der Vertragspartner die bestehende Gesetzeslage überlagert werden kann. Dies ist so in den 1990er Jahren mehrmals bei PSA in Russland erfolgt.

Für den Irak plante das US-Außenamt bereits 2002 auf Basis des Planes „Future for Iraq Project" eine Neugestaltung der Erdölindustrie. Für eine Privatisierung machte sich regelmäßig auch der Direktor des einflussreichen Londoner Centre for Global Energy Studies (CGES), Fadhil Chalabi, stark.[15] Das CGES wurde vom früheren saudischen Ölminister Zaki A. Yamani gegründet und wird aus seiner Schatulle finanziert. Die Berichte des CGES sehen die OPEC traditionell sehr kritisch. Ob persönliche Ressentiments hier eine Rolle spielen, sei dahingestellt. Für Issam al-Chalabi, den früheren irakischen Erdölminister, hingegen sollten sämtliche „development contracts" Fall für Fall untersucht und an die neuen Umstände angepasst werden. Eine Privatisierung der staatlichen Erdölfirma INOC (Iraq National Oil Company) wäre ein radikaler Weg, der wohl auf Widerstand stoßen würde.[16] Er sollte Recht behalten. Jene Teile der neuen irakischen Verfassung, die im Oktober 2005 per Referendum angenommen wurde, welche die Energiewirtschaft des Landes betrafen, waren bis zuletzt Zankapfel zwischen den Volksgruppen. Eine definitive Lösung wurde auf die Zeit nach dem Referendum verschoben.

Alle Pläne für die Erdölwirtschaft eines Nachkriegsirak gingen stets von der Annahme aus, dass eine Regierung – ob irakisch oder US-Protektorat, ob föderal oder zentral – die Sicherheit im Lande unter Kontrolle ha-

15 MEES vom 24.3.2003

16 MEES vom 17.2.2003

be. Diese ist nicht gegeben, der Irak ist weit davon entfernt, die angepeilte Produktion von 3,5 Mio. Fass pro Tag, wie seine Quote vor dem Krieg 1991 war, zu erreichen. Dabei hätte der Irak wohl die Kapazitäten, bis 2010 fünf bis sechs Mio. Fass pro Tag zu produzieren.[17] Voraussetzungen hierfür wären Sicherheit, eine funktionierende Verwaltung, eine neues Gesetz über die fossilen Energieträger und Verträge mit internationalen Erdölkonzernen. Nach einer britischen Studie unter der Leitung der Nichtregierungsorganisation „Platform" sollen angelsächsische Konzerne bereits 2006 neue PSA mit der irakischen Regierung abschließen.[18] Dieser Untersuchung zufolge würde ein „rip-off of the Iraqi oil wealth", also eine gezielte Ausbeutung der Bodenschätze, stattfinden. Demnach würde der Irak, dessen Verhandlungsposition alles andere als stark ist, die Entwicklung bekannter aber noch nicht angezapfter Erdölfelder an internationale Konzerne abtreten. Letztere bestehen aus Sicherheitsgründen auf hohen Renditen und einem besonderem Steuerregime. Angesichts der Tatsache, dass im Irak nur 15 von 73 bekannten Erdölfeldern in Produktion sind, die Reserven der anderen Felder aber als viel versprechend gelten, erscheint ein PSA im Fall des Iraks fragwürdig. Die Risken der Investoren sind – vom physischen Risiko des Alltags einmal abgesehen – eher gering, da keine intensive Exploration erforderlich sein sollte. Das Land verfügt über 112 Mrd. bekannte Reserven, die Produktionskosten liegen angesichts der exzellenten geologischen Bedingungen bei rund einem US $ pro Fass.[19] Zudem ist das irakische Erdöl aufgrund des niedrigen Schwefelgehalts leicht zu verarbeiten und eignet sich vor allem für die Herstellung von Treibstoffen.

Die Befürworter dieser PSA betonen, dass die ausländischen Investitionen der Regierung ca. 2,5 Mrd. US $ ersparen würden und so Mittel für andere Zwecke freimachten. Zugleich ist aber zu bedenken, dass dem Staat wichtige Einnahmen aus Steuern und anderen Abgaben entgehen würden. Der irakische Staat verfügte nur mehr über jene Erdölfelder, die bereits in Produktion stehen, sprich einem Bruchteil seiner Bodenschätze.[20] Anders als Libyen, das seit seiner Rückkehr in die Staatengemeinschaft Anfang 2004 nach Aufhebung der US-Sanktionen eine Reihe von PSA abgeschlossen hat, hätte der Irak viel weniger Einfluss auf die Gestaltung seiner Erdölproduktion. Die geplanten PSA werden daher von Kritikern, wie den Autoren der Studie von „Platform", bereits als Knebelverträge bezeichnet. Von einer Sicherung des Wohlstands der gesamten Nation durch die Erd-

---

17 Walid Khadduri in Regime Change in Iraq: The Transatlantic and Regional Dimensions. Hrsg. Christian-Peter Hanelt u.a. 2003 (Bertelsmann Foundation); S. 87.

18 http://www.carbonweb.org/crudedesigns.htm.

19 Khadduri S. 85.

20 http://www.carbonweb.org/crudedesigns.htm.

ölwirtschaft, wie es die Verfassung auch stipuliert, wäre der Irak im Falle dieser PSA weit entfernt.

Das sicherheitspolitische und rechtliche Chaos im Irak wird von der aktuellen Debatte über eine Neugestaltung der Erdölwirtschaft nun noch überschattet. Während die Regierung unter Premier Nuri al-Maliki gegenwärtig wieder bemüht erscheint, die gesamten Einnahmen aus der Energieförderung zu zentralisieren, will die kurdische Regionalregierung auf die bereits weit gediehene Föderalisierung auch auf wirtschaftlicher Ebene nicht mehr verzichten.[21]

Konklusion

Der Bericht der „Iraq-Study-Group", welcher vom ehemaligen US-Außenminister James A. Baker und US-Senator Lee Hamilton zwecks Neuausrichtung der US-Politik im Irak am 6. Dezember 2006 vorgelegt wurde, kritisiert u.a. zu Recht die Föderalisierung der Erdölindustrie, die neben der täglichen Gewalt praktisch zum Stillstand der Energiewirtschaft geführt hat. Ob der Irak in absehbarer Zeit, sprich bis etwa 2012, zu einer soliden Erdölproduktion gelangen kann, ist angesichts der Sicherheitslage und dem Vakuum im Land eher unwahrscheinlich. Das Land ist vielmehr in territorialer Auflösung begriffen. Eine Abspaltung des kurdischen Nordirak ist gerade im Lichte dieses Berichtes noch mehr in greifbare Nähe gerückt. Die Kurden zeigen sich über die Empfehlungen des Berichts, wie die Stärkung der zentralen Strukturen, sehr verärgert. Ein weiteres Mal lassen sich die Kurden vielleicht nicht die Chance entgehen, einen eigenen Staat zu errichten. Nach dem Ersten Weltkrieg hatten sie die britische Zusage für einen solchen kurdischen Staat, der aber dann im Vertrag von Lausanne 1923 wiederum nicht mehr auf der Karte des damals neuen Nahen Ostens eingezeichnet war.

Die Folgen jener möglichen geopolitischen Veränderungen, die im Nahen Osten noch in kriegerischer Weise in den kommenden Jahren bevorstehen, werden den regionalen Rahmen jedenfalls sprengen. Die Erdölkonsumenten in aller Welt, nicht nur jene Europas und der USA, sondern vor allem auch die wichtigen asiatischen Kunden, wie China, Japan und Indien, werden die kommenden Energiekrisen in aller Vehemenz spüren. So könnten die Preise nach einer Phase des Einbruchs, der für 2007 aufgrund eines voraussichtlichen Überangebots zu erwarten ist, wieder nach oben schwingen. Ebenso ist aber auch umfassender Produktionsausfall infolge von Staatenzerfall und damit verbundener Kriege um den Zugriff auf Erdöl- und Erdgasfelder nicht auszuschließen.

21 MEES vom 22.1.2007.

2.2 Blickpunkt EU: Das Engagement der Europäischen Union im Friedensprozess und Medienpolitik im Nahen Osten

Wohin treibt die Nahostpolitik der Europäischen Union?

Peter Strutynski

2006 war bestimmt eines der dramatischsten Jahre in der ohnehin sehr dramatischen Entwicklung im Nahen und Mittleren Osten. Großen Anteil daran hatten einmal die Zuspitzung des israelisch-palästinensischen Konflikts und zum anderen der israelische Krieg gegen Libanon. Die sich gleichzeitig verschärfende Rhetorik im Streit um das iranische Atomprogramm trug das Ihre dazu bei, die Situation weiter aufzuheizen. In alle drei Konfliktgeschehen ist die Europäische Union mit unterschiedlicher Intensität involviert, gehört doch der Nahe Osten zu den Regionen, die wegen ihrer geografischen Nähe, ihrer strategischen Bedeutung für die Energieversorgung, ihrer anhaltenden Gewaltstruktur und – vielleicht auch – wegen der besonderen Beziehungen einzelner EU-Staaten zu Israel (dies gilt vor allem für die Bundesrepublik Deutschland) für Europa von großer Bedeutung ist. Die gegenwärtige Ratspräsidentschaft, die deutsche Bundeskanzlerin Angela Merkel, hat dies bei ihrer Antrittsrede im Europäischen Parlament am 17. Januar 2007 in Straßburg auf ihre Weise betont:

> „Im Nahen Osten muss die Europäische Union den Friedensprozess gemeinsam mit den Vereinigten Staaten von Amerika, der UNO und Russland vorantreiben. Kurz gesagt, das so genannte Nahost-Quartett ist gefordert. Voraussetzung für mögliche Fortschritte aber ist eine geschlossene Haltung der Europäischen Union, um Frieden, Stabilität und nachhaltige Entwicklung im Nahen Osten zu erzielen. Dies gilt genauso für den Umgang mit dem Nuklearprogramm des Iran.“ (Merkel 2007).

Der folgende Beitrag fragt nach der Kohärenz und Reichweite der EU-Außen- und Sicherheitspolitik in Bezug auf eine der konfliktreichsten Regionen der Welt, konzentriert sich hierbei aber auf den israelisch-palästinensischen Kernkonflikt sowie auf den israelisch-libanesischen Konflikt.

Die EU: Vom Zuschauer zum Akteur

Der Nahostkonflikt war vor der Entwicklung einer eigenständigen Außen- und Sicherheitspolitik der Europäischen Union, also bis zum Vertrag von Maastricht 1992, überwiegend eine Angelegenheit der Mitgliedstaaten. Zwar war schon die 1970 ins Leben gerufene Europäische Politische Zusammenarbeit (EPZ), eine informelle Vorläuferin der Gemeinsamen Außen- und Sicherheitspolitik (GASP) der EU, mit dem Nahost-Konflikt befasst gewesen, und der Europäische Rat erklärte 1980 in Venedig, dass für eine umfassende Lösung des israelisch-arabischen Konflikts das Selbstbestimmungsrecht des palästinensischen Volkes anzuerkennen und die PLO an einem Verhandlungsprozess zu beteiligen sei – zwei Jahrzehnte hindurch begnügte sich die EU aber mit der „Rolle eines Zaungastes" in der nahostpolitischen Diplomatie (Johannsen 2004, S. 161). Es waren die Mitgliedstaaten, die sich des israelisch-palästinensischen Konflikts auf unterschiedliche Weise angenommen haben, wobei die Bandbreite von einer bedingungslosen Unterstützung der israelischen Politik (z.B. Deutschland, hier: die alte BRD) bis zu einer zwischen den Konfliktparteien vermittelnden und die palästinensischen Interessen stärker berücksichtigenden Politik (z.B. Österreich in den 70er und 80er Jahren, Frankreich vor allem in den 90er Jahren, siehe Coghe 2001) reichte.

Doch auch in den 90er Jahren änderte sich die europäische Zurückhaltung noch nicht grundlegend. Der Oslo-Prozess war formal Angelegenheit der Konfliktparteien selbst, stand aber unter der exklusiven, wenn auch unsichtbaren Schirmherrschaft der Vereinigten Staaten. Diese Patronage wurde sichtbar in den Camp-David-Verhandlungen, die der damalige US-Präsident Bill Clinton zu seinem persönlich Anliegen gemacht hatte. Oslo und Camp David waren zwar von keinem Erfolg gekrönt, hatten aber einen Grundbestand weithin akzeptierter Prinzipien geschaffen, hinter den fortan kaum zurückgegangen werden kann. „Der Prozess veränderte das psychologische Umfeld, initiierte eine bescheidene Entdämonisierung auf beiden Seiten und schuf die politisch-legalen Normen, im Ergebnis ein akzeptiertes Vokabular, um die israelisch-palästinensischen Beziehungen zu diskutieren." (CAP 2002). Ein wichtiger Ertrag des Oslo-Prozesses war zweifellos die Anerkennung des Prinzips „Land für Frieden", auf dessen Grundlage 1994 immerhin ein Friedensvertrag zwischen Israel und Jordanien ausgehandelt werden konnte. Auch hierbei vermittelte wieder der US-Präsident. Eine weiteres Ergebnis war die nicht offizielle, aber doch implizite

Anerkennung einer Zwei-Staaten-Lösung. Hinzu kommt drittens das Erreichen einer – wenn auch sehr beschränkten – Selbstverwaltung bestimmter palästinensischer Gebiete.

Die Europäische Union hat in den verschiedenen Phasen des Oslo-Prozesses keine politische Rolle gespielt. Sie beschränkte sich auf die finanzielle und ökonomische Unterstützung der Palästinensischen Autonomiebehörde (PA) mit dem Ziel, die Infrastruktur in den besetzten Gebieten zu verbessern und palästinensische politische Institutionen aufzubauen. Die EU und ihre Mitgliedstaaten waren von 1993 bis 2000 der größte Geber finanzieller Hilfe für die palästinensischen Gebiete. Mehr als die Hälfte der internationalen Unterstützung kam aus der EU; allein von 1994 bis 1998 waren das rund 1,5 Mrd. Euro Direkthilfe für die PA. Zusätzlich steuerte die EU 505 Mio. Euro zur Budgethilfe von UNRWA (United Nations Relief and Works Agency for Palestine Refugees in the Near East) bei (Asseburg 2003, S. 8). Diese Politik beruhte auf der falschen Vorstellung, der Oslo-Prozess habe den entscheidenden Durchbruch auf dem Weg zu einer stabilen Friedenslösung im Nahen Osten gebracht und es komme jetzt nur noch darauf an, die bestehende wirtschaftliche und institutionelle Asymmetrie zwischen Israel und der PA zu verringern. In den „Schlussfolgerungen des Rates“ vom März 1999 wird davon ausgegangen, dass es möglich sei, den Oslo-Prozess „innerhalb eines Jahres“ zu einem guten Ende zu bringen. Der Rat erinnerte – ähnlich wie schon 19 Jahre zuvor auf dem Gipfel von Venedig) an das „Recht der Palästinenser auf Selbstbestimmung einschließlich der Option für einen Staat“ und sah der „baldigen Verwirklichung dieses Rechtes erwartungsvoll entgegen“. Weder war in dem Dokument deutlich gemacht geworden, worauf sich dieser Optimismus gründete, noch konnte die EU einen eigenen politischen Beitrag hierzu liefern. Stattdessen wird in der Ratserklärung – und wurde danach in fast allen folgenden Ratserklärungen – das eigentliche Ziel der EU-Nahostpolitik darin gesehen, die Zweistaatlichkeit herzustellen und über diesen Weg wiederum zur Sicherheit Israels beizutragen:

> „Die Europäische Union ist der Überzeugung, dass die Schaffung eines demokratischen, existenzfähigen und friedlichen souveränen palästinensischen Staates auf der Grundlage bestehender Vereinbarungen und auf dem Verhandlungsweg die beste Garantie für die Sicherheit Israels und für seine Anerkennung als gleichwertiger Partner in der Region ist.“ (EU-Rat 1999).

Diese Instrumentalisierung der Aufbaubemühungen in den palästinensischen Gebieten war und blieb fester Bestandteil der Nahost-Rhetorik der Europäischen Union. Alle Maßnahmen humanitärer, sozialer und ökonomischer Art blieben diesem Ziel untergeordnet. Die Hebung der sozialen Lage der palästinensischen Bevölkerung sollte deren Anfälligkeit für radikale Positionen – wie sie nach Camp David in der zweiten Intifada verstärkt zum Ausdruck kamen, verringern. Selbst die Anerkennung eines palästinensischen Staates wurde in der zitierten „Schlussfolgerung" des Rates nicht etwa verbindlich in Aussicht gestellt, sondern nur „zu gegebener Zeit in Erwägung" gezogen. Gemessen an dem Ziel, die maßgeblichen politischen Kräfte des palästinensischen Gesellschaft, insbesondere die militärischen Abteilungen von Fatah und Hamas, zu „zivilisieren" und ihren Einfluss im gesellschaftlichen Leben zurückzudrängen, muss diese Strategie als gescheitert angesehen werden. Dabei war diese Hilfe nicht an sich verkehrt. Die EU war viele Jahre die wichtigste externe Stütze der PA, sie half Regierungsinstitutionen des Noch-nicht-Staates aufzubauen, finanzierte Projekte der Infrastruktur und förderte Einrichtungen des Bildungs- und Gesundheitswesens und vieles mehr. Gerade deshalb hätte dies alles aber auch mit einem konsequenteren politischen Wirken für eine Zweistaatenlösung auf dem Boden der UN-Beschlusslage einhergehen müssen. Denn viele Entwicklungsleistungen sind, wie noch zu zeigen sein wird, durch das von anderen zu verantwortende Scheitern des politischen Prozesses und der fortgesetzten Gewalteskalation wieder zerstört worden. Margret Johannsen resümiert diesen Zusammenhang folgendermaßen:

> „Dennoch muss sich die EU fragen lassen, ob ihre selbstverordnete Bescheidung, wohl auf die Rahmenbedingungen des Friedensprozesses einzuwirken, aber für die politischen Vermittlungsleistungen den USA den Vortritt zu lassen, nicht für diese fatale Entwicklung mitverantwortlich ist." (Johannsen 2004, S. 164)

Diese politische Leisetreterei überrascht angesichts des insgesamt gestiegenen Ansehens der Europäischen Union in der Nahostregion und darüber hinaus. Mit der 1995 in Barcelona initiierten Euro-Mediterranen Partnerschaft (der so genannte Barcelona-Prozess) war der institutionelle Rahmen einer neuartigen Mittelmeer-Politik der EU gelegt worden. Ziel dieser Europa-Mittelmeer-Partnerschaft war es, Friede, Stabilität und Wohlstand im Mittelmeer-Raum durch Maßnahmen in folgenden drei Bereichen zu schaffen:

- die politische und sicherheitspolitische Zusammenarbeit mit dem Ziel der Schaffung eines gemeinsamen Raumes, in dem Frieden und Stabilität herrschen;
- die wirtschaftliche und finanzielle Zusammenarbeit zur Schaffung eines Raumes gemeinsamen Wohlstands;
- die Zusammenarbeit im sozialen, kulturellen und menschlichen Bereich zur Entwicklung der Humanressourcen, zur Verbesserung des gegenseitigen Verständnisses der Kulturen und zur Förderung des Austauschs zwischen den Zivilgesellschaften. (Barcelona 1995).

Die Einbeziehung Israels und der PA sowie aller Anrainerstaaten Israels in die Mittelmeer-Partnerschaft war zweifellos ein wichtiger positiver Aspekt des Barcelona-Prozesses in politischer Hinsicht. In wirtschaftlicher Hinsicht können die verschiedenen Assoziierungsabkommen mit allen am israelisch-palästinensischen Konflikt beteiligten arabischen Staaten (Ausnahme Syrien) angeführt werden. Dennoch blieb auch diese Modernisierungs-Kampagne hinsichtlich der Befriedung des Nahostkonflikts zum Scheitern verurteilt, und zwar wiederum aus dem einen Grund, weil die EU auf den grundlegenden politischen Konflikt selbst nicht einwirken konnte oder wollte. Fatalerweise tritt dieses Manko überhaupt nicht in den Blick der EU-Institutionen. Ihnen stellt sich der stotternde Annäherungsprozess im Rahmen der Mittelmeer-Initiative als ein Resultat des Nahostkonflikts dar. So stellt die EU-Kommission anlässlich des zehnjährigen Bestehens der Mittelmeer-Partnerschaft zu ihrer Entlastung fest: „Die Überprüfung hat ergeben, dass der Fortschritt der Partnerschaft durch andauernde Konflikte beeinträchtigt wird. Dies trifft insbesondere auf den Friedensprozess im Nahen Osten zu.“ (EU-Kommission 2005).

Damit ist von dieser Seite auch in Zukunft keine Änderung des Barcelona-Prozesses zu erwarten. Die EU wird fortfahren mit ihren Versuchen, den „politischen Dialog“ wieder zu beleben, „vertrauensbildend“ zu wirken (etwa mit Vermittlungsdiensten beim Gefangenenaustausch) und „das Terrain für eine Post-Konfliktsituation“ vorzubereiten, wie Isabel Schäfer in einer sonst sehr kritischen Analyse des Barcelona-Prozesses vorschlägt (Schäfer 2005, ähnlich Jünemann 2005). Den Friedensprozess selbst wird man damit indessen nicht entscheidend befördern können.

Europäische Nachbarschaftspolitik als Sicherheitspolitik

Sowohl der Barcelona-Prozess als auch die 2004 ins Leben gerufene, ihn ergänzende und zeitlich zunächst bis 2013 verlängernde „Europäische Nachbarschaftspolitik“ (ENP) wollen einerseits keinen direkten Beitrag zum zentralen israelisch-palästinensischen Konflikt leisten, verstehen sich andererseits aber selbst als sicherheitspolitisches Konzept. Ihr Ziel besteht im Wesentlichen darin, die Entstehung neuer Trennlinien zwischen der erweiterten EU und deren Nachbarn zu verhindern und stattdessen „Wohlstand, Stabilität und Sicherheit“ aller Beteiligten zu stärken. Und unmissverständlich heißt es über die ENP gleich im ersten Absatz des entsprechenden „Strategiepapiers“ der Europäischen Kommission: „Sie wird auch die Anstrengungen zur Umsetzung der Ziele der Europäischen Sicherheitsstrategie unterstützen.“ (EU-Kommission 2004).

Auch wenn es im Rahmen der Mittelmeer-Partnerschaft bisher nicht gelungen ist, das Projekt einer „Charta für Frieden und Sicherheit“ voranzubringen, wurden doch Gesprächskreise über Sicherheitsfragen und Zusammenarbeit bei Naturkatastrophen sowie ein Dialog im Rahmen der Europäischen Sicherheits- und Verteidigungspolitik (ESVP) vereinbart. Zu Ergebnissen kam die Partnerschaft aber lediglich hinsichtlich der Kooperation bei der internationalen Terrorismusbekämpfung, indem beim Gipfeltreffen anlässlich des 10. Jahrestags von Barcelona ein gemeinsamer „Code of Conduct" der EuroMed-Staaten verabschiedet wurde.

Damit ist im Grunde genommen das Hauptinteresse der EU angesprochen: Zumindest was den südlichen Mittelmeerraum und den Nahen Osten betrifft – in Osteuropa liegen die Verhältnisse etwas anders – versteht sich die ENP in erster Linie als sicherheitspolitisches Konzept. Während der Fokus in Bezug auf den südlichen Mittelmeerraum mehr und mehr auf die Abwehr illegaler Einwanderung gerichtet ist, wird der Nahe und Mittlere Osten vor allem unter dem Aspekt der Terrorismusbekämpfung behandelt. In fast allen Stellungnahmen des Europäischen Rats zum israelisch-palästinensischen Konflikt wird der von palästinensischen „Extremisten" oder „Radikalen" ausgeübte Terror, den es zu beenden gälte, an erster Stelle genannt, staatlich ausgeübten bzw. sanktionierten Terrorismus von israelischer Seite gibt es per definitionem nicht. Gleichwohl vorkommende Kritik an israelischen Militär-„Reaktionen" wird regelmäßig mit dem Hinweis auf das Recht Israels verbunden, sich gegen den Terror zu verteidigen. So heißt es beispielsweise in den Schlussfolgerungen des Rats der Außenminister (Präsident: Jack Straw) vom 7. November 2005:

> „The Council condemned unreservedly the recent terrorist attacks on Israel that have resulted in a number of Israeli fatalities and injuries. The Council also condemned the further violence perpetrated by Palestinian militants. While recognising Israel's right to protect its citizens against terrorist attacks, the Council called on Israel to act with restraint and to refrain from all extra-judicial killings, which are contrary to international law." (EU-Council 2005, S. 9).

Das Unrecht, das von Israels Besatzungspolitik ausgeht (z.B. Siedlungserweiterungen, Landenteignungen, Mauerbau) wird nicht thematisiert.

Auch wenn die Mittelmeer- und die Nachbarschaftspolitik der EU von der EU-Nahostpolitik im engeren Sinn getrennt ist, bleibt doch festzuhalten, dass beide Politikbereiche räumlich, sachlich und vor allem ideologisch miteinander verbunden bleiben. Dies kommt nicht zuletzt in der Europäischen Sicherheitsstrategie (ESS) von 2003 zum Ausdruck, worin der Nahostkonflikt einen prioritären Stellenwert erhält:

> „Die Lösung des israelisch-arabischen Konflikts ist für Europa eine strategische Priorität. Andernfalls bestehen geringe Aussichten, die anderen Probleme im Nahen Osten anzugehen. Die Europäische Union muss ihr Engagement aufrechterhalten und weiterhin bereit sein, bis zur Lösung des Problems Kräfte und Mittel zu investieren. Die Zweistaatenlösung, für die Europa seit langem eintritt, findet inzwischen breite Zustimmung. Die Durchsetzung dieser Lösung wird geeinte und kooperative Anstrengungen seitens der Europäischen Union, der Vereinigten Staaten, der Vereinten Nationen, Russlands und der Länder der Region, allen voran jedoch seitens der Israelis und der Palästinenser selbst erfordern." (ESS).

Wenn die EU den israelisch-palästinensischen Konflikt wirklich als Kernkonflikt ansieht, von dessen Lösung viele andere offenen Probleme der Region abhängen, dann muss die Frage erlaubt sein, warum sie sich so schwer tut eine eigene politische Strategie zu entwickeln und diese notfalls auch im Widerspruch zu den israelischen und US-amerikanischen Interessen ins Spiel zu bringen.

Die EU und der israelisch-palästinensische Konflikt seit der zweiten Intifada: Von der Road Map zur Blockade

Seit Beginn der zweiten Intifada im Herbst 2000 und der sich aus ihr heraus entwickelnden neuerlichen Eskalation der Gewalt im Nahen Osten rückte der israelisch-arabische Konflikt noch mehr ins Zentrum der Aufmerksamkeit der „Außenpolitik" der EU. Sowohl der Hohe Repräsentant der GASP, Javier Solana, als auch der damalige deutsche Außenminister Joschka Fischer versuchten mit zahlreichen Initiativen und Gesprächen die EU in eine Vermittlerposition zu bringen. Das hohe Ansehen, das die EU in Teilen der arabischen Welt genoss, nutzten sie beispielsweise dazu, mäßigend auf die Palästinenser einzuwirken und diese gleichzeitig vor allzu heftigen Übergriffen der israelischen Armee in Schutz zu nehmen. Die Lösung der Krise um die wochenlang belagerte Geburtskirche in Bethlehem gehört ebenso hierher wie die EU-vermittelte Vorbereitung eines Abkommens zwischen PA und Hamas zur Beendigung von Selbstmordattentaten auf israelischem Boden (Johannsen 2004, S. 166). Auch mit dem Sieben-Punkte-Papier Fischers und dem Dreistufenplan der dänischen Ratspräsidentschaft 2002 versuchten die europäischen Akteure, die international seit langem anerkannten Grundsätze für die Lösung des Konflikts deklaratorisch festzuklopfen. Die Anerkennung zweier Staaten in den Grenzen vom 4. Juni 2007 mit Jerusalem als Hauptstadt beider Staaten sollte Basis sein für einen auf wenige Jahre projizierten Verhandlungsprozess.

Die EU war Partner in einem ungewöhnlichen diplomatischen Prozess, der neben der EU die USA, Russland und die Vereinten Nationen einbezog. Dieses so genannte „Nahost-Quartett" war aus Sicht der EU gewiss eine besondere Anerkennung der großen Bedeutung, welche die EU für die Implementierung eines Friedensprozesses im Nahen Osten grundsätzlich darstellen könnte. Dass die EU bei den Verhandlungen sogar mit zwei Vertretern – neben Solana war noch der zuständige Kommissar für Außenbeziehungen, Chris Patten dabei – beteiligt war, hat indessen nichts mit dem besonderen Gewicht, sondern allein mit der besonderen Doppelstruktur der Institutionen der EU-Außenpolitik zu tun. Inwieweit das Dokument, das aus diesem Prozess hervorgegangen ist, die „Road Map" (2002) – „Straßenkarte" oder „Fahrplan" für den Frieden, wie sie seither genannt wird –, aber auch die Handschrift der EU erkennen lässt, ist schwer zu entscheiden. Einerseits ist in dem Plan das Ziel der Reise, die Zweistaatenlösung auf der Grundlage der einschlägigen Resolutionen des UN-Sicherheitsrats (242 [1967], 338 [1973] und 1397 [2002] sowie nach dem Grundsatz „Land für Frieden“, ausdrücklich formuliert. Und die drei Phasen, die der Friedensprozess durchlaufen sollte, waren zumindest Anhaltspunkte für das jeweilige Erreichen abrechenbarer Etappenziele mit dem Endpunkt 2005, gleichzeitig verlangten sie von den Konfliktparteien konkrete Schritte zur Deeskalation. Auf der anderen Seite hat die EU aber auch einige Positionen aufgegeben, die sie deklaratorisch immer vor sich her getragen hatte. Vor allem ist zu bemängeln, dass die Road Map die Frage der endgültigen Grenzen eines zu schaffenden palästinensischen Staates offen lässt. In der zweiten Etappe (2003 bis 2004) sollte ein solcher Staat in „vorläufigen“ Grenzen – die nicht definiert sind – entstehen; endgültige Grenzen waren dann Verhandlungssache zwischen der Konfliktparteien. Hinzu kam, dass der Weg zu dieser „vorläufigen“ Staatsgründung mit einer Reihe von Bedingungen gepflastert war, deren Einhaltung oder Nicht-Einhaltung von der Interpretation des Quartetts abhing. Der israelischen Seite sind in dieser Phase keine Verpflichtungen erwachsen. Nicht beantwortet wird auch die Frage, was mit den israelischen Siedlungen zu geschehen habe. In Phase *Eins* der Road Map war lediglich von der Räumung der Siedlungen die Rede, die seit März 2001 errichtet wurden; alle anderen Siedlungen durften nicht ausgebaut und erweitert werden. Auch fehlte es an konkreten Umsetzungsinstrumentarien (Asseburg 2003): Gerade die – an sich vernünftige – Einteilung des Friedensprozesses in aufeinander folgende Phasen hätte auch die Anwendung bestimmter (Druck-)Instrumente in Aussicht stellen müssen, falls der Prozess ins Stocken gerät. Schließlich bestand wohl der Hauptfehler darin, dass die letzte Verantwortung für den Erfolg des Friedensprozesses den beiden Konfliktparteien selbst aufgebürdet wurde. Die Vereinten Nationen, resp. ihr Sicherheitsrat, haben gewissermaßen die völkerrechtlich ihr zustehende Aufgabe, für die Umsetzung der Sicherheitsratsresolutionen zu sorgen, an ein Quartett übertragen, in dem die UNO nur ein Partner unter vieren ist (siehe Ruf 2004, S. 66f).

Die Road Map sah eine umfassende Reform der politischen Institutionen der PA vor, in deren Kern die Einrichtung des Amts eines Ministerpräsidenten, die Reorganisation der Sicherheitsdienste sowie die Abhaltung „freier, gerechter und ergebnisoffener Wahlen“ für eine palästinensische Legislative standen. Der Ministerpräsident – Ende April 2003 trat Mahmud Abbas dieses Amt an, er wurde im Oktober 2003 nach dessen Rücktritt durch Ahmed Kureia ersetzt – war als Gegengewicht gegen den langjährigen Präsidenten Arafat gedacht, der während der ganzen Zeit der zweiten Intifada von Israel nicht anerkannt und die meiste Zeit unter Hausarrest gehalten wurde. Nach Arafats Tod (11. November 2004) wurde das Amt des Präsidenten (Fatah-Chef Mahmud Abbas ging aus der Wahl am

9.1.2005 als Sieger hervor) international wieder aufgewertet und der Ministerpräsident verlor entsprechend an politischem Gewicht. Die EU setzte große Erwartungen in die Parlamentswahlen, die Ende Januar 2006 endlich stattfinden konnten. Kurz vor der Wahl wurden sogar weitere Finanzhilfen angekündigt. EU-Außenkommissarin Benita Ferrero-Waldner unterzeichnete am 16. Januar in Ramallah ein entsprechendes Abkommen mit der PA. Es sieht eine Aufstockung der Finanzhilfe für die Wahlen um 1,4 Millionen auf 18,5 Millionen Euro vor. Am Tag nach der Wahl, die von den internationalen Wahlbeobachtern als korrekt und fair bezeichnet wurde, begrüßte EU-GASP-Repräsentant Solana in einem offiziellen Statement, dass die Wahlen unter „demokratischen und friedlichen" Bedingungen verlaufen seien. Das Nahost-Quartett rief alle Parteien dazu auf, das Wahlergebnis sowie den Ausgang des sich anschließenden Regierungsbildungsprozesses anzuerkennen (Fischer 2006, S. 2). Zum Zeitpunkt dieser Erklärungen waren erst Hochrechnungen bekannt gewesen. Laut Wählernachfragen vom 25. Januar hatte nämlich die Fatah-Bewegung mit rund 40 Prozent gewonnen, Hamas belegte danach den zweiten Platz (30 Prozent).

Umso größer fiel die Enttäuschung in Brüssel und Washington aus, als das amtliche Wahlergebnis am Abend des 26. Januar bekannt gegeben wurde. Demnach wurde nicht die gemäßigtere, aber in den Augen der Mehrheit der Palästinenser abgewirtschaftete und korrupte Fatah, sondern die radikale, aber von den Palästinensern als „sauber" und aufrichtig eingeschätzte Hamas am 25. Januar 2006 zum ebenso überraschenden wie eindeutigen Wahlsieger erklärt. Hamas erhielt danach 76 der 132 Sitze im Palästinensischen Legislativrat (PLC) (später auf 74 Sitze korrigiert). Die bisher regierende Fatah kam nur noch auf 43 Mandate (später auf 45 korrigiert). Prompt sperrten die USA und die EU die finanzielle Unterstützung für die PA und verweigerten den politischen Dialog – ein Schritt, der aus Sicht der EU folgerichtig war, nachdem die Hamas – zusammen mit vier anderen palästinensischen Organisationen – seit dem Beschluss des Europäischen Rats vom 22. Dezember 2003 als „terroristische" Organisation galt (EU-Rat 2003). Die deutsche Bundeskanzlerin Angela Merkel, die kurz nach der Wahl Israel einen Besuch abstattete, antwortete nach einem Treffen mit dem regierenden Premier Ehud Olmert auf die Frage, ob es die Chance zu einem Dialog mit der Hamas gebe, mit einem klaren „Nein". Sie fügte hinzu: „Die Hamas ist bei der EU als Terror-Organisation gelistet" (Chronik, 29.1.2006).

Die folgenden Monate waren für die PA und deren Angestellte sowie für die palästinensische Bevölkerung insgesamt eine große Katastrophe. Israel sperrte rechtswidrig die Zollabgaben und die Mehrwertsteuern, die sie für die PA erheben; die US-Administration und die EU verweigerten alle direkten Zahlungen an die PA. Damit ging der PA der größte Teil seiner Einnahmen verloren. Noch 2005 waren 279 Mio. Euro aus Brüssel für Infrastrukturentwicklung, Handelsliberalisierung, Bildungs- und Gesundheitsprogramme und für die Verwaltungsreform der PA geflossen, davon 70 Mio. direkt an die PA. Aus Washington kamen rund 207 Mio. Euro (davon 15 Mio. direkt an die PA). Die EU rechtfertigt das Aushungern der PA damit, dass die regierende Hamas drei Forderungen des Nahost-Quartetts nicht erfülle: das Existenzrecht Israels anzuerkennen, der Gewalt zu entsagen und alle internationalen Verträge und die sich aus der Road Map ergebenden Verpflichtungen einzuhalten.

Vor allem der Hinweis auf die Road Map ist aufschlusreich. Denn *erstens* haben seit der offiziellen Herausgabe der Road Map im Mai 2003 beide Konfliktparteien derart zahlreich gegen diesen Friedensfahrplan verstoßen, dass er längst als überlebt zu gelten hat. *Zweitens* hatte die Road Map zentrale Forderungen, die zur Deeskalation der Gewalt beitragen sollten, an beide Seiten gestellt: So sollten z.B. die palästinensischen Terrorakte aufhören, parallel dazu sollte die israelische Regierung „alles" unterlassen, „was das Vertrauen untergraben könnte, darunter Ausweisungen, Angriffe auf Zivilisten, Beschlagnahme bzw. Abriss palästinensischer Häuser und palästinensischen Eigentums als Strafmaßnahme oder zur Erleichterung israelischer Bautätigkeit, Zerstörung palästinensischer Institutionen und Infrastruktur ..." (Road Map, Phase I, Ziffer 5). Und *drittens* war gerade ein zentraler Punkt, nämlich die Durchführung freier und „ergebnisoffener"(!) Wahlen, von der PA vorbildlich erfüllt worden – nur wurden leider nicht die ‚richtigen' Abgeordneten gewählt. Die EU verfährt seit der Wahl nach demselben Muster, nach dem zu Lebzeiten Arafats die USA und Israel die Palästinenser behandelt haben: Da der – gewählte – Präsident Arafat als Verhandlungspartner nicht mehr akzeptiert wurde, unterstützte man den Ministerpräsidenten und dessen von der Fatah beherrschtes Kabinett. Nun entzieht man dem gewählten Ministerpräsidenten Ismail Hanija (Hamas) das Vertrauen und unterstützt den amtierenden Präsidenten Abbas.

Diese Inkonsistenz der EU-Politik zeigte sich auch in dem komplizierten Prozess der Bildung einer Einheitsregierung aus Hamas und Fatah. Eine solche Regierung war im Verlauf des Jahres 2006 immer wieder gefordert worden. So heißt es beispielsweise in der Rats-Erklärung vom Dezember 2006:

> „Der Europäische Rat würdigt die Bemühungen, die Präsident Abbas in den vergangenen sechs Monaten unternommen hat, um eine Regierung der nationalen Einheit zu bilden. Die Europäische Union ist bereit, mit einer rechtmäßigen palästinensischen Regierung zusammenzuarbeiten, die sich auf eine Plattform einigt, die den Grundsätzen des Quartetts entspricht. Für den Fall, dass eine solche Regierung gebildet wird, sagt die Europäische Union zu, die Partnerschaft mit der palästinensischen Regierung wieder aufzunehmen und die Partner im Nahost-Quartett aufzufordern, dies ebenfalls zu tun, gemeinsam mit anderen Gebern weiterhin finanzielle Unterstützung zu leisten, und in Zusammenarbeit mit der neuen Regierung einen langfristigen Plan auszuarbeiten, der folgende

> Punkte umfasst: Aufbau von Kapazitäten, Grenzschutz sowie geeinte und effiziente Sicherheitskräfte und eine funktionierende Verwaltung." (EU-Rat 2006).

Doch als dann ein positives Ergebnis vorlag und am 8. Februar 2007 in die Vereinbarung von Mekka zur Bildung einer Einheitsregierung der Machtteilung zwischen Hamas und Fatah mündete, worin ausdrücklich das Versprechen formuliert ist, alle in der Vergangenheit geschlossenen Friedensvereinbarungen mit Israel zu „respektieren", flüchtete die EU (und fast wortgleich das „Quartett") wieder in die Floskel von den nicht erfüllten Forderungen der Road Map. (Chronik vom 9.2.2007). In einer ersten Reaktion auf die Bildung der palästinensischen Einheitsregierung am 18. März 2006 hat die deutsche Ratspräsidentschaft die Bildung der Regierung begrüßt. Eine Zusammenarbeit und die vollständige Wiederaufnahme der eingefrorenen EU-Hilfe setze aber voraus, dass die neue Führung aus Hamas und Fatah „eine Plattform" verabschiede, die die Grundsätze des Nahost-Quartetts widerspiegele (Frankfurter Allgemeine Zeitung, 19.3.2007). Wieder einmal wird also die Road Map, wenn sie auch sonst nicht funktioniert, als allzeit einsetzbare Erpressungsformel gegenüber der PA benutzt. Es hat den Anschein, als würde die EU das Scheitern der Road Map (woran Israel mindestens ebenso stark beteiligt war wie die PA) zum Vorwand nehmen, den ganzen Prozess zu kassieren und die von Israel militärisch geschaffenen Fakten zu akzeptieren.

Ähnlich einseitig verhielt sich die EU auch im Verlauf der israelischen Militärinvasion im Gazastreifen im Sommer 2006. Die heftigen Angriffe der israelischen Luftwaffe nach der Entführung bzw. Gefangennahme eines israelischen Soldaten am 25. Juni 2006 kritisierte die EU lediglich als „unverhältnismäßig", insbesondere nachdem eindeutig zivile Infrastruktureinrichtungen zerstört worden waren. Die asymmetrische Haltung der EU zu den offenkundigen Rechtsverletzungen beider Seiten kommt beispielhaft zum Ausdruck in der Stellungnahme der Präsidentschaft vom 30. Juni. Darin wird zunächst allgemein die Sorge über die sich verschlechternde Situation ausgedrückt, und die Konfliktparteien werden aufgefordert, „sich aller Aktionen zu enthalten, die internationales Recht verletzen". Gefordert wird zudem die „sofortige und bedingungslose Freilassung" des „entführten israelischen Soldaten". Des Weiteren wird die Ermordung eines israelischen Entführungsopfers im Westjordanland „scharf" verurteilt und die palästinensische Führung aufgefordert, der „Gewalt und terroristischen Aktionen ... ein Ende zu setzen". Erst dann folgt die „besondere Besorgnis" über die „Festnahme" (nicht „Entführung") von gewählten Mitgliedern der palästinensischen Regierung und Legislative. Aber nicht deren Freilassung wird verlangt, sondern: „Den Festgenommenen müssen ihre gesetzlichen Rechte uneingeschränkt gewährt werden." (Erklärung des Rats vom 3. Juli 2006).

Dies geschieht durchaus im Widerspruch zu vormaligen und späteren Deklarationen der EU, sei es zum israelischen Mauerbau (seit 2003), sei es zum weiteren Ausbau der Siedlungen oder zur israelischen Politik der gezielten Liquidationen hochrangiger Führer der Hamas oder anderer palästinensischer Militärorganisationen. So haben sich zuletzt alle 25 EU-Mitgliedstaaten am 17. November 2007 hinter eine Resolution der UN-Generalversammlung gestellt, wonach ein sofortiges Ende der Gewalt im Nahen Osten gefordert wird. Die Besatzungsmacht Israel wird darin aufgefordert, „unverzüglich seine Militäreinsätze einzustellen, die die palästinensische Zivilbevölkerung im besetzten Gebiet in Gefahr bringen". Außerdem müsse Israel seine Armee wieder aus dem Gazastreifen abziehen, jede Art von Gewalt, Terrorismus, Provokation, Anstachelung und Zerstörung zwischen Israelis und Palästinensern müsse sofort aufhören. UN-Generalsekretär Annan solle zudem Ermittlungen zum israelischen Luftangriff in Beit Hanun aufnehmen lassen, bei dem eine Woche zuvor, am 8. November, 19 Palästinenser ums Leben gekommen waren. Bemerkenswert an diesem Vorgang war, dass sich die Generalversammlung mit dem Thema überhaupt befassen konnte, nachdem der Sicherheitsrat am 11. November damit schon befasst gewesen war, auf Grund der Vetoposition der USA aber keinen Beschluss fassen konnte. Während Frankreich – gewohnt palästinenserfreundlich (vgl. Coghe 2001) – für die von Katar eingebrachte Resolution stimmte, enthielten sich die drei anderen EU-Staaten Dänemark, Großbritannien und Slowakei der Stimme. Die Generalversammlung berief sich auf einen Präzedenzfall aus dem Jahr 1950, die so genannte „Uniting for peace"-Resolution [377 A (V)]. Danach kann die Generalversammlung tätig werden, wenn der Sicherheitsrat aufgrund der Uneinigkeit seiner Mitglieder seiner Verantwortung für den Frieden und die internationale Sicherheit nicht gerecht wird. Die Presseabteilung der Vereinten Nationen schrieb dazu:

> Last Saturday, the United States vetoed a similar draft resolution before the Security Council. That text would have had the 15-nation body condemn Israeli military operations in Gaza, „which have caused loss of civilian life", as well as condemn Palestinian rocket fire into Israel, while calling for an immediate withdrawal of Israeli forces from the Gaza Strip and a cessation of violence by both parties in the conflict. The text was defeated by a vote of 10 in favour to 1 against, with 4 abstentions (Denmark, Japan, Slovakia, United Kingdom). Under it's 56-year old „uniting for peace" resolution 377 A (V), the Assembly can immediately consider, and „make appropriate recommendations to Members for collective measures," when the Council, „because of lack of unanimity of the permanent members, fails to exercise its primary responsibility for the maintenance in any case where there appears to be a threat to the peace, breach of the peace, or act of aggression."

Peter Strutynski

Die EU und der Libanonkrieg 2006: Recht auf Selbstverteidigung?

Der israelische Krieg gegen Libanon im Sommer 2006 kam für die Europäische Union anscheinend völlig unerwartet. EU-Außenkommissarin Ferrero-Waldner besuchte noch am 7. Juli 2005 Libanon, um mit Premierminister Siniora, dem libanesischen Außenminister Salloukh und anderen Regierungsmitgliedern den ENP-Aktionsplan für Libanon zu besprechen. Nur fünf Tage später, am 12. Juli, begann der Krieg. Auch dieser zweite israelische Sommerkrieg fand als Anlass die Entführung bzw. Gefangennahme von zwei israelischen Soldaten. Die genauen Umstände des Zwischenfalls sind bis heute nicht restlos aufgeklärt. Die islamische Organisation Hisbollah, die seit dem Abzug der Israelis im Jahr 2000 den südlichen Libanon kontrolliert und den Israelis an der Grenze gleichsam militärisch Paroli bietet, hatte nach Aussage von Hassan Nasrallah wohl geglaubt, mit dem Kidnapping der israelischen Soldaten ein Faustpfand in der Hand zu halten, um die Freilassung zahlreicher Hisbollah-Kämpfer aus israelischen Gefängnissen zu erpressen (Neues Deutschland, 29.8.2006). Diese Rechnung ging nicht auf. Israel reagierte nicht – wie in vielen ähnlichen Fällen in der Vergangenheit – mit einer begrenzten Vergeltungsaktion, sondern mit einem breit angelegten Feldzug in den Libanon, der erst nach 34 Tagen in einen von den Vereinten Nationen vermittelten Waffenstillstand mündete. Die im Krieg angerichteten Zerstörungen und Schäden waren beträchtlich (vgl. hierzu den Beitrag von M. Johannsen in diesem Band).

Die Europäische Union sah dem Kriegsgeschehen fast drei Wochen lang zu, ohne Israel zu einem Rückzug aus dem Libanon oder zur Beendigung der Aggressionshandlungen aufzufordern. Die offiziellen Verlautbarungen aus Brüssel bzw. Helsinki (Finnland hatte die Präsidentschaft inne) bewahrten eine Art Äquidistanz zu den Kriegsparteien Israel und Hisbollah, kritisierten die Unverhältnismäßigkeit der eingesetzten Mittel, forderten wiederholt die bedingungslose Freilassung der am 12. Juli entführten israelischen Soldaten und plädierten ironischerweise für eine Stärkung der Zentralgewalt in Beirut. Exemplarisch für diese Haltung sind die Äußerungen von Javier Solana anlässlich eines Besuchs in Beirut am 16. Juli, vier Tage nach Beginn des Kriegs. Solana vermeidet das Wort „Krieg“ und bevorzugt den Begriff „Krise“, verurteilt wiederholt die Entführung der israelischen Soldaten und appelliert lediglich an Israel, alles zu tun, um nicht in eine „Logik des Kriegs“ zu verfallen (Solana 2006a). Der Frage nach einem möglichen Waffenstillstand weicht er ebenso aus wie der Frage, was denn sinnvoller Weise von Israel zu erwarten sei. Drei Tage später besucht er Israel und betont in einer gemeinsamen Pressekonferenz mit der israelischen Außenministerin das Recht Israels auf Selbstverteidigung. Lösungsvorschläge zur Beendigung des „Blutvergießens“ – das Wort „Krieg“

kommt immer noch nicht über seine Lippen – lägen vor in der Erklärung des G8-Gipfels von St. Petersburg (Resolution 2006), welche die EU „vollständig" unterstütze („we support completely the G8 statement"). Die G8-Erklärung selbst enthält die bekannten Forderungen nach der Freilassung der israelischen Soldaten und nach größtmöglicher Zurückhaltung bei militärischem Vorgehen („to exercise utmost restraint, seeking to avoid casualties among innocent civilians"), das ansonsten durch das Recht auf Selbstverteidigung gerechtfertigt sei.

Während der französische Außenminister Philippe Douste-Blazy schon von Beginn des Krieges an deutlichere Worte fand, die israelischen Kampfhandlungen einen „unverhältnismäßigen Kriegsakt" nannte und sich der libanesischen Forderung nach Einberufung des UN-Sicherheitsrats anschloss (Chronik vom 13.7.2007), bedurfte es für die EU erst des Massakers von Kana, um sich zu einer klaren Verurteilung der israelischen Angriffe durchzuringen. In der Presseerklärung der finnischen Ratspräsidentschaft vom 30 Juli 2006 hieß es: „The Presidency of the European Union is shocked and dismayed by the Israeli air strikes on the southern Lebanese town of Qana. There is no justification for attacks causing casualties among innocent civilians, most of whom were women and children." (EU Presidency 2006.) Verbunden damit war die Aufforderung an beide Seiten zu einer „sofortigen Beendigung der Feindseligkeiten" und die Bereitschaftserklärung zur Beteiligung der EU an internationalen Truppen zur Unterstützung eines dauerhaften Waffenstillstands.

Es war das erste Mal, dass in einer offiziellen EU-Erklärung ein Waffenstillstand gefordert wurde. Die EU-Außenminister wiederholten diese Position am 1. August bei ihrem Treffen in Brüssel (EU calls for immediate cessation of hostilities in Lebanon, 01 Aug 2006). Danach verlegte sich die EU auf eine rückhaltlose Unterstützung der UN-SR-Resolution 1701 und akzeptierte damit die US-amerikanische und israelische Lesart für die Beschreibung des Kriegsgrundes (die Entführung des israelischen Soldaten), die Gleichsetzung der Opfer beider Seiten (und damit die Negierung der extrem ungleichen Kriegsfolgen), die Forderung an die Hisbollah *alle* Kampfhandlungen einzustellen, während Israel nur die *„offensiven"* Kampfhandlungen einstellen soll, die Aufforderung an die Hisbollah, die gefangenen israelischen Soldaten unverzüglich und bedingungslos frei zu lassen, während die Frage der inhaftierten Libanesen [„eingedenk der Sensibilität" dieser Frage] zu „regeln" sei (vgl. Strutynski 2006a, b).

Resümee: Die EU im Schlepptau der USA

Die Nahostpolitik der EU zu Beginn des 21. Jahrhunderts zeichnet sich weder durch Konsistenz in der inhaltlichen Aussage noch durch politischen Durchsetzungswillen aus. Vielmehr wird die alte Politik deklaratorischer

Solidarität mit dem palästinensischen Volk und faktischer Unterwerfung unter die Prärogativen der israelisch-US-amerikanischen Strategie fortgesetzt. Seitdem die EU eine gemeinsame Außenpolitik entwickelt, d.h. verstärkt seit Maastricht und Amsterdam Anfang der 90er Jahre, hat sie sich weitgehend darauf beschränkt, den Nahost-Friedensprozess (sofern überhaupt von einem solchen gesprochen werden kann) durch die Gewährleistung finanzieller Mittel zum Aufbau ziviler Strukturen in den Palästinensergebieten zu flankieren. Dahinter stand die Vorstellung, mit der Modernisierung gesellschaftlicher Strukturen und der Herstellung eines gewissen Wohlstandsniveaus die Gewaltpotentiale in der Region entschärfen zu können. Diese Rechnung konnte deswegen nicht aufgehen, weil einerseits die Gewaltpotentiale der bereits modernen israelischen Gesellschaft und Politik unterschätzt oder nicht gesehen wurden und andererseits die strukturellen Konfliktursachen, die im Wesentlichen mit der israelischen Besatzungs- und Besiedlungsgeschichte zusammenhängen, damit nicht beseitig werden konnten. Gleichwohl genossen die EU und besonders einige ihrer Mitgliedstaaten (z.B. Frankreich, zeitweise Österreich) den Ruf in der arabischen Welt, eine Macht zu sein, die auf Ausgleich und Vermittlung statt auf Konfrontation bzw. einseitige Parteinahme für Israel setzten. Mit Beginn des so genannten „Krieges gegen den Terror“, in dessen Verlauf der islamische Fundamentalismus und die arabische Welt insgesamt unter Generalverdacht und ins Visier des Westens gerieten, veränderte sich auch die Politik der EU – und zwar in zwei Richtungen: Einmal war die EU jetzt viel eher bereit, auch in ihrer deklaratorischen Politik von völkerrechtlichen Positionen in Bezug auf das Selbstbestimmungsrecht des palästinensischen Volks oder der territorialen Integrität Libanons abzurücken und Verständnis für die israelische Hegemonialpolitik in der Region zu entwickeln. Und zum andern fand – sichtbar seit dem Irakkrieg 2003 – eine stärkere faktische Unterordnung unter die strategische Politik der Führungsmacht USA statt. Dies kommt vor allem darin zum Ausdruck, dass die EU im Rahmen des Nahost-Quartetts bei der Aushungerung der 2006 gewählten palästinensischen Regierung und bei der Bearbeitung des israelisch-libanesischen Krieges 2006, aber etwa auch im gegenwärtigen Atomkonflikt mit dem Iran die Vorgaben der USA akzeptiert und exekutiert. Gelegentliche atmosphärische Schwankungen in der deklaratorischen und damit folgenlosen Beurteilung der israelischen Politik durch die EU können nicht darüber hinwegtäuschen, dass, was auch immer geschieht, die Sympathieverteilung der EU im Nahen Osten durchgängig dem Muster folgt: „Hamas (ersatzweise Hisbollah) eins in die Fresse, Israel einen Klaps auf den Po“. – Auf dieser Basis kann kein Frieden im Nahen Osten entstehen.

Literatur

Asseburg, Muriel (2003), Die EU und der Friedensprozess im Nahen Osten. Berlin (SWP-Studie).

Asseburg, Muriel (2006), Gefährliche Auswirkungen des internationalen Umgangs mit einem problematischen Wahlsieger. In: INAMO Nr. 45/Frühjahr 2006, S. 16-19.

Barcelona 1995, Erklärung von Barcelona und Partnerschaft Europa-Mittelmeer. Internet: http://europa.eu/scadplus/leg/de/lvb/r15001.htm (letzte Abfrage: 29.1.2007).

CAP-Centrum für angewandte Politikforschung (2002), Jenseits von Oslo. Perspektiven für den israelisch-palästinensischen Friedensprozess. In: Frankfurter Rundschau (Dokumentation), 31.1.2002.

Chronik des Nahostkonflikts, hrsg. von der AG Friedensforschung, unter: http://www.uni-kassel.de/fb5/frieden/regionen/Nahost/Chronik-Aktuell /Welcome.html.

Coghe, Samuël (2001), Die französische Nahostpolitik: Sprengstoff für die GASP? unveröffentlichtes Manuskript, o.J. (2001).

Erklärung der Präsidentschaft im Namen der Europäischen Union ... (verschiedene Ausgaben).

ESS 2003, Ein sicheres Europa in einer besseren Welt. Europäische Sicherheitsstrategie, Brüssel, den 12. Dezember 2003.

EU-Council (2005), Concil of the European Union, Press Release, 2687th Council Meeting, General Affairs and External Relations, Brussels, 7 November 2005 (13622/05).

EU-Kommission 2004, Mitteilung der Kommission, Europäische Nachbarschaftspolitik. Strategiepapier, Brüssel, den 12.5.2004. KOM (2004) 373, endgültig.

EU-Kommission 2005, Mitteilung der Kommission an den Rat und das Europäische Parlament: 10. Jahrestag der Partnerschaft Europa-Mittelmeer, ein Arbeitsprogramm für die Herausforderungen der nächsten fünf Jahre, Brüssel, 12.4.2005, KOM (2005) 139, endgültig.

EU Presidency (2006), Statement on the situation in Lebanon, 30 July 2006; im Internet: http://eu2006.navigo.fi/news_and_documents/cfsp _statements/vko30/en_GB/1154267795219/

EU-Rat (1999), Europäischer Rat, Schlussfolgerungen des Vorsitzes, Berlin, 24 und 24. März 1999, Teil IV.

EU-Rat (2003), Beschluss des Rates vom 22. Dezember 2003 zur Durchführung von Artikel 2 Absatz 3 der Verordnung (EG) Nr. 2580/2001 über spezifische, gegen bestimmte Personen und Organisationen gerichtete restriktive Maßnahmen zur Bekämpfung des Terrorismus und zur Aufhebung des Beschlusses 2003/646/EG (2003/902/EG).

EU-Rat (2006), Europäischer Rat, Schlussfolgerungen des Vorsitzes, Brüssel, 14./15. Dezember 2006 (16879/06), Anlage 1.

Fischer, Susanne (2006), Wählen lassen, bis es passt? Demokratieförderung und Terrorismusbekämpfung in den palästinensischen Gebieten. HSFK-Standpunkte, Nr. 5.

Johannsen, Margret (2004), Von Venedig nach Jerusalem: Europäische Nahost-Politik im Werden. In: Ehrhart, Hans-Georg / Schmitt, Burkard (Hrsg.), Die Sicherheitspolitik der EU im Werden, Baden-Baden 2004, S. 160-175.

Johannsen, Margret (2006), Waffenruhe im Libanon: Ruhe vor dem nächsten Sturm? Hamburger Informationen zur Friedensforschung und Sicherheitspolitik, Ausgabe 39, August.

Jünemann, Annette (2005), Zehn Jahre Barcelona-Prozess – Eine gemischte Bilanz. In: Aus Politik und Zeitgeschichte (ApuZ) 45/2005.

Merkel, Angela (2007), Rede von Bundeskanzlerin Angela Merkel im Europäischen Parlament am 17. Januar 2007 in Straßburg, im Internet: http://www.bundesregierung.de/nn_23272/Content/DE/Rede/2007/01/2007-01-17-bkin-rede-ep.html.

Resolution (2006) by the heads of state and government of G8 member countries in St. Petersburg, July 16. Internet: http://www.uni-kassel.de/fb5/frieden/regionen/Nahost/g8-summit.html.

Road Map (2002), Ein ergebnisorientierter „Fahrplan“ für eine dauerhafte Zwei-Staaten-Regelung zur Beilegung des israelisch-palästinensischen Konflikts des Quartetts (EU, USA, Russische Förderation und die VN), September (veröffentlicht im April 2003). Internet: http://www.uni-kassel.de/fb5/frieden/regionen/Nahost/fahrplan-deutsch.html.

Ruf, Werner (2004), Lösungswege für den israelisch-palästinensischen Konflikt. Straßenkarte zum Frieden oder Genfer Initiative? In: Luedtke R.-M. / Strutynski, P. (Hrsg.), Mitten im Krieg. Perspektiven einer friedlichen Welt, Kassel, S. 54-72.

Schäfer, Isabel (2005), Die Euro-Mediterrane Partnerschaft und der Nahostkonflikt. In: Aus Politik und Zeitgeschichte (ApuZ) 45/2005.

Solana, Javier (2006a), Press Statement of Javier Solana, EU High Representative for the Common Foreign and Security Policy in Beirut, 16 July (S203/06).

Soland, Javier (2006b), Remarks to journalists by Javier SOLANA, EU High Representative for CFSP and Tzipi LIVNI, Israeli Foreign Minister, Jerusalem, 19 July (S214/06).

Strutynski, Peter (2006a), Lizenz zum Krieg. In: Junge Welt, 9. August.

Strutynski, Peter (2006b), Kein Sieger, kein Verlierer. In: Freitag, 33, 18. August.

DER MEDIALE INFORMATIONS- UND PROPAGANDAKRIEG WÄHREND DER ISRAELISCHEN LIBANON-INVASION

RONALD H. TUSCHL

„Die größten Triumphe der Propaganda wurden nicht durch Handeln, sondern durch Unterlassung erreicht. Groß ist die Wahrheit, größer aber, vom praktischen Gesichtspunkt, ist das Verschweigen von Wahrheit.“[1]

Aldous Huxley, Schöne neue Welt, Vorwort, 1946

„Am Anfang war das Wort und nicht das Geschwätz, und am Ende wird nicht die Propaganda sein, sondern wieder das Wort.“[2]

Gottfried Benn

Wie Europa und die USA die Medienpolitik des Nahen Ostens beeinflussen

Im Dezember des Jahres 2004 wurde dem libanesischen bzw. dem der militanten schiitischen Hisbollah nahe stehenden Fernsehsender al-Manar[3] in Frankreich die Sendelizenz schon nach einem Monat wieder entzogen. Die US-Regierung ging sogar noch einen Schritt weiter und stufte diesen als „terroristische Organisation“ ein.[4] Im Gegenzug beschlossen 50 private Anbieter von Kabelfernsehprogrammen, in Solidarität mit al-Manar, den französischen Sender TV5 nicht mehr zu übertragen.

Al-Manar, mit seinem Sitz im Libanon, gilt hinter den Nachrichtensendern al-Dschasira oder al-Arabiya als einer der am meisten gesehenen Sen-

1 Huxley, Aldous, Schöne neue Welt, 63. Aufl., Frankfurt/Main 1981.

2 Benn, Gottfried, Gesammelte Werke, Klett-Cotta 1977, Bd. III, S. 176.

3 Vgl. hierzu: http://www.manartv.com.

4 Vgl. hierzu: Rötzer, Florian, Fernsehsender als Terrororganisation eingestuft, in: http://www.telepolis.de/r4/artikel/19/19051/1.html, Version vom 19.12.2004.

der in der arabischen Welt. Der Sender trat, wie der für den politischen Inhalt bei al-Manar verantwortliche Ibrahim Mousawi, durchaus für den seiner Ansicht nach legitimen bewaffneten „Widerstand“ der Palästinenser ein, da man „nicht nur diplomatischen Druck ausüben“ könne,[5] so Mousawi. Das damals drohende Verbot führte er wie auch viele andere Muslime auf das Betreiben Israels zurück.

Der Entzug der Sendelizenz seitens Frankreichs wurde damit begründet, dass der Sender zur Gewalt und zum Antisemitismus aufgerufen habe, nachdem in einer Sendung von einem Sprecher behauptet wurde, Israel würde bewusst AIDS unter Arabern verbreiten, was ein Verbrechen gegen die Menschlichkeit darstelle. Der Entzug der Sendelizenz sowie die kurz darauf erfolgte erstmalige Einstufung eines Fernsehsenders als „terroristische Organisation“ durch die US-Regierung wurde damals im Libanon und in der arabischen Region als Bestätigung der einseitigen Haltung des Westens ausgelegt, der die israelischen Interessen unterstütze, und als erster Schritt interpretiert, um Journalisten als Terroristen zu brandmarken.

Auch Eutelsat[6] beschloss nach dem Urteil, das Programm von al-Manar nicht mehr zu senden. Nachdem die US-Regierung den Sender als Terrororganisation einstufte, übertrug auch der französische Satellitenbetreiber GlobeCast das Programm nicht mehr in den USA. Libanons Informationsminister Elie Ferzli sah diese Maßnahme als Angriff auf sein Land an und drohte u.a. Gegenmaßnahmen für französische und US-amerikanische Sender an. Aus Solidarität mit al-Manar nahmen einige Kabelanbieter in Beirut den französischen Sender TV5 aus ihrem Sendeprogramm.

Abdullah Shamseddine, der Nachrichten-Chefredakteureditor von al-Manar, betonte, dass die amerikanische Entscheidung im Gegensatz zur französischen auf keinem anfechtbaren Gerichtsurteil basiere und daher als Angriff auf die freien Medien und als Versuch zu verstehen sei, arabische Sichtweisen zu unterdrücken und zu terrorisieren. Diese Entscheidung unterminiere sogar die Beteuerungen der USA, der arabischen Region Freiheit und Demokratie bringen zu wollen.

---

5 Vgl. hierzu Hackensberger, Alfred, „Man kann nicht nur diplomatischen Druck ausüben“, in: http://www.telepolis.de/r4/artikel/19/19009/1.html, Version vom 14.12.2004.

6 Eutelsat ist die Abkürzung für *Eu*ropean *Tele*communications *Sat*ellite Organization. Eutelsat wurde 1982 als übernationale Organisation durch eine Regierungsvereinbarung zwischen 26 europäischen Staaten als Vermarkter der ESA-Kommunikationssatelliten gegründet. Der Vorläufer hieß *Interim Eutelsat.* Mittlerweile beauftragt und betreibt Eutelsat eigene Satelliten. Der Firmensitz von Eutelsat befindet sich in Paris.
Über die insgesamt 24 Eutelsat-Satelliten werden in Europa, Afrika, Asien sowie Nord- und Südamerika rund 120 Millionen Menschen mit TV- und Rundfunkprogrammen versorgt. Des Weiteren werden beispielsweise Telekommunikations- und Multimediadienste angeboten. Vgl. hierzu: http://de.wikipedia.org/wiki/Eutelsat.

Kritik kam aber nicht nur aus der arabischen Region, sondern auch von der NGO *Reporter ohne Grenzen,*[7] denen zufolge die Entscheidung der US-Regierung einen gefährlicher Schritt darstelle, indem der Kampf gegen den Antisemitismus mit dem Kampf gegen den Terrorismus gleichgesetzt würde. Scharf verurteilend verhielt sich auch der Internationale Journalistenverband IFJ, welcher das „übereilte" französische Verbot als Zensur verurteilte, denn wenn jedes Mal, wenn in einem Sender „anstößige und inakzeptable Äußerungen" gemacht würden, dieser geschlossen werde, gäbe es bald keine Fernsehsender mehr.[8]

Der Journalismus mutiert zum Terrorismus

„Das sind keine Journalisten, das sind Terroristen", meinte ein israelischer Journalist über die Mitarbeiter des Senders al-Manar. Diese Qualifizierung sollte offenbar die zahlreichen Raketenangriffe auf das Sendergebäude im Süden Beiruts während der israelischen Libanon-Invasion legitimieren. Der Internationale Journalistenverband IFJ zeigte sich über diese Vorgangsweise entsetzt und verurteilte die israelischen Angriffe auf einen zivilen TV-Sender als „Katastrophe für die Pressefreiheit". Die Menschenrechtsorganisation *Human Rights Watch* sah darin einen klaren Verstoß gegen internationales Recht, wenn Einrichtungen angegriffen werden, die nicht zu militärischen Zwecken gedacht sind.

Nach dem französischen Lizenzentzug und der amerikanischen Einstufung des Senders als terroristische Organisation wurden im März 2006 auch die Vermögenswerte des libanesischen Senders in den USA eingefroren sowie finanzielle Transaktionen zwischen US-Bürgern und al-Manar oder al-Nour-Radio, das ebenfalls als medialer Arm der Hisbollah angesehen wird, kurzerhand verboten. Stuart Levey, ein auf den Terrorismus spezialisierter Staatssekretär des Finanzministeriums, rechtfertigte die Gleichsetzung des Senders mit einer Terrororganisation folgendermaßen:

> Any entity maintained by a terrorist group – whether masquerading as a charity, a business, or a media outlet – is as culpable as the terrorist group itself.[9]

Des Weiteren hätte der Sender al-Manar angeblich Mitglieder der Hisbollah beschäftigt und Geldbeschaffungsaktionen und Mitgliederanwerbungen der militanten schiitischen Gruppierung mit TV-Aufrufen unterstützt. Diese Argumentationsweise deckt sich fast wortwörtlich mit jener des israelischen Militärs, das im Zeitraum vom 14. bis zum 24. Juli 2006 mehrmalige

---

7 Vgl. hierzu: http://www.rsf.org/article.php3?id_article=12123.

8 Vgl. Rötzer, Florian, Start eines west-östlichen Medienkriegs?, in: http://www.telepolis.de/r4/artikel/19/19068/1.html, Version vom 21.12.2004.

9 http://www.treas.gov/press/releases/js4134.htm.

Luftangriffe auf das al-Manar-Gebäude in Beirut flog und diese militärischen Maßnahmen damit begründete, dass die „Bürger Israels gegen terroristische Attacken, die vom Libanon ausgehen", verteidigt werden müssten.

Trotz der umfassenden Zerstörung des Senders als auch der Relais im ganzen Land gelang es al-Manar, den Sende- und Websitebetrieb während der militärischen Invasion zumindest teilweise aufrechtzuerhalten und die Bevölkerung zum Widerstand zu ermutigen.

Der Krieg gegen den Terror fordert den Preis der Medienfreiheit

Für den Internationalen Journalistenverband (IFJ), der immerhin mehr als eine halbe Million Journalisten in etwa 110 Ländern repräsentiert, ist die Bombardierung auf die Einrichtungen von al-Manar ein politischer Akt Israels, um unliebsame Medien zum Schweigen zu bringen. Diese Politik der Meinungsunterminierung hinge nicht nur mit den jüngsten Katyusha-Angriffen der Hisbollah zusammen, sondern ließe sich schon viel früher zurückverfolgen. Die Angriffe auf Medien haben sich in letzter Zeit gehäuft, vor allem seitdem im Kosovo-Krieg 1999 ein serbischer Sender, dem vorgeworfen wurde, Propaganda für das Milośevic-Regime zu betreiben, zum Ziel von NATO-Bomben geworden war.

Im Jahre 2002 zerstörte Israel eine palästinensische Radio- und TV-Organisation in Gaza-City und Ramallah. Im selben Jahr bombardierten die USA die Büros von al-Dschasira in der afghanischen Hauptstadt Kabul. Im Jahr darauf, d.h. während des Zweiten Irakkriegs 2003, wurde das al-Dschasira-Büro in Bagdad von der US-Luftwaffe bombardiert.

Der Kritik der IFJ gegen die israelischen Bomben auf al-Manar folgte allerdings sehr schnell Gegenkritik. Für den israelischen Journalistenverband sei es eine Schande, dass ein „Hisbollah-Propagandawerkzeug" wie al-Manar als freie Presse bezeichnet werde, zumal der Sender seine finanziellen Mittel von denselben Leuten beziehe, die ihre Raketen auf Israel abfeuerten.

Demgegenüber wies *Human Rights Watch* den israelisch-amerikanischen Propaganda-Vorwurf zurück, da zivile Senderanlagen niemals zu legitimen militärischen Zielen werden dürften, auch dann nicht, wenn sie eine „Pro-Hisbollah und Anti-Israelische Propaganda" verbreiten würden. Ein Sender dürfe nur dann zum militärischen Ziel erklärt werden, wenn er effektiv zu militärischen Operationen beitrage. Selbst die Beeinflussung der öffentlichen Meinung sei kein direkter Beitrag zu militärischen Operationen.[10]

---

10 Vgl. hierzu Roller, Nathalie, Wie der Journalismus zum Terrorismus gemacht wird, in: http://www.telepolis.de/r4/artikel/23/23338/1.html, Version vom 15.8.2006.

Der manipulierte Trug digitaler Bilder und die fünfte Macht

Während der israelischen Invasion im Libanon erlaubte sich der libanesische Fotograf Adnan Hajj, ein langjähriger Mitarbeiter von Reuters, eine dramatische Aufpeppung einer Aufnahme von der Bombardierung Beiruts. Der „Fake"[11] wurde von Bloggern[12] des konservativen, pro-israelischen Weblog *Little Green Footballs*[13] als solcher entlarvt. Reuters musste die Manipulation eingestehen und den Fotografen kurzerhand entlassen.

Die Blogger von *Little Green Footballs* machten darauf aufmerksam, dass es sich bei dem Reuters-Foto offensichtlich um eine Manipulation handele. Der Reuters-Fotograf hatte mithilfe des Grafikprogramms *Photoshop* mehr aufsteigenden Rauch bei der fotografierten Bombardierung eines Gebäudes hinzugefügt und mit folgendem Kommentar versehen:

> „Smoke billows from burning buildings destroyed during an overnight Israeli air raid on Beirut's suburbs August 5, 2006. Many buildings were flattened during the attack." (REUTERS/Adnan Hajj).

Der Vorfall weitete sich rasch zum Skandal aus und führte zur Ausforschung nach weiteren Informationen und zur Ausgrabung neuer Verdachtsmomente. Die Blogger aus der konservativen Szene, die offensichtlich damit im Propagandakrieg für Israel punkten wollen, erhielten in dieser Angelegenheit auch Unterstützung von anderen israelischen Medien wie *Jerusalem Post, Haaretz* oder *Ynet*.

Sehr bald stellte sich heraus, dass der libanesische Fotograf, der die Folgen eines Luftangriffs zu dramatisieren versuchte, auch Fotos von den Folgen des Bombardements in Kana anfertigte. Auch hier fanden sich unterschiedliche Darstellungen des Vorfalls, was dazu führte, dass interessierte Kreise durch Interpretation der Fotos und anderer Informationen zu belegen versuchten, dass es sich bei dem Vorfall in Kana nicht um eine Verfehlung des israelischen Militärs, sondern um eine Inszenierung der Hisbollah handelte.

Hajj beteuerte, dass er lediglich die Qualität seiner Fotografie verbessern wollte und ihm dabei Fehler bei der digitalen Nachbearbeitung unterlaufen seien. Eine Manipulation sei nicht in seinem Sinn gewesen. Dennoch zog Reuters das Bild zurück und ersetzte es durch das nicht ganz so bedrohlich wirkende Original.

Letztlich zeigt dieser Skandal, dass Manipulationen das Misstrauen in die Bilder verstärken, die weiterhin über Konflikte entscheiden können,

---

11 „Fake" (Englisch): „Fälschung", „Schwindel".

12 Unter Blogging oder auch Weblog genannt, versteht man eine Webseite, die periodisch neue Einträge enthält, ähnlich einem elektronischen Tagebuch.

13 Vgl. http://littlegreenfootballs.com/weblog/.

wohingegen die Aufklärung deutlich macht, dass durch das Bloggen im digitalen Datennetz tatsächlich eine neue und wichtige, wenn auch oftmals einseitige Korrekturinstanz der Medien herangewachsen ist, sodass nun die vierte Macht durch eine vielfältige fünfte Macht kontrolliert wird. Das scheint vor allem im Krieg wichtig zu sein, wo bekanntlich das erste Opfer die Wahrheit ist.[14]

Der Vorfall von Kana – Massaker oder mediale Inszenierung?

Am 30. Juli des Jahres 2006 kam es zu einem tragischen Ereignis im libanesischen Dorf Kana, das Opfer eines israelischen Luftangriffs wurde. Nach Angaben des libanesischen Roten Kreuzes wurden am Tag des Angriffs 28 Leichen geborgen, darunter 19 von Kindern. Der Vorfall brachte den arabischen Welt mit „Kana 2" ein neues Symbol für die Grausamkeiten Israels ein, nachdem in Kana bereits 1996 durch israelischen Artilleriebeschuss eines UNIFIL-Gebäudes 106 Menschen gestorben waren. Der Angriff löste nicht nur weltweites Entsetzen in der Öffentlichkeit aus, sondern führte auch zu einem Wendepunkt in den Forderungen nach einem Waffenstillstand und zur Entsendung einer internationalen Friedenstruppe. Doch es mehrten sich auch die Stimmen des Zweifels an der verbreiteten Geschichte.

Israels Premierminister Ehud Olmert bedauerte den Vorfall umgehend, verwies aber unmittelbar darauf, dass die Zivilbevölkerung seit Tagen durch Flugblätter aufgefordert worden war, das Dorf zu verlassen. Außerdem habe nichts auf die Präsenz von Frauen und Kindern in dem Gebäude hingedeutet. Informationen des Militärgeheimdienstes zufolge waren von dem Gebäude aus zuvor Katyusha-Raketen auf Nahariya abgefeuert worden.

Das israelische Militär konnte durch Aufnahmen von unbemannten Drohnen nachweisen, dass die Flugzeuge der Luftwaffe das Gebäude von Kana zwischen Mitternacht und 1.00 Uhr bombardierten und dann erneut um 7.30 Uhr – dann aber rund 450 Meter entfernt. Die ersten Berichte über getötete Zivilisten erreichten die Außenwelt gegen 8.00 Uhr, womit unklar bleibt, was zwischen 1.00 Uhr und 8.00 Uhr tatsächlich passiert ist. So wurden Mutmaßungen laut, dass der Einsturz des Gebäudes möglicherweise gar nicht von der israelischen Luftwaffe verursacht worden war, sondern durch einen von der Hisbollah angebrachten oder im Gebäude schon zuvor gelagerten Sprengstoff.

---

14 Rötzer, Florian, Die Wahrheit der digitalen Bilder, in: http://www.telepolis.de/r4 /artikel /23/23280/1.html, Version vom 7.8.2006.

Der israelische Weblog *Israel Insider*[15] nährte die Zweifel an der offiziellen Version durch die Berichte des CNN-Reporters Ben Wedeman, wonach das Dach des Gebäudes völlig intakt gewesen sei und ein neben dem Gebäude befindlicher Krater nicht darauf hindeutete, dass das Gebäude durch einen israelischen Luftangriff zerstört worden wäre. Auffällig war zudem, dass bei der Bergung der Leichen CNN-Reporter weder erwünscht waren noch in die Nähe des Gebäudes gelassen wurden.

Den größten Zweifel an der offiziellen Version verursachten jedoch die Bilder selbst. Die aus dem Haus getragenen Kinder wiesen keine schweren Verletzungen auf, wie solche nach einem Einsturz durch schweren Beton zu erwarten gewesen wären. Deren Gesichter waren aschgrau und ihre Gliedmaßen schienen erstarrt, was den Verdacht aufkommen ließ, dass deren Tod schon vor dem Einsturz eingetreten war und ihre Leichnahme zuvor in das Gebäude getragen worden sind.

Als weiterer Hinweis, dass die Tragödie von Kana einer ausgeklügelten Choreographie aus der „Hisbollywood"-Produktion entspringen könnte, wurde ferner ein Großplakat gewertet, das noch am selben Tag nach dem Kana-Vorfall im Süden von Beirut auftauchte und auf dem eine Fratze von US-Außenministerin Condoleeza Rice mit dem Text: „Das Massaker an Kindern in Kana 2 ist das Geschenk von Rice" zu sehen war. Ein solches Plakat – so Medienexperten – erfordere eine längere Herstellungszeit, als dass es noch am selben Tag bei einer Demonstration in Beirut zur Schau hätte gestellt werden können.

Letztendlich konnten die Umstände des Gebäudeeinsturzes wie auch die widersprüchlichen Bilder nie vollständig aufgeklärt werden, wenngleich auch im Nachhinein „Fehler" seitens der Berichterstattung eingestanden werden mussten, die durch die Blogger-Community zuvor in Form von Ungereimtheiten und Widersprüchlichkeiten aufgezeigt worden waren.[16]

Der Kampf um die Meinungshoheit in der virtuellen Propagandaschlacht

Die Austragung von Kriegen erfolgt nicht nur mit Waffen auf dem Schlachtfeld, sondern findet erfahrungsgemäß auch in den Medien und über Propaganda statt. Zu den herkömmlichen Massenmedien ist mittlerweile das globale Datennetz hinzugekommen, innerhalb dessen die Meinungsbildung und -ausprägung von unten erfolgt, wodurch auch ein Kampf

---

15 Siehe http://web.israelinsider.com/Articles/Diplomacy/8997.htm.

16 Von Wussow, Philipp, Israelische Bomben auf Kana: Massaker oder Hisbollywood? In: http://www.telepolis.de/r4/artikel/23/23249/1.html, Version vom 3.8.2006.

um die Meinungshoheit und Wahrheit entsteht. Während der umstrittenen Invasion Israels im Libanon versuchte das israelische Außenministerium selbige durch eine Web-Kampagne zu unterstützen, indem unerwünschte Meinungstrends durch aktive Partizipation an Diskussionen im Web zugunsten der Politik der israelischen Regierung beeinflusst werden sollten.

So wurden Angestellte des israelischen Außenministeriums damit beauftragt, Webseiten und Internetforen zu beobachten, um jüdischen Aktivisten in den USA und Europa Hinweise zu geben, wo sie Mitteilungen zur Unterstützung der israelischen Politik machen können. Amir Gissin, der Leiter der Öffentlichkeitsabteilung im Außenministerium, wies beispielsweise in einem Brief an pro-israelische Organisationen auf „die Bedeutung des Internet als neues Kampfgebiet für das Image Israels“ hin. Dabei wurde auch auf die Notwendigkeit hingewiesen, die Online-Aktivitäten im internationalen Datennetz zu verbessern und entsprechend zu koordinieren. Zu diesem Zwecke wurde pro-israelischen Internet-Nutzern empfohlen, das von einer israelischen Firma kostenlos entwickelte Programm „Internet Megaphone“ von der Website giyus.org herunterzuladen und zu installieren.

Die israelische Firma GIYUS (Give Israel Your United Support) wurde von der World Union of Jewish Students (WUJS) entwickelt und seit Juli diesen Jahres online verbreitet, um der anti-israelischen Stimmung, die seit dem Krieg im Libanon um sich griff, entgegenzuwirken. „Während Israel um seine Zukunft kämpft“, so die Webseite von GIYUS, „ist eine virtuelle Schlacht über das Image von Israel im Internet ausgebrochen.“ Der Kampf um die öffentliche Meinung im Internet sei der „härteste Kampf“.[17] Das Programm verfügt über die Funktion, auf in Jerusalem ausgewählte Nachrichten in verschiedenen Sprachen, aber auch auf Umfragen auf Webseiten hinzuweisen, um dort die Meinung zugunsten von Israel beeinflussen zu können. Zudem konnten mittels des Programms wichtige Artikel und Umfragen gemeldet werden.

Derartige Kampagnen blieben nicht ohne Erfolg: Bei einer Umfrage auf der arabischen Website Al Bawaba wurde beispielsweise die Internet-Community gefragt: „Do you think that the current violence in Lebanon is an Israeli provocation?“ Man habe es geschafft, wie eine pro-israelische Blogger-Community[18] stolz berichtete, dass die Mehrheit mit Nein abstimmte. Diese einseitige Kampagne war allerdings nur von kurzem Erfolg, da es pro-arabischen Bloggern wiederum gelang, im Laufe der Kampfereignisse,

17 Siehe http://giyus.org.

18 Vgl. http://blog.giyus.org/.

die anfängliche pro-israelische Stimmung zu kippen und die Meinungshoheit im internationalen Datennetz zurückzuerobern.[19]

Der asymmetrische Krieg nimmt symmetrische Formen an

Israels Invasion im Libanon nahm während des Verlaufs der asymmetrischen Kampfhandlung neue Formen an. Zwar kämpfte die israelische Armee militärisch weit überlegen mit modernsten technischen Waffen und mit absoluter Luftraumhoheit gegen eine relativ kleine Gruppe von Hisbollah-Milizen, ungeachtet dessen konnte die Hisbollah trotz massiver Bombardierungen und israelischer Bodentruppen militärisch nicht besiegt werden. Auch vermochte der Hisbollah-Fernsehsender al-Manar trotz der Bombardierungen seiner Beiruter Zentrale, weiter zu senden.[20]

An vorderster Stelle der modernen Kriegsführung steht meist die Ausschaltung der feindlichen Medien und Kommunikation, sofern ein Ungleichgewicht der militärischen Stärke vorhanden ist und ein Angriffskrieg geführt werden soll. Im Kosovo-Krieg des Jahres 1999 wurden beispielsweise serbische Fernsehsender und Radiostationen bombardiert, um im Medien- und Propagandakrieg eine schnelle Entscheidung herbeizuführen. Im Afghanistankrieg hatten die Taliban gar selbst alle Medien ihres Landes abgeschafft, sodass die US-amerikanische Informationshoheit gewahrt blieb und somit der Informationsfluss der Bilder aus dem Land einige Zeit kontrolliert werden konnte.[21] Selbst Restbestände wie die Redaktionsräume von al-Dschasira in Kabul bzw. im Zweiten Irakkrieg in Bagdad konnten rasch durch gezielte Präzisionsraketen-Angriffe zerstört werden.[22]

Zwar versuchte das israelische Militär während der Libanon-Invasion, den Fernsehsender al-Manar durch Zerstörung des Sendegebäudes auszuschalten, der Hisbollah gelang es allerdings von einem unbekannten Ort, der sich von der israelischen Armee nicht ausmachen ließ, weiter ihre Kriegsberichterstattung und Botschaften von Hisbollah-Führer Hassan Nasrallah im eigenen Lande zu übertragen. Wie schon kurz nach dem Krieg bekannt wurde, verfügte die Hisbollah nicht nur über ein gut ausgestattetes Bunker- und Waffenarsenal, sondern auch über gute Kommunikationsmittel, um sich vor herannahenden israelischen Angriffen zu verstecken und

---

19 Vgl. Rötzer, Florian, „Virtuelle Schlacht über das Image von Israel“, in: http://www.telepolis.de/r4/artikel/23/23219/1.html, Version vom 29.7.2006.

20 Ders., Asymmetrische Kriege, in: http://www.telepolis.de/r4/artikel /9/9752/1.html, Version vom 8.8.2006.

21 Ders., Krieg gegen ein Land im schwarzen Medienloch, in: http://www.telepolis.de/r4/artikel/9/9752/1.html, Version vom 8.10.2001.

22 Böhnel, Max, Bildbereinigung in den Medien, in: http://www.telepolis.de/r4/artikel/14/14399/1.html, Version vom 19.3.2003.

aus dem Hinterhalt zuschlagen zu können. Später wurde bekannt, dass die Hisbollah gar über Möglichkeiten verfügte, den Funkverkehr des israelischen Militärs abzuhören, wohingegen dieses umgekehrt nicht imstande war, die Kommunikation der Hisbollah stören oder abhören zu können.

Der Hisbollah gelang es nicht nur, die Handy-Gespräche zu belauschen, sondern sogar mit Hilfe iranischer Technik den Code der Funkkommunikation des israelischen Militärs zu knacken und abzuhören, wodurch sie einen, für einen asymmetrischen Konflikt ungewöhnlichen Vorsprung erzielen konnte, nämlich in Echtzeit über die Truppenbewegungen, Verluste und Versorgung der israelischen Truppen informiert zu sein, und dadurch beispielsweise Panzer effektiv anzugreifen vermochte. Zum Stör- und Abhörschutz verwendet das israelische Militär den üblichen schnellen Frequenzwechsel (*frequence hopping*) sowie eine zusätzliche Verschlüsselung.

Wie auch das israelische Nachrichtenorgan „Haaretz“ später bestätigte, konnte die Hisbollah den Funkverkehr, die Handykommunikation und andere Botschaften abhören. Dies dürfte auch der Grund dafür gewesen sein – so vermutet Haaretz – weswegen es Hisbollah-Mitgliedern am 12. Juli 2006 gelang, die gut gesicherte Grenze zu überschreiten, eine israelische Patrouille zu überfallen, dabei acht israelische Soldaten zu töten und zwei weitere zu entführen, was offiziell der Angriffsgrund für Israel auf den Libanon war.

Nach Haaretz soll die Hisbollah von iranischen und syrischen Geheimdiensten ausgebildet worden sein. Moderne westliche Abhörtechnik war schon vor dem Krieg von Beobachtungsposten eingerichtet worden, mit welcher die Kommunikation der israelischen Truppen belauscht werden konnte. Zudem verfügt die Hisbollah schon seit geraumer Zeit über ein Dokumentationszentrum zur Sammlung und Auswertung von öffentlich zugänglichen Informationen über Israel, woraus auch taktisch wertvolle Informationen für Einsatzpläne gewonnen worden seien.

Durch die Drohnen, die Taktik und die Mittel der „elektronischen Kriegsführung“ der Hisbollah verschoben sich auch die Machtverhältnisse innerhalb der asymmetrischen Kriegführung. Der einstige Vorsprung großer Armeen in Hinblick auf Technik schrumpft angesichts medien- und damit öffentlichkeitswirksamer Anschläge in zunehmendem Maße, zumal „Informationskriegs-Taktiken“ für kleine Gruppen billiger, besser, leichter handhabbar und vor allem verfügbarer wird. Demnach garantieren nicht mehr die Masse an mobilisierbaren Menschen und zerstörerischer Waffentechnik den militärischen Erfolg, sondern auch die technischen Möglichkeiten, Informationen zu erhalten und zu verteilen. Innerhalb des *„Netcentric Warfare“* werden hochgerüstete Armeen höchst verwundbar, wenn die *„Information Awareness“* und die Möglichkeiten, diese beim Gegner zu stören, auch auf die schwächere Partei übergeht. Wie schon US-Verteidigungsminister Rumsfeld mehrmals betonte, sind eben diese „Schwachen“ durchaus imstande, eine überlegene Supermacht im Medienkrieg auszubooten, was die Hisbollah mit ihrem Sender al-Manar während der israelischen Invasion im Libanon der Weltöffentlichkeit auch vor Augen geführt hat. [23]

Zusammenfassung, Ausblick und friedenspolitische Empfehlungen

Im Lichte des international geführten Anti-Terror-Kriegs gerät die journalistische Meinungsfreiheit nicht nur zunehmend unter Druck, sondern läuft auch Gefahr, selbst als „terroristisch" eingestuft zu werden, was der Fall „al-Manar" recht deutlich gezeigt hat. Auffallend ist zudem, dass nicht nur die USA, sondern auch europäische Medieninstanzen wie Eutelsat oder GlobeCast mittels Lizenzentzug und Sendeboykott auf die öffentliche Meinungsbildung im Nahen Osten Einfluss zu nehmen versuchen. Die klare Abgrenzung von freiem Journalismus zu kriminellem bzw. völkerrechtswidrigem Terror dürfte in Zukunft daher schwieriger werden und verlangt neue Diskurspraktiken bzw. neue Kontrollinstanzen. Die oft beschworene „Asymmetrische Kriegführung" als neue Form des Krieges wird mittels neuer medienrelevanter Taktiken wie *Information Awareness* und *Netcentric Warfare* in hohem Maße wieder ausgeglichen, da im digitalen Raum zumindest bislang so etwas wie „waffentechnische Chancengleichheit" vorherrscht. Der digitale bzw. mediale Krieg der Zukunft wird daher von einem Kampf um die informationspolitische Hegemonie (Informationshoheit) innerhalb der Medienwelt bestimmt werden. Die Beeinflussung, Manipulation oder gar Inszenierung von Informationswerten – wie dies möglicherweise im Falle von „Kana 2" der Fall war, wird dabei für den Wendepunkt von kriegerischen Ereignissen eine tragende Rolle spielen. Da offensichtlich auf den Wahrheitsgehalt der „vierten Macht" (Medienwelt) kein Verlass mehr ist, dürfte sich allmählich eine weitere, d.h. „fünfte Macht" der Blogger herauskristallisieren, um als kritisches Korrektiv und Kontrollorgan gegenüber dem derzeit äußerst zweifelhaften Wahrheitsgehalt der Medienwelt zu fungieren. Zwar ist die transnationale Blogger-Community auch nicht vor einseitiger Beobachtung und Berichterstattung gefeit, dennoch liegt ihre Stärke darin, dass sie mehr Meinungsvielfalt und vor allem untereinander vergleichbare Informationswerte zu bieten hat, was bei staatlich kontrollierten Meinungsmonopolen nicht der Fall ist. Ob allerdings unabhängige Internet-Foren, Kommunikations-Portale und Weblogs („Blogger") in Zukunft eine tragende, demokratische, kritische oder gar friedenspolitische Rolle gegenüber staatlich kontrollierten Medieninstanzen

---

23 Rötzer, Florian, Hisbollah konnte die Funkkommunikation des israelischen Militärs mithören, in: http://www.heise.de/tp/r4/artikel/23/23702/1.html, Version vom 6.10.2006.

spielen, um den Propaganda- und Informationskrieg auszuhebeln oder zumindest einzudämmen, ist bislang noch fraglich und dürfte von der weiteren Entwicklung der ICTs (Information & Communication Technologies) sowie von der zukünftigen quantitativen und qualitativen Entfaltung der *Netcitizens*[24] abhängen.

Literatur

Benn, Gottfried, Gesammelte Werke, Klett-Cotta 1977, Bd. III, S. 176.

Böhnel, Max, Bildbereinigung in den Medien, in: http://www.telepolis.de /r4/artikel/1,4/14399/1.html, Version vom 19.3.2003.

Hackensberger, Alfred, „Man kann nicht nur diplomatischen Druck ausüben", in: http://www.telepolis.de/r4/artikel/19/19009/1.html, Version vom 14.12.2004.

Huxley, Aldous, Schöne neue Welt, 63. Aufl., Frankfurt/Main 1981.

Roller, Nathalie, Wie der Journalismus zum Terrorismus gemacht wird, in: http://www.telepolis.de/r4/artikel/23/23338/1.html, Version 15.8.2006.

Rötzer, Florian, Asymmetrische Kriege, in: http://www.telepolis.de/r4 /artikel/9/9752/1.html, Version vom 8.8.2006.

Ders., Die Wahrheit der digitalen Bilder, in: http://www.telepolis.de /r4/artikel/23/23280/1.html, Version vom 7.8.2006

Ders., Fernsehsender als Terrororganisation eingestuft, in: http://www.tele polis .de/r4/artikel/19/19051/1.html, Version vom 19.12.2004.

Ders., Hisbollah konnte die Funkkommunikation des israelischen Militärs mithören, in: http://www.heise.de/tp/r4/artikel/23/23702/1.html, Version vom 6.10.2006.

Ders., Krieg gegen ein Land im schwarzen Medienloch, in: http://www .telepolis.de/r4/artikel/9/9752/1.html, Version vom 8.10.2001.

Ders., Start eines west-östlichen Medienkriegs? in: http:// www.telepolis .de/r4/artikel/19/19068/1.html, Version vom 21.12.2004.

Ders., „Virtuelle Schlacht über das Image von Israel", in: http:// www .telepolis.de/r4/artikel/23/23219/1.html, Version vom 29.7.2006.

---

24 *Netcitizen* oder *Netizen* ist eine Bezeichnung für „Bewohner" des Internet und setzt sich aus den englischen Begriff „Net" als Kurzform für „Network" = Netzwerk und „Citizen" = Bürger zusammen.

Von Wussow, Philipp, Israelische Bomben auf Kana: Massaker oder Hisbollywood? in: http://www.telepolis.de/r4/artikel/23/23249/1.html, Version vom 3.8.2006.

Sonstige Quellen aus dem Internet

http://blog.giyus.org/

http://giyus.org

http://littlegreenfootballs.com/weblog/

http://web.israelinsider.com/Articles/Diplomacy/8997.htm

http://www.manartv.com

http://www.rsf.org/article.php3?id_article=12123

http://de.wikipedia.org/wiki/Eutelsat

http://www.treas.gov/press/releases/js4134.htm

2.3 Blickpunkt Iran: Regionale Vormachtsstellung und nukleare Rüstungskontrolle im Iran

Tanz auf dem Vulkan – Irans Versuch, sich als Regionalmacht zu behaupten

Michael Pohly

„In den Bergen im Osten fressen die Tiger Menschen.
In den Bergen im Westen tun sie es auch.“

Brennpunkt Iran

Die deutliche Niederlage anlässlich der Wahlen am 15. Dezember 2006 in den Bezirken und zur Expertenversammlung[1] und die Diskussion über eine ausbleidende Wirtschaftsentwicklung stoppten fürs Erste den scheinbar unaufhaltsamen Aufstieg Mahmud Ahmadinedschads (محمود احمدي نژاد, Aḥmadī Nežād) und seiner Gefolgsleute.

Doch dieser Rückschlag ließ Ahmadinedschad nicht verstummen. Ganz im Gegenteil, seine rhetorischen Ausfälle gegenüber Israel und den USA nahmen schärfere Töne an, ebenso wie seine Bemühungen, eine antiamerikanische Allianz aufzubauen. Seine wiederholten Reisen nach Südamerika, u.a. nach Nicaragua und Ecuador,[2] sind sichtbare Zeichen dafür. Kleine Erfolge waren ihm in Venezuela und Kuba vergönnt, wo Abspra-

1 www.citymayors.com/politics/iran_elections_06.html.

2 www.adnki.com/index_2Level_English.php?cat=Politics&loid=8.0.376337831&par=0.

chen getroffen wurden, die für alle Beteiligten weitgehend unverbindlich blieben. Entscheidender sind die Versuche Ahmadinedschads zu bewerten, mit China, Russland und einigen zentralasiatischen Staaten eine strategische Allianz aufzubauen, z.B. mit der Errichtung eines Gas-Monopols ähnlich dem der „Organisation Erdölexportierender Staaten“ (OPEC). Sind diese Bemühungen ein Zeichen der Stärke oder der Schwäche? Oder zeigen sie nur, inwieweit die internationale Politik die Innenpolitik Irans beeinflusst?

Die Parolen des Populisten Ahmadinedschad scheinen nicht mehr zu greifen, wenngleich er sich weiterhin bemüht, Vorteile im härter werdenden inneriranischen Machtkampf zu erlangen. Seine Rhetorik in Bezug auf Israel und die USA sowie die unversöhnliche Haltung in der Frage des iranischen Atomprogramms sind allerdings auch als innenpolitische Ablenkungsmanöver zu bewerten, um die Diskrepanz zwischen seinen Wahlversprechen und seinem Handeln zu verschleiern. Er geht bewusst das Risiko ein, die Beziehungen zum Westen weiterhin zu verschlechtern, wie es in seiner Position, das Votum vom 23. Dezember 2006 des VN-Sicherheitsrats und damit die Resolution 1737[3] zu ignorieren, deutlich geworden war. Ahmadinedschad provoziert, aus einer Position der Stärke heraus, bewusst eine Eskalation des negativen Verhältnisses mit den USA und Israel. Seiner Auffassung nach sind sowohl die US-Truppen im Irak als auch die israelischen Truppen im Feldzug gegen die Hisbollah im Libanon im letzten Jahr gescheitert, und deshalb sieht man den Drohgebärden beider Länder, die eine atomare Bewaffnung[4] des Iran und eine weitere Stärkung dessen regionalen Einflusses um jeden Preis verhindern wollen, gelassen entgegen.

Zahedi und Memarian kommentieren diese Entwicklung wie folgt: „Indeed, the signals from Washington about the need to curb Iranian influence in Iraq and the wider region suggest that the US is responding to Ahmadinejad’s domestic predicament and Iran’s perceived rising influence with a combative strategy of its own. The ingredients of a potentially dangerous confrontation are being put in place on both sides.“[5]

> „Als ich aufwuchs, war die Welt gefährlich. Man wusste genau, wer sie waren: Es war wir gegen sie, und es war klar, wer sie waren. Heute wissen wir nicht so genau, wer sie sind, aber wir wissen, dass sie da sind.“[6]

---

3 In: www.acronym.org.uk/docs/0612/doc08.htm.

4 In: www.iaea.org/NewsCenter/Focus/IaeaIran/index.shtml.

5 Zahedi, Darius/Memarian, Omid, „Ahmadinejad, Iran and America“, 15.1.2007.

6 In: www.news.focus.msn.de/G/GE/ge.htm?bild_tmp=31&snr1554&streamsnr=7).

Iran im Fokus der US-Politik

Die Beziehungen der letzten 30 Jahre zwischen den Vereinigten Staaten von Amerika und dem Iran könnten kaum widersprüchlicher sein. Die USA, die nach dem Niedergang des Britischen Imperiums zunehmend in dessen Rolle eingetreten waren, hatten über den Sturz des gewählten Premierministers Mossadegh 1953 den geflohenen Schah Reza Pahlevi inthronisiert und Iran zum „regionalen Polizisten" auserkoren. Eine Funktion die dem größten und ältesten Staat in dieser Region gleichermaßen auf den Leib geschnitten war und dem iranischen Selbstverständnis entsprach. Iran füllte die ihm zugedachte Rolle aus (Oman, Afghanistan), bis 1978/1979 die Islamisten auf den Plan traten und den sterbenskranken, nicht mehr handlungsfähigen Monarchen ins Exil trieben. Die US-Politik zu jener Zeit war weder konsistent noch konsequent, blieb widersprüchlich und verpasste Chancen wie die Etablierung einer bürgerlichen Regierung unter Schapour Bachtiar, der später im französischen Exil von den Schergen der „Islamischen Republik" ermordet wurde. Mit der Botschaftsbesetzung und der Geiselnahme von US-Amerikanern in Teheran wurde aus dem „Polizisten am Golf" das Feindbild per se, und die Beziehungen beider Länder wurden eingefroren, lange bevor der Atomstreit in die Schlagzeilen rückte. Tarock unterstreicht in seiner Analyse diese Annahme und behauptet, dass die Feindseligkeit zwischen den USA und dem Iran mit unterschiedlichen Werten zu tun habe und der Iran den Charakter eines autoritären Gewaltstaates habe, der sich den „Werten" des Westens widersetze.

Seit 1979 steht der Regimewechsel in Teheran – auch ein gewaltsamer – auf der Agenda einer jeden US-Regierung.[7] Nach einem vorübergehenden Tauwetter während der Regierung Clinton geriet der Iran nach Afghanistan, Irak und Nordkorea erneut in die Schusslinie der amerikanischen Falken. Bereits im November 2002, als der Krieg gegen den Irak schon längst beschlossene Sache war, fanden sich in der amerikanischen Presse erste Hinweise dafür, dass der Iran erneut in den Fokus der amerikanischen Politik geraten war. Das Land wurde von Präsident Bush in seiner Ansprache an die Nation („State of the Union Address") am 29. Januar 2002 in einem Atemzug mit Irak und Nordkorea zum Teil der „Achse des Bösen" („Axis of Evil") erklärt. Zugleich prangerte Bush die herrschenden Ayatollahs als einige von wenigen an, die nicht gewählt worden sind („unelected few").[8]

Die von US-Seite vorgebrachten Anschuldigungen gegen die iranischen Machthaber wiegen schwer und sind Grund genug, nach der bestehenden

---

7 Tarock, Adam, Iran's Nuclear Programme and the West, in: Third World Quarterly, Vol. 27, Nr. 4, 2006, S. 645-664.

8 In: www.whitehouse.gov/news/release/2002/01/200220129-11.html.

US-Doktrin militärische Maßnahmen zu veranlassen. Der iranischen Regierung wird vorgeworfen, dass sie die eigene Bevölkerung unterdrückt, in den Besitz von Nuklearwaffen zu gelangen versucht,[9] den internationalen Terrorismus unterstützt, Verbindungen zu Al Qaida hat,[10] Unruhe im Nahen und Mittleren Osten schürt und damit den amerikanischen Interessen in dieser Region zuwiderhandelt.[11]

Die iranischen Machthaber, die zu jener Zeit zwischen den Reformbemühungen Präsident Khatamis und seinem konservativen Gegenspieler Revolutionsführer Khamenei ein Bild der Zerrissenheit boten, waren geschockt. Die US-Regierung brach die spärlichen Kontakte zum Iran und den Reformern ab, obwohl die iranische Führung sich sowohl in Afghanistan, im Libanon als auch während des Kriegs gegen den Irak „extreme Zurückhaltung" auferlegt und sich in relativer Neutralität geübt hatte. Der Besuch Khatamis in Kabul 2002 sollte ausdrücklich zur Entspannung beitragen und auch nach außen hin symbolisieren, dass die iranische Regierung mit einem „demokratischen Afghanistan" leben kann. Die nachfolgende politische Entwicklung mit den einhergehenden personellen Veränderungen der politischen Führungsspitze im Iran, ist daher ohne den maßgeblichen Richtungswechsel der US-amerikanischen Außenpolitik nicht denkbar gewesen. Drei Aspekte der iranischen Außenpolitik werden nachfolgend behandelt: das Verhältnis zu Israel, zu Europa und zu den USA.

Bevor jedoch auf die iranische Außenpolitik näher eingegangen wird, ist ein kleiner Rekurs auf die politische Struktur des Irans vonnöten.

---

9 „The United States is keeping all options on the table in addressing the irresponsible conduct of the regime," he told an Israeli lobbying group early this year. „And we join other nations in sending this regime a clear message: we will not allow Iran to have a nuclear weapon." Hersh, Seymour M.: The next Act, in: The New Yorker, 27.11.2006.

10 „Nach israelischer Darstellung haben die Mullahs ein tyrannisches Regime errichtet, streben nach Massenvernichtungswaffen und sind der „Terrorexporteur Nummer Eins"; wie Außenminister Silvan Schalom am 23. September 2004 vor der UN-Vollversammlung erklärte;" Siehe: www.jpost.com/servlet/Satellite?pagename=JPost/JPArticle/Show Full&cid=1059141103667; zitiert nach: Piper; Gerhard, Kaum Chancen für den Frieden; in: Telepolis, 10.10.2004; www.heise.de/tp/r4/artikel/18/18530/1.html.

11 „Stattdessen unterstützt es den Terrorismus im Nahen Osten und auf der ganzen Welt. Es arbeitet an einem Nuklearwaffen-Programm, das gegen internationale Bestimmungen verstößt. Es bietet offensichtlich Führern des Netzwerks von El Kaida Unterschlupf. Das ist eine aggressive Tagesordnung." In: Der Iran hat eine aggressive Tagesordnung, Interview mit Condoleezza Rice, Handelsblatt, 31.5.2003; siehe auch: Ostermann, Dietmar, Kommt Iran als Nächster auf die Liste?, in: Stuttgarter Zeitung, 16.6.2003; siehe auch O'Sullivan, John: After Iraq, Iran?, in: National Review Online, June 3, 2003; Der israelische Außenminister Silvan Schalom erklärte am 23.9.2004 vor der UN-Vollversammlung nahezu wortgleich die israelische Position zum iranischen Nuklearprogramm. Vgl. www.jpost .com/servlet/Satellite?pagename=JPost/JPArticle /ShowFull&cid=1094528406832.

Die politische Verfasstheit des Iran

Der Widerspruch, den Präsident Bush in seiner Rede konstruiert hat, nimmt den dualen politischen Charakter der iranischen Verfassung von 1979 auf, mit ihren nahezu autokratisch anmutenden und demokratischen Grundzügen und Institutionen – ein Resultat, das auf den starken Einfluss der national-orientierten Organisationen in der Revolutionsphase zurückzuführen ist und die religiösen Revolutionäre zu Kompromissen zwang:

- Das Parlament und der Präsident werden alle vier Jahre direkt vom Volk gewählt.
- Der 86 Personen starke Expertenrat wird alle acht Jahre gewählt. Die Bewerber für den Expertenrat werden entweder von Revolutionsführern vorgeschlagen oder vom Wächterrat bzw. Innenministerium vorselektiert. Die Aufgabe dieses Gremiums besteht darin, die Wahl oder Abwahl des Revolutionsführers (auf Lebenszeit) durchzuführen sowie dessen Amtsführung zu überwachen.[12]
- Dem Wächterrat, dem insgesamt zwölf Personen angehören, kommt eine zentrale Bedeutung zu. Die eine Hälfte, bestehend aus Religionsgelehrten, wird vom Revolutionsführer ernannt, für die andere Hälfte, bestehend aus Juristen, hat das Parlament ein Vorschlagsrecht. Der Wächterrat bestimmt letztendlich die Politik des Landes: Er muss den vom Parlament verabschiedeten Gesetzen zustimmen, entscheidet über die Zulassung von Kandidaten zum Parlament, aber auch zur Präsidentenwahl. Lediglich auf die Kandidaten, die sich zu Kommunalwahlen aufstellen lassen, nimmt er keinen Einfluss.
- Neben dem Wächterrat existiert noch der Schlichtungsrat (Rat zur Feststellung der Interessen des Systems, dem Ex-Präsident Rafsanjani vorsteht), der bei Konflikten zwischen Parlament und Wächterrat vermitteln soll.
- Der Nationale Sicherheitsrat, der für alle Fragen, die die „elementaren Interessen Irans“ betreffen, sich für zuständig erklären kann, ist ebenfalls ein Instrument, welches gegen die jeweils bestehende Regierung eingesetzt werden kann.

Die nachfolgende Grafik soll die politische Struktur veranschaulichen.

12 Buchta, Wilfried, Who Rules Iran? The Structure of Power in the Islamic Republic, Washington, D.C., 2000, S. 59f.

Abbildung 1: Politische Struktur des Iran

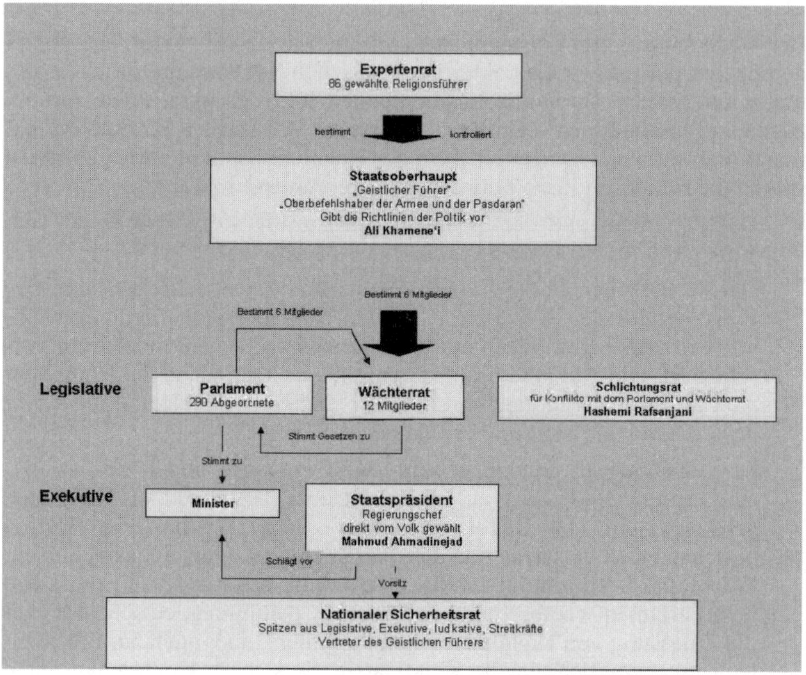

Zaminlarzeh!

Zaminlarzeh, „Erbeben", war in aller Munde, nachdem die Wahlergebnisse der Präsidentschaftswahlen bekannt wurden. Ein Niemand, der Sohn eines Schmiedes, hatte Ex-Präsident Rafsandschani, einen der reichsten Männer Irans, der zu den Grundpfeilern der „Islamischen Republik" zählt und die Nummer 2 in der iranischen Hierarchie ist, durch einen erdrutschartigen Sieg (61,7:36 %) geschlagen.

Der Ausgang der Wahl rief ein politisches Erdbeben hervor und bedeutete eine Machtverlagerung hin zu den fundamentalistischen, militaristischen und konservativen Gruppen, in deren Zentrum Geistliche wie Ayatollah Mohammad Taqi Mesbah-e Yazdi[13] oder Mojtaba Hashemi Sama-

---

13 Yazdi fiel durch seine Wahlkampfaussage auf: „Wir haben keine Revolution gemacht, um Demokratie zu bekommen."

reh[14] stehen sowie Mitglieder der Sicherheitsdienste, vor allem aus den Pasdaran, den Basij-Milizen,[15] den Fedayin-e Islam,[16] der Ansar-e Hezbollah[17] und den Geheimdiensten. Es war das erste Mal in der Geschichte der „Islamischen Republik", dass jemand zum Präsidenten gewählt wurde, der nicht dem religiösen Establishment angehörte und keine religiöse Ausbildung genossen hatte. Gleichzeitig signalisierte und leitete die Wahl auch einen Generationenwechsel ein. Reissner beurteilt dieses Ereignis folgendermaßen: „In dem überraschenden Wahlsieg des populistischen, neokonservativen Mahmud Ahmadinedschad ist der Unmut der ärmeren Iraner zutage getreten, und eine jüngere Generation von Politikern, die vornehmlich während des achtjährigen Kriegs mit dem Irak (1980–1988) ihre politische Prägung erfuhr, hat sich als tonangebende politische Klasse nun auch in der Regierung etabliert."[18]

Der Wahlsieg Ahmadinedschads war gleichbedeutend mit einem Sieg der „Hardliner" um den Revolutionsführer Khamenei über die ungeliebten Reformer um Khatami. Zum ersten Mal in der Geschichte der „Islamischen Republik" konnten diese nun alle Ebenen der Politik besetzen und damit die völlige Kontrolle über alle – die wählbaren wie die nicht wählbaren – staatlichen Institutionen erlangen. Die politische Umorientierung erfolgte umgehend. Selbstbewusst und ohne westliche Bevormundung will Ahmadinedschad die Politik neu ausrichten. Dank der gestiegenen Einnahmen aus dem Export von fossilen Energieträgern sieht er den Iran für eine unabhängige Politik nach dem Muster Chinas gerüstet. Zugleich verkündete er den Beginn der „Zweiten islamischen Revolution"[19] und das Bekenntnis

---

14 Samareh arbeitete im Außenministerium unter Velayati und später mit Ahmadinedschad während seiner Zeit als Teheraner Bürgermeister. Samareh soll Verbindungen zu den Pasdaran und Geheimdiensten gehabt haben und an Verhören in den Kellergeschossen des iranischen Außenministeriums persönlich teilgenommen haben. Er ist zudem ein Vertrauter Yazdis. Seinen Aufstieg verdankt er seinem Onkel Mohammad Reza Bahonar, dem ehemaligen konservativen Sprecher des Parlaments; siehe: www.roozonline.com/11english/011447.shtml.

15 Siehe: „Bassij: die revolutionäre Volksmiliz des Iran", in: MEMRI. Special Dispatch, 20. 12.2005.

16 Siehe: „Iran: Die Fedaiyine Islam im Iran", in: MEMRI. Special Dispatch, 23.1.2006.

17 Siehe: „Ansare Hizbullah: Die islamistische Pressure Group", in: MEMRI. Special Dispatch, 14.3.2006.

18 Reissner, Johannes, Irans neue Distanz zum Westen. Die Präsidentschaftswahlen als Ausdruck grundsätzlicher Kräfteverschiebung, in: SWP-Aktuell, Nr. 32, Juli 2005, S. 1.

19 Am 15. November 2005 erläuterte Ahmadinedschad seinen Standpunkt: „The people, in the last elections, proved their faith in the Revolution, and wish to see a revival of the Islamic Revolution's ideals. ... This revolution was in fact a continuation of the Prophet's movement and therefore, all political, economic, and cultural goals of the country need to be directed at materializing the Islamic ideals. ... Followers of this divine school of Islamic thought are doing their best to pave the way for the urgent reappearance [of] the

zum Märtyrertum („shehadat").[20] Das Konzept des „verschwundenen Imams", des erwarteten Erlösers der 12er Schia, mit dem Khomeini schon so erfolgreich operierte, wurde wiederbelebt.[21] Eschkewari, ein iranischer Regimekritiker, erklärt dieses Prinzip folgendermaßen: „Grundsätzlich glauben die Muslime daran, dass Gott die absolute Macht besitzt und dem Propheten bestimmte Vollmachten gegeben hat. Daher war der Prophet sowohl Offenbarer als auch politischer Führer. ... Khomeini hat darauf die ‚absolute Herrschaft des Klerus' und die islamische Republik begründet, die auf der monopolisierten Herrschaft des Klerus basiert. ... Auf der Grundlage dieser Theorie wird die Legitimität vom verborgenen Imam auf den qualifizierten Klerus übertragen, der das Monopol der Macht erhält."[22]

Während die Ex-Präsidenten Khatami und Rafsandschani, beide auf ihre Weise pragmatisch, versuchten, den Islam im Einklang mit der modernen Welt zu interpretieren und deshalb eine unterschiedliche Rhetorik im In- und Ausland benutzten, propagiert Ahmadinedschad die Wiederbelebung einer puristischen Auslegung des Islam. Für ihn spielt es keine Rolle, vor wem er redet. Er bedient sich der gleichen Rhetorik vor den Pasdaran wie vor der VN-Vollversammlung. Ahmadinedschad wird den „osulgaran" – den Fundamentalisten oder den „Prinzipientreuen",[23] wie sie auch bezeichnet werden – zugerechnet. Er steht nicht für einen Kompromiss, der ein wenig Islam auf der einen und ein wenig Moderne auf der anderen Seite verbindet, so wie seine Vorgänger, sondern er polarisiert. Reissner beschreibt dies wie folgt: „Es sind Menschen, für die die spirituelle Kraft der Religion und der elementare, im aktiven Kampf um die Heimat erprobte Nationalismus eine unverbrüchliche, pragmatisch orientierte Einheit bilden."[24] Dieser Beurteilung Ahmadinedschads und seiner Gefolgsleute folgen allerdings nur wenige Irankritiker. Ahmadinedschad zwingt – sowohl im In- als auch im Ausland – zur Parteinahme. Er suggeriert seinem Auditorium, dass der Islam die Alternative zu dem existierenden globalen Sys-

---

Hidden Imam;" zitiert nach Savyon, A., „The ‚Second Islamic Revolution' in Iran: Power Struggle at the Top", in: MEMRI, Special Dispatch, 17. November 2005, S. 1.

20 „A nation with martyrdom knows no captivity. Those who wish to undermine this principle undermine the foundations of our independence and national security. They undermine the foundation of our eternity;" in: „Iran's New President Glorifies Martyrdom"; in: MEMRI. Special Dispatch, Nr. 945, 29.7.2005; www.memri.org/bin/articles.cgi?Page =coutries&Area=iran&ID=SP94505.

21 „One key concept is that of the Hidden Imam … To Rafsanjani and Khatami, this has little immediate relevance to the actual life of society. Ahmadinejad, however, has restored it as the central truth of Iran's political, cultural, economic and social life;" Taheri, Amir, Iran's Perilously Honest Man, in: New York Post, 8.11.2005.

22 „Interview mit dem iranischen Regimekritiker Hojatoleslam Yussufi Eshkewari", in: MEMRI. Special Dispatch, 14.3.2006, S. 1.

23 Reissner, Juli 2005, S. 2f.

24 Reissner, Juli 2005, S. 3.

tem ist, welches vom Westen dominiert wird: „So it is our obligation to direct people back to those glorious ideals and to lead the way in the establishment of an exemplary, powerful and progressive Islamic society … Iran must emerge as the most powerful, most advanced country …“[25] Anlässlich des Qods-Gedenktages[26] (Jerusalemgedenktag) äußerte Ahmadinedschad, dass es zu einem historischen existentiellen Kampf zwischen dem Islam und dem Westen kommen muss und dass Israel in diesem Kontext, seiner Ansicht nach, lediglich eine lokale und zeitlich begrenzte Front in diesem globalen Konflikt darstellt.[27] Bereits kurz zuvor hatte er die Existenz des Staates Israel in Frage gestellt, Israel als „eine Schande für die Reinheit des Islam“[28] bezeichnet und dessen Auslöschung propagiert.[29] Die Worte *„mahv bayad bashad“* lassen keine andere Interpretation zu.

Iran und Israel

Die Auswirkungen des politischen Erdbebens im Iran hatten die Weltpolitik erreicht.

Dabei gibt es in der Beurteilung Israels kaum Unterschiede zwischen den verschiedenen Fraktionen des regierenden iranischen Establishments. Sie alle halten den Staat Israel für illegitim und wünschen die Schaffung eines moslemisch-palästinensischen Staates in seinen Grenzen. Lediglich in der Art und Weise, wie das Ziel erreicht werden kann, unterscheiden sie sich.

---

25 Zitiert nach Savyon, 17.11.2005, S. 1; siehe auch: Sharq, 15.11.2005; IRNA, 15.11.2005.

26 „Auch wer unter Druck der Hegemonialmächte oder auf Grund eines falschen Verständnisses der Sachlage das zionistische Regime anerkennt, wird im Feuer der unversöhnlichen Wut der Umma [Gemeinschaft der Gläubigen] verbrennen. ... Es gibt aber keinen Zweifel, dass die neue Welle, die in Palästina begonnen hat und den hohen Stand von Moral und Wachsamkeit in der islamischen Welt bestens ergänzt, sich darum kümmert, dass die Mitte der islamischen Welt von dem Schandflecken Israel gesäubert wird. ... Wir müssen aber auf die Verführungen durch die arroganten hegemonialen Mächte achten. Seit über 50 Jahren üben die Führer der Weltarroganz (USA) Druck auf die islamischen Staaten aus, damit diese die falsche Existenz des Staates Israel anerkennen.“ Zitiert nach: „Al-Quds-Tag 2005: Iranische Politiker fordern die Zerstörung Israels“, in: MEMRI. Special Dispatch, 26.10.2005; siehe auch IRNA, 26.10.2005.

27 Ahmadinedschads Rede anlässlich der Konferenz: „A World without Zionism“, in: MEMRI. Special Dispatch, Nr. 1013, 28.10.2005; vgl.: www.memri.org/bin/articles.cgi?Page=archives&Area=sd&ID=SP101305; „He believes the world is heading for a clash of civilizations in which Islam is the only credible alternative to Western domination. And he is convinced that Islam will win.“ in: Taheri: 8.11.2005.

28 Siehe auch Taheri, Amir, Iran's New Anti-Israel ‚Rage', in: New York Post, 28.10.2005.

29 „Very soon, this stain of disgrace [Israel] will be purged from the center of the Islamic world – and this is attainable.“ in: MEMRI. Special Dispatch, Nr. 1013, 28.10.2005, vgl. www.memri.org/bin/articles.cgi?Page=archives&Area=sd&ID=SP101305.

Die neuen Machthaber scheinen sich nicht nur mit der bekannten Rhetorik zu begnügen, sondern diese auch aktiv umsetzen zu wollen – sie zu einem Mittel der iranischen Außenpolitik werden zu lassen. *„Marg bar Esrael"* – „Tot Israels" – ist der Abschluss eines nahezu jeden Freitagsgebets seit 1979. Khomeini hatte sich dieses Rituals bedient, und seine Nachfolger an der Spitze pflegen es bis heute. Khomeini war aber trotz seiner antiisraelischen Politik vorsichtig bzw. opportunistisch genug und wurde in seinen Ausführungen selten konkret. Er unterstützte nahezu alle Organisationen, insbesondere palästinensische und libanesische, die Israel das Leben schwer machen konnten. Aber eine Auslöschung Israels stand nicht auf seinem Programm, da diese die Kooperation mit den arabischen Anrainerstaaten gefordert hätte. Das iranische Revolutionsregime hatte aber ein recht gespanntes Verhältnis zu den arabischen Nachbarn mit Ausnahme Syriens. Aufgrund des iranischen Führungsanspruchs nach der Revolution von 1979, die treibende islamische Kraft zu sein, hatte man sich in direkte Konkurrenz zu Saudi Arabien und Ägypten begeben.[30] Allerdings antizipierte Khomeini auch eine potenzielle Bedrohung durch Israel, welches damals bereits über Nuklearwaffen verfügte. Taheri kommentiert dieses ambivalente Verhältnis folgendermaßen: „Khomeini's anti-Israeli stance was largely opportunistic – a means of wooing the Arabs who, being mostly Sunnis, regarded the ayatollah's Shiite revolution with suspicion. He also knew that Israel's presence represented a kind of insurance for Iran's own security. For, had Israel not been there to become the focus of Arab rage, Iran might have gotten the role. … In the 1980s, Saddam's eight-year-long war against Iran (with the support of all Arab states except Syria and Lebanon) helped further tone down the new regime's hostility toward Israel. And when it revealed that Israel had been shipping urgently needed anti-tank missiles to Iran to stop Iraqi armoured attacks in 1985–86, many in Teheran wondered whether Iran and Israel did not, after all, face the same enemies. But with the war's end …, the mullahs reverted to their original anti-Israel posture."[31]

Ahmadinedschad ist in dieser Hinsicht kein Neuerer – außer, dass diese Form der Rhetorik bis zu seinem Machtantritt ein Mittel war, dessen Wirkung nach Innen zielte. Dennoch wirft die radikale Umorientierung der Außenpolitik die Frage nach dem Warum auf.

Eine Erklärung mag sicherlich dem Umstand geschuldet sein, dass sich Ahmadinedschad von seinen Vorgängern distanzieren wollte, die er als „zu weich" (Khatami) und „korrupt" (Rafsandschani) bezeichnete und denen er den Verrat an den Prinzipien der islamischen Revolution vorwarf. Ein an-

---

30 Siehe: Halliday, Fred, Iran's still-burning flame, in: Open Democracy, 1.4.2007, in: ders.: The matter with Iran, in: Open Democracy, 1.3.2007; www.opendemocracy.net/globalization/iran_matter_4396.jsp.

31 Taheri: 28.10.2005.

derer Grund mag in der veränderten Politik Israels gegenüber dem Iran liegen. „But it wasn't Iran that turned the Israeli-Iranian cold war warm – it was Israel. In October 1992, prior to Iran's material support for Palestinian rejectionists, the Shimon Peres/Yitzhak Rabin government undertook a major campaign to depict Iran and Shi'a Islamic fundamentalism as a global threat. Even though Iran was weak militarily after the devastating war with Iraq, Rabin told Israel's Knesset (parliament) in 1993 that Israel's ‚struggle against murderous Islamic terror' was ‚meant to awaken the world which is lying in slumber' of the dangers of Shi'a fundamentalism. ‚Death is at our doorstep', Rabin said of Iran – though he only five years earlier dismissed Iran's rhetoric as inconsequential."[32] Nach dem Sturz des irakischen Diktators erweiterte Israel seinen Sicherheitsradius, und der Iran geriet vollends in dessen Fokus. Der Iran, welcher keine gemeinsamen Grenzen mit Israel hat, wurde zum potenziellen Gegner stilisiert, und das Säbelrasseln der israelischen Nomenklatur in Bezug auf die iranischen Atomanlagen schürte die Furcht vor einem israelischen bzw. US-amerikanischen Angriff bereits vor Ahmadinedschads Machtübernahme. Yuval Steinitz, Vorsitzender des Ausschusses für Auswärtige Angelegenheiten und des Verteidigungskomitees, fand deutliche Worte: „The Iranian nuclear program is of course a strategic threat to Israel ... The Iranians are now enhancing their ballistic missile capabilities to cover not only Israel but targets throughout Europe. A nuclear armed Iran, capable not only of bombing Israel … will be a force of global instability and will significantly change the global balance of power."[33]

Eine potenzielle Atommacht Iran[34] stellt eine große Bedrohung dar. Mit Mittelstreckenraketen [Schahab-4 (3A)] chinesischer und koreanischer Bauart, die Reichweiten von 1.300 bis 1.500 km (nach iranischen Angaben bis zu 2.000 km) haben, könnte sie bereits heute Israel und Teile des Bal-

---

32 Parsi, Trita, The Iran-Israel Cold War, in: Open Democracy, 28.10.2005.

33 Glick, Caroline B., Column One: The road to a nuclear Iran, in: Jerusalem Post, 23.5. 2003. Die Meldung, dass Iran in den vergangenen Monaten Lieferungen von Rodong-Raketen aus Nordkorea rhalten hat, schuf zusätzlich Verunsicherung. Siehe: Jonas, George, Iran will test the left's mettle, in: National Post, 18.6.2003.

34 Anmerkung: Iran wird von Nordkorea bereits seit 1984 mit Kurz- und Mittelstreckenraketen vom Typ Scud-B und Scud-C ausgerüstet. Die Rodong 1 oder Rodong Simun ist eine koreanische Weiterentwicklung. „Iran war bereits zu Zeiten des Schahs daran interessiert, sich ballistische Raketen zu verschaffen, und schloss deshalb mit Israel ein Geheimabkommen über die gemeinsame Entwicklung einer Rakete. Nach der islamischen Revolution 1979 wurde dieses Projekt jedoch nicht fortgeführt. Der Schah hatte das Raketenprogramm in engem Kontext mit dem zugleich eingeleiteten Nuklearprogramm, das von den neuen Führern als westliche Technologie abgelehnt wurde, gesehen. Siehe Taremi, Kamran, Beyond the Axis of Evil: Ballistic Missiles in Iran's Military Thinking, in: Security Dialogue, Vol. 36, Nr. 1, 2005, S. 95f; S. 93-108; Anmerkung: Erst 1984 nahm der Iran sein Nuklearprogramm wieder auf.

kans treffen.[35] Dennoch bleibt der Iran aufgrund seiner technologischen Entwicklung sowohl in der Weiterentwicklung ballistischer Raketen als auch im Fortschreiten seines Nuklearprogramms weitgehend von der Unterstützung anderer Länder wie Russland, China, Indien oder Nordkorea abhängig. Um diesen kleinen Exkurs abzuschließen, verweise ich darauf, dass noch kein Krieg mittels Raketen, zumal deren Zielgenauigkeit zwischen 500 m und 10 km liegen, gewonnen wurde, auch wenn israelische Historiker wie der dem linken Spektrum zuzuordnende Zionist Benny Morris die Möglichkeit eines nahenden zweiten Holocausts[36] bereits beschwören.[37]

Iran sieht sich von mehreren Atommächten umzingelt: von Israel, Russland, Pakistan, Indien und den USA, die ihre Stützpunkte in nahezu allen an den Iran angrenzenden Ländern haben. Noch unter Khatami versuchten die Iraner deshalb, eine Sicherheitsgarantie von der US-amerikanischen Regierung zu erhalten. Diese sollte die Islamische Republik Iran anerkennen und deren regionale Bedeutung festschreiben.[38] Damit sollte vor allem

---

35 Eine hervorragende Studie dazu legte Thränert vor: Thränert, Oliver, Die Verbreitung von Raketen und Marschflugkörpern. Stand – Tendenzen – Gegenmaßnahmen, in: SWP-Studie 15, Berlin, Juli 2005; Siehe auch Ben-David, Alon, Iran Unveils Redesigned Shahab Missile, in: Jane's Defence Weekly, 29. September 2004, S. 6.

36 „The second Holocaust will be quite different. One bright morning, in five or ten years time, perhaps during a regional crisis, perhaps out of the blue, a day or a year or five years after Iran's acquisition of the Bomb, the mullahs in Qom will convoke in secret session, under a portrait of the steely-eyed Ayatollah Khomeini, and give President Ahmedinejad, by then in his second or third term, the go ahead. The orders will go out and the Shihab III and IV missiles will take off for Tel Aviv, Beersheba, Haifa, and Jerusalem, and probably some military sites, including Israel's half dozen air and (reported) nuclear missile bases. Some of the Shihabs will be nuclear-tipped, perhaps even with multiple warheads. ... With a country the size and shape of Israel (an elongated 8,000 square miles), probably four or five hits will suffice: No more Israel. A million or more Israelis, in the greater Tel Aviv, Haifa and Jerusalem areas, will die immediately. Millions will be seriously irradiated. Israel has about seven million inhabitants. No Iranian will see or touch an Israeli. It will be quite impersonal." Morris, Benny, The second Holocaust will not be like the first, in: Die Welt, 6.1.2007, www.welt.de/data/2007/01/06/1165992.html; www.groups .yahoo.com/group/eejh/message/63915.

37 „Mahmoud Ahmadinejad's outrageous comments about the holocaust and empty threats against Israel cannot conceal a simple fact: as a conventional military power, Iran is no threat to the US or its neighbours. In fact, the reverse is true. The US state department estimates that Iran's annual military expenditure is around $ 4 billion, a puny figure compared to countries it borders: Turkey ($ 10 billion), Saudi Arabia ($ 20 billion), and the tiny city-states of the United Arab Emirates, Kuwait, Qatar, and Bahrain ($ 9 billion in all); the figure is only slightly ahead of nuclear-armed Pakistan ($ 3.3 billion). All of these states, it should be recalled, are under the protective umbrella of the awesome US military." Ehsani, Kaveh, On The Brink: The Great Satan vs The Axis of Evil, in: Open democracy, 3.5.2006, www.opendemocracy.net/debates/article.jsp?id=3&debateId=138 &articleId=3498.

38 „The conservatives in Iran, led by the hardline supreme leader Ayatollah Ali Khamenei,

die US-Regierung davon abgehalten werden, einen Regimewechsel im Iran zum politischen Programm zu erheben.

Die US-Regierung verweigerte allerdings bislang den direkten Dialog und ermöglichte damit auch Ahmadinedschad, dieses Feld populistisch zu besetzen. Sein Auftritt in der Generalversammlung der Vereinten Nationen sowie sein offener Brief an Bush, in dem er sich in die Tradition des Propheten[39] sowie der Khomeinis stellt, lassen ihn als Handelnden erscheinen, der auf Augenhöhe mit der verbliebenen Supermacht steht. Durch diesen geschickten Schachzug gelang es ihm, die Initiative zu ergreifen. Unter Umgehung der Diplomatie erweckte Ahmadinedschad den Eindruck, dass es sich um einen bilateralen Konflikt zwischen den USA und dem Iran handelt. Ihm geht es in erster Linie darum, Zeit zu gewinnen und die verbleibende Amtszeit von Präsident Bush zu überstehen, in der Hoffnung, dass der zukünftige US-Präsident angesichts der Verhältnisse im Irak und in Afghanistan nicht mehr in der Lage ist, auf einen Regimewechsel im Iran hinzuarbeiten. Sollte dies nicht gelingen, dann sollen seine aggressive Politik gegenüber Israel und die unnachgiebige Haltung in der Atomfrage nicht nur von seinen innenpolitischen Problemen ablenken, sondern die iranische wie auch die arabische Bevölkerung auf den kommenden „Showdown" – den Kampf der Kulturen – einstimmen.

Savyon beurteilt diesen Paradigmenwechsel folgendermaßen: „They [members of the fundamentalist militaristic faction, for which Ahmadinedschad speaks] publicly call for Islam to annihilate Israel, in the context of a broader world view that reflects the all-out historic existential, moral, and cultural struggle between the Islamic world and the West."[40]

Die Reformer um Khatami, aber auch die „Pragmatiker" um Rafsandschani sehen dieses Element der neuen Außenpolitik eher kritisch und verweisen auf den Schaden, den eine internationale Reaktion bewirken kann. Ihrer Auffassung nach würde sich das Problem Israel von alleine lösen. Denn sollte es zu den demokratischen Wahlen kommen, die auch der Westen propagiert, an denen sich alle „ursprünglichen" Bewohner Palästinas beteiligen müssten – ungeachtet ob sie Juden, Moslems oder Christen sind – dem Selbstverständnis nach auch die Vertriebenen und deren Nachkommen, dann würde der Staat Israel zu existieren aufhören, da die mos-

---

have sent numerous signals – invisible to most of the media, but unmistakable – of a willingness to negotiate with the United States. These are not acts of weakness. It is important to be clear that these conservatives are not willing to capitulate; rather, they want recognition, security assurances, and negotiations on equal terms." Zitiert nach: Ehsani: 2006.

39 Vgl. den Briefwechsel mit dem persischen König, in dem dieser von Mohammed aufgefordert wurde, zum Islam überzutreten, sowie der Brief an den ägyptischen und abessinischen Herrscher. Auch Khomeini hatte Briefe z.B. an Gorbatschow geschrieben.

40 Zitiert nach Savyon 17.11.2005, S. 5.

lemischen Palästinenser und ihre Nachkommen die überwiegende Mehrheit bilden würden. Nach dieser Betrachtung wären die meisten Bewohner Israels nicht berechtigt, an der Wahl teilzunehmen. Da auch Revolutionsführer Khamenei von dieser Sicht der Dinge überzeugt wurde, setzte dieser sogar den bewaffneten Kampf gegen Israel aus.[41] Um eine Schadensbegrenzung für den Fall der Fälle zu haben, wurde Rafsandschani zum Vorsitzenden des Rates zur Wahrung der Nationalen Interessen ernannt. Dieser Rat hat die Befugnisse, alle Problemstellungen, die die nationalen Interessen Irans berühren, an sich zu ziehen und zu entscheiden – auch gegen den Präsidenten. Zum Stellvertreter Rafsandschanis wurde Ex-Präsident Khatami ernannt.

Allerdings half dies nicht, die Gemüter in Israel zu beruhigen, die, aufgeschreckt durch das Nuklearprogramm und die antisemitischen Äußerungen Ahmadinedschads, aufgeheizt wurden. Israel rüstet auf, um für einen – auch atomaren – Waffengang gewappnet zu sein.[42] Die Luftwaffe erhielt amerikanische Kampfjets, die dank Extratanks den Iran erreichen können, sowie Abwehrraketen[43] und unterzeichnete einen Vertrag über die Lieferung von U-Booten der Dolphin-Klasse, die für den Abschuss von Atomraketen geeignet sein sollen.[44] Zwar versuchen namhafte israelische Politiker jegliche Aktivitäten in Bezug auf geplante Präventivschläge herunterzuspielen, beteiligen sich aber gleichzeitig an möglichen Spekulationen über ein ob oder nicht, wie der damalige Präsident Scharon oder sein Vorgänger Netanjahu.[45] Zugespitzt wurde die Diskussion durch die Äußerungen des israelischen Ministerpräsidenten Olmert, dass Israel im Besitz von Atom-

---

41 Siehe Khamenei in: Kayhan, 5.11.2005; sowie in: Jomhouri-ye Eslami, 5.11.2005.

42 Nelson, Robert W., Low-Yield Earth-Penetrating Nuclear Weapons, in: The Journal of the Federation of American Scientists, Jauary/February 2001, Vol. 54, Nr. 1; www.fas .org/faspir/2001/v54n1/weapons.htm; „Israel has recently taken delivery from the US of some 5,000 ‚smart air launched weapons' including some 500 BLU 109 ‚bunker-buster bombs'. The (uranium coated) munitions are said to be more than adequate to address the full range of Iranian targets, with the possible exception of the buried facility at Natanz, which may require the [more powerful] BLU-113 bunker buster." Chossoudovsky, Michel, Planned US-Israeli Attack on Iran, in: Global Research, 1.5.2005; Anm.: Die B61-11 ist die „nukleare" Version der „konventionellen" BLU 113.

43 Israel hat mit Hilfe der USA, Frankreichs und Indiens ihre Jericho- bzw. Agni-Raketen mit Reichweiten über 1.000 km weiterentwickelt; siehe: Thränert: 2005, S. 7.

44 „Israel rüstet sich für Präventiv-Schlag gegen Teheran", in: Associated Press (AP), 14. 12.2005; vgl. www.de.news.yahoo.com/051214/12/4sux4.html; Anm.: Diese sind mit Harpoon-Raketen ausgestattet, die Atomsprengköpfe tragen.

45 „Ministerpräsident Ariel Scharon sagte in dieser Woche: „Die Möglichkeit, die iranischen Atomanlagen auszuschalten, besteht natürlich. ... Netanjahu erklärte freimütig, er würde einen Präventiv-Schlag unterstützen." In: „Israel rüstet sich für Präventiv-Schlag gegen Teheran", Associated Press (AP), 14. Dezember 2005; www.de.news.yahoo .com/051214 /12/4sux4.html.

waffen sei und gedenke, diese im Falle einer atomaren Bewaffnung Irans auch einzusetzen.[46]

Chossudovsky geht davon aus, dass die Bemühungen Israels und der USA bereits weit gediehen sind, um mögliche Allianzen für den Fall der Fälle zu schmieden. Er verweist auf das im November 2004 in Brüssel geschlossene NATO-Israel-Protokoll und die gemeinsame Militärübung der US-amerikanischen, türkischen und israelischen Streitkräfte im Januar 2005. Chossudovsky führt die erste gemeinsame Übung der NATO mit israelischen und arabischen Verbänden im Februar 2005 und den Besuch des NATO-Generalsekretärs in Jerusalem im März 2005 an, denen weitere im März und April folgten, sowie die Reisen des ehemaligen US-Außenministers Rumsfeld in den Irak, nach Afghanistan, Pakistan, Kirgisistan und Aserbaidschan und kommentiert diese Ereignisse: „Literally circling Iran in an attempt to find the best bridgehead for a possible military operation against the country."[47]

Neben den bereits bestehenden US-Stützpunkten am Golf sind damit nahezu alle den Iran umgebenden Länder in die Aufmarschpläne involviert.

Das iranische Atomprogramm

Der Ausbau des Nuklearprogramms, von dem die Iraner behaupten, es wäre rein ziviler Natur, wird von der US-Regierung kritisch und als kommende Bedrohung gesehen. Die US-Regierung unterstellt der iranischen Regierung, dass diese aktiv die Entwicklung atomarer Bomben betreibt. Sie verweist dabei auf Reden ranghoher iranischer Politiker, wie die des ehemaligen Präsidenten Rafsandschani, der 1988 gegenüber Soldaten äußerte, die Fähigkeit zum offensiven und defensiven Gebrauch von atomaren, biologischen und chemischen Waffen voll erwerben und nutzen zu wollen.[48] Seitdem wird die Debatte davon beherrscht, ob und wann es zu „preemptive strikes" kommen wird.[49]

Massarat kommentiert diese Annahme wie folgt: „In der Logik dieser Konfliktbeschreibung liegen auch die Schlussfolgerungen, die einen Ge-

---

46 Olmert, der sich in Deutschland aufhielt, hatte am 12.12.2006 in einem Interview mit dem deutschen Fernsehsender Sat 1/N 24 erstmals angedeutet, dass sein Land Atomwaffen besitzen könnte.

47 Chossudovsky, Michel, „Planned US-Israeli Attack on Iran", in: Global Research, 1.5. 2005; www.globalresearch.ca/PrintArticle.php?articleId=66.

48 Siehe www.fas.org/spp/starwars/advocate/ifpa/report696_ch4_iran.htm.

49 Siehe Fallows, Will Iran Be Next?, in: The Atlantic Monthly, Vol. 294, Nr. 5, S. 99-110, December 2004; www.theatlantic.com/doc/200412/fallows; ders., The Nuclear Power besides Iraq, in: The Atlantic Monthly, Vol. 297, Nr. 4, S. 31–32, May 2006; www.theatlantic.com/doc/200605/fallows-iran.

walteinsatz als Mittel zur Konfliktlösung legitimieren.“[50] Andere, wie Fitzpatrick vom Londoner International Institute for Strategic Studies, kommen zu dem Schluss, dass selbst dann, wenn man dem Teheraner Regime eine reine zivile Nutzung des Nuklearprogramms unterstellt, die nuklearen Aktivitäten jahrelang unter maßgeblichem Einfluss des Militärs betrieben wurden. So auch die Herstellung der P2-Zentrifugen, die unter dem Dach der Defense Industries Organization (DIO), der Dachorganisation für die iranische Rüstungsproduktion, erfolgte.[51]

Das iranische Nuklearprogramm sieht vor, einen geschlossenen, eigenständigen Brennstoffkreislauf zu erreichen. Der Bericht der Internationalen Atomenergiebehörde (IAEA) in Wien lieferte Anlass zur Sorge und zeigte, dass Iran gegen die im Mai 1974 unterzeichnete Vereinbarung zur Erfüllung der IAEA-Auflagen verstoßen hat. Zudem weigerte sich die Führung in Iran bislang, den Zusatzartikel zum Atomwaffensperrvertrag zu ratifizieren, der den Inspektoren ungehinderten und unangemeldeten Zugang zu allen Anlagen ermöglicht. Durch das Taktieren der Teheraner Führungsspitze beunruhigt, haben nun auch die treuesten Verbündeten der Iraner im Westen, wie die deutsche Regierung, gefordert, dass der Iran auf einen geschlossenen Plutoniumkreislauf und auf die Anreicherung von Uranhexaflurid (UF6) verzichten soll.[52]

Dabei unterschlägt der Westen den Umstand, dass er Irans nukleare Ambitionen in der Zeit von Schah Reza Pahlavi tatkräftig unterstützt hat und der Iran bereits 1970 den Nichtverbreitungsvertrag (NVV) unterzeichnet hatte. Massserat unterstellt dem Westen und vor allem den USA, „dass [sich] hinter dem Vorwand der Nichtweiterverbreitung von Atomwaffen eine Strategie der flächendeckenden Weiterverbreitung von Atomenergie und Interessen der internationalen Nuklearindustrie verbirgt ..., dass im Sü-

50 Massarat, Mohssen, Motive der Konfliktparteien im Iran-Atomkonflikt, in: Graswurzel; Nr. 306; Februar 2006; www.bits.de/public/gast/massarat6.htm; siehe auch Thränert, Oliver, Das iranische Atomprogramm, in: Aus Politik und Zeitgeschichte, Nr. 48, 2005; „Sollte Teheran nicht zu mehr Flexibilität bereit sein, dürfte es kaum eine andere Möglichkeit geben, als zu versuchen, durch Beschlussfassung des UN-Sicherheitsrates Iran auch mit nicht-kooperativen Mitteln von seinen allem Anschein nach bestehenden Absichten, sich eine Atomwaffenoption zu verschaffen, abzubringen.“ Siehe auch: Meggle, Georg, Bomben auf den Iran, in: Telepolis, 18.1.2006; www.heise.de/tp/r4/artikel/21/21802/1.html.

51 Fitzpatrick, Mark, Assessing Iran’s Nuclear Programme, in. Survival, Vol. 48, Nr. 3, S. 5-26.

52 „Iran’s nuclear gambit finally got the attention of even the European Union. Recently in Luxembourg, the EU’s foreign ministers not only lined up behind the United States in expressing ‚serious concern‘ over Iran using its atomic energy program to acquire nuclear weapons, but went as far as to endorse the idea of a pre-emptive strike against states developing weapons of mass destruction“; in: Jonas, George, Iran will test the left’s mettle, in: National Post, 18. Juni 2003.

den eine von der internationalen Nuklearindustrie, hauptsächlich der US-Nuklearindustrie, abhängige Energieversorgung etabliert werden soll.“[53]

Siemens hatte den Zuschlag für den Bau der Anlage in Bushehr[54] bekommen und die Franzosen den für das Werk in Ahwas. Deutschland und Frankreich schlugen den US-amerikanischen Mitbewerber aus dem Rennen. Die islamische Revolution von 1979 verhinderte die Fertigstellung beider Komplexe. Die Führung unter Khomeini legte das ehrgeizige Projekt zunächst aufs Eis. Erst im Laufe des Jahres 1984, im Zuge des Krieges mit dem Irak und der doppelzüngigen und ignoranten Politik des Westens,[55] änderte die iranische Führung ihre Position und begann ein ehrgeiziges nukleares Programm aufzulegen. Die Entdeckung von Uranerzvorkommen 1985 begünstigte den Beschluss, der mit pakistanischer, chinesischer und russischer Hilfe vorangetrieben wurde. In Natanz, ca. 300 km südlich von Teheran gelegen, entstand eine Pilotanlage zur Urananreicherung. Die Existenz der Brennstoffanreicherungsanlage in Natanz und der sich noch im Bau befindenden Anlage in Arak, die zur Herstellung schweren Wassers dienen soll, wurde erst im August 2002 bekannt. Glaubt man dem Bericht des Westdeutschen Rundfunks „Der Physiker der Mullahs“,[56] hatten die USA bereits 1992 Kenntnis über das iranische Atomprogramm. 1992 setzte sich der iranische Physiker Dr. Masud Naraghi, der umfassend in das Atomprogramm eingebunden war, in die USA ab und berichtete detailliert über die nuklearen Ambitionen Irans. Diese Aussage steht im Widerspruch zu den öffentlichen Bekundungen der US-Regierung, die behauptete, erst durch die Jakobiner der „islamischen Revolution“ – die oppositionellen Mojahedin-e Khalq[57] – davon in Kenntnis gesetzt worden zu sein. Die Mojahedin-e Khalq hatten im Irak ein Refugium gefunden und fungierten als fünfte Kolonne Saddam Husseins. Da sie auf der US-Liste der Terrororganisationen standen, hatte die US-amerikanische Luftwaffe deren Lager im Norden Iraks zunächst bombardiert. Mit der Übergabe der Unterlagen über das Ausmaß des iranischen Nuklearprogramms wurden die Verfolgung eingestellt und die Mojahedin-e Khalq zu einem neuen US-Verbündeten in der Region gemacht. Die iranische Regierung musste ferner eingestehen, dass es 1991 Uran eingeführt hatte, ohne eine entspre-

53 Masserat: a.a.O.

54 Die Anlage wurde in einer Nacht-und-Nebel-Aktion durch unbekannte Flugzeuge zerstört und später im irak-iranischen Krieg mehrmals bombardiert.

55 Siehe auch: Tarock, Adam, Iran's Nuclear Programme and the West, in: Third World Quarterly, 2006, Vol. 27, Nr. 4., S. 645-664.

56 „Der Physiker der Mullahs – Irans Atomprogramm und die deutschen Helfer“, WDR, 22.2.2007.

57 Nirumand, Bahman, Die mit den schwarzen Mappen, in: TAZ, 13.12.2006.

chende Meldung an die IAEA weitergeleitet zu haben.[58] Ein Teil des eingeführten Materials – 400 kg UF4 – wurde inzwischen in Metall umgewandelt. In diesem Zusammenhang wurde auch bekannt, dass die Möglichkeiten der Teheraner Fabrik „Kalaye Electric Company“ zum Bau von Zentrifugenkomponenten genutzt wurde. Russland schloss 1996 einen Vertrag über 800 Millionen US $ ab, um einen Leichtwasserreaktor mit einer Leistung von 1.000 MW zu bauen.[59] Der Reaktor sollte bereits Ende 2003 fertig gestellt sein und spätestens 2005 mit der Stromproduktion beginnen. Die Pilotanlage in Natanz mit den 160 überirdisch angeordneten Gaszentrifugen wurde 2005 in Betrieb genommen. Nach den bisher vorliegenden Plänen soll diese Anlage um weitere 1.000 Gaszentrifugen erweitert werden. Verläuft alles nach Plan – und unterstellt man dem Iran, dass er die Atombombe will – hätte Iran voraussichtlich ab 2008/2009 die Voraussetzungen dafür geschaffen und genügend spaltbares Material, um die ersten Atombomben zu produzieren. Die räumlichen Möglichkeiten in Natanz bieten zudem Anlass zur Sorge, da dort rund 50.000 Zentrifugen Platz haben. Theoretisch würde Iran damit über ausreichende Kapazitäten verfügen, um Uran anzureichern und damit den Bau von mehreren Atombomben pro Jahr vorzunehmen. Die Anlage zur Schwerwasseranreicherung in Arak ist weitgehend fertiggestellt. Dabei wird inzwischen auch im Iran die Frage nach der wirtschaftlichen Nutzung des Nuklearkreislaufs von parallel zu betreibenden Schwerwasser- und Leichtwasserreaktoren gestellt. Die Anlagen sind insgesamt inkompatibel und machen wirtschaftlich wenig Sinn, abgesehen vom prognostizierten Strombedarf in der Zukunft.[60] Lediglich

---

58 Iran hat der IAEA inzwischen einen Rechenschaftsbericht darüber vorgelegt, was mit dem importierten Material geschehen ist. „Iran acknowledged the receipt in 1991 of natural uranium, which has not been reported previously to the Agency, in form of UF6 (1000 kg), UF4 (400 kg), which has now been stored at the previously undeclared Jabr Ibn Hayan Multipurpose Labaratories (JHL) located at the Tehran Nuclear Research Centre (TNRC)“; siehe: Implementation of the NPT safeguards agreement in the Islamic Republic of Iran, GOV/2003/40, 6. June 2003, International Atomic Energy Agency, Wien, Abs. 7, S. 2.

59 „Mr. Aghazadeh, Vice President of the Islamic Republic of Iran stated, that Iran, [is able] to construct nuclear power plants with a total capacity of 6.000 MW within two decades.“ in: Implementation of the NPT safeguards agreement in the Islamic Republic of Iran, GOV/2003/40, 6. Juni 2003, International Atomic Energy Agency, Wien, S. 1.

60 Das iranische Energieministerium prognostiziert bis 2025 den Bedarf einer Kraftwerkskapazität von 100.000 Megawatt. Die gegenwärtige Kapazität beträgt ca. 40.000 MW. Zur Deckung des wachsenden Strombedarfs seien, so die iranische Regierung, demzufolge 15 bis 20 Atomkraftwerke mit einer Gesamtkapazität von 20.000 MW erforderlich; siehe auch: Masserat: a.a.O.: „Selbst in der Frage des Zugangs zu rein zivil genutzter Kernenergie zeige sich ein fragmentiertes Meinungsbild. Während dieses ‚unveräußerliche Recht‘ von der einen Seite als nationaler Imperativ eines kulturell überlegenen Iran geltend gemacht werde, vertrete die andere Seite die Auffassung, dass die Fokussierung auf eine aufwendige Nuklearforschung anderen Wirtschafts- und Technologiesektoren

eine militärische Nutzung in Kombination mit einer Wiederaufbereitungsanlage würde das Vorhaben sinnvoll erscheinen lassen. Der bauliche Zustand der Anlagen erlaubt nach Beurteilung der IAEA allerdings nicht, eine verbindliche Aussage über einen eindeutigen Verstoß gegen den NVV zu treffen. Der Bau der Anlagen in Natanz und Arak stellt keinen offensichtlichen Verstoß gegen den NVV dar, wenn der IAEA ungehinderter Zugang zu diesen Einrichtungen und uneingeschränkte Kontrolle derselben eingeräumt werden. Die Befürchtungen westlicher Regierungen, dass der Iran, wenn er erst einmal im Besitz eines geschlossenen Plutoniumskreislaufs ist, den NVV kündigen könnte, sind hoch. Die Gefolgsleute um Ahmadinedschad fordern dies immer unverblümter: „Iran should resign as a signatory to the Non-Proliferation Treaty on nuclear weapons, which is little more than a US plot, the conservative daily newspaper Kayhan claimed yesterday."[61]

Die Verhandlungen Irans mit der IAEA waren zäh. Die iranische Führung stand unter Druck, die von der IAEA geforderten Zusatzabkommen und Maßnahmen, beispielsweise den ungehinderten Zugang zu allen Anlagen zu ermöglichen und eine lückenlose Überwachung der Produktion zu garantieren, zu unterzeichnen und die Anreicherung von „Yellow Cake" auszusetzen.

Die Hardliner in Washington übten indes verstärkten Druck auf den Gouverneursrat der IAEA aus, damit dieser „massive Vergehen gegen den NVV feststell[t]". Eine durch die IAEA protokollierte massive Verletzung hätte schon früher Chancen und Möglichkeiten eröffnet, das iranische Nuklearprogramm vor den Sicherheitsrat zu bringen. Die US-Administration hatte seit längerem von der IAEA gefordert, die jahrelangen Verstöße Irans gegen den NVV als „massive Verstöße" zu bewerten. Diese gab dem Druck jedoch nicht nach, obwohl die Wiederwahl ihres Generaldirektors El Baradei lange fraglich erschien. Die Außenminister Großbritanniens, Deutschlands und Frankreichs begaben sich im Oktober 2003 nach Teheran, um der iranischen Führung den Ernst der Lage zu verdeutlichen. Diese kamen mit dem Zugeständnis zurück, dass das von der IAEA geforderte Zusatzabkommen unterzeichnet wird. Ende November war es soweit, und Iran hielt die gesetzte Frist ein, die Vorgänge um die Atomanlagen „zufriedenstellend" zu klären. Auch das umstrittene Zusatzabkommen wurde unterzeichnet, allerdings bis heute nicht ratifiziert. Im August 2005 legte die europäische Troika in Teheran ein Angebot zur Wirtschaftshilfe und tech-

---

langfristig schade." Ehteshami, A., The Future of Iran's Defence and Nuclear Policy, in: Posch, Walter, Iranian Challenges, Paris, Mai 2006 (Chaillot Paper Nr. 89), S. 73-85; siehe auch: Finger, A. / Hiemann, R., Das iranische Atomprogramm und der Westen, in: SWP-Zeitschriftenschau, Nr. 7, Dezember 2006, S. 3.

61 „Iran should quit the Non-Proliferation Treaty, says press", Reuters, zitiert nach: The Peninsula, 13.7.2003.

nischen Zusammenarbeit vor, unter der Bedingung, dass die Urananreicherung ausgesetzt werde. Tarock bezeichnet das von den Europäern vorgelegte Angebot „als eine attraktive Schokoladenkiste, ohne dass sie viel Schokolade enthalten hätte.“[62]

Delpech[63] geht davon aus, dass die Vorraussetzungen für eine Anrufung des VN-Sicherheitsrats bereits im November 2003 gegeben waren, und beurteilt den Aktionismus der Europäer sehr kritisch, als „verlorene Zeit“, die einem Nichthandeln gleichkomme. Ein Nichthandeln aber birgt ihrer Ansicht nach die Gefahr, dass eine Eskalation von Gewalt wahrscheinlicher wird. Delpech plädierte für abgestufte Sanktionen und eine klare Haltung gegenüber der Teheraner Führung, die ihrer Meinung nach lediglich auf Zeit spielt – eine Auffassung, die von nahezu der gesamten iranischen Diaspora geteilt wird. Dennoch sieht auch Delpech in einer militärischen Eskalation die schlechteste aller Möglichkeiten und verweist darauf, dass weder Israel noch die USA auf einen Waffengang vorbereitet sind. Dennoch kommt sie zu dem Schluss, dass es gute Gründe gibt, eine atomare Bewaffnung des Iran notfalls mit militärischen Mitteln zu verhindern. Im Gegensatz dazu kommt Gawdat zu dem Schluss, dass die westlichen Drohgebärden kontraproduktiv sind und man stattdessen versuchen solle, den Iran stärker in die Verantwortung zu nehmen, ihm wirksame Sicherheitsgarantien anzubieten und den iranischen Atombedürfnissen im Rahmen eines regionalen Sicherheitsdialogs Rechnung zu tragen.[64]

Iran als aktiver und passiver Teil des internationalen Terroristennetzes

Der iranischen Regierung wird vorgeworfen, den internationalen Terrorismus aktiv und passiv zu unterstützen. Als Beispiele dafür werden die Unterstützung der Hisbollah im Libanon, des palästinensischen islamischen Jihad, der Fatah und auch der Hamas genannt. Zawahiri, der wichtigste Mann innerhalb der Al Qaida, der Sicherheitschef Saad, Said Adel und ein Sohn Osama Bin Ladens sollen sich neben anderen wichtigen Führungspersönlichkeiten der Al Qaida im Iran aufhalten. Der ehemalige FBI-Direktor Louis Freeh sieht die iranischen Aktivitäten als eine elementare Bedrohung der amerikanischen Sicherheitsinteressen. Er bezeichnet die Hisbollah als „the exclusive terrorist agent of the Islamic Republic of Iran“ und warf

---

62 Tarock, a.a.O.

63 Delpech, Thérèse, L'Iran et la bombe: Options de fin de la partie, in: Politique Internationale, Frühjahr 2006, Nr. 111, S. 177-186.

64 Gawdat, Bahgat, Nuclar Proliferation: The Islamic Republic of Iran, in: Iranian Studies, Vol. 39, Nr. 3, September 2006, S. 307-327.

bereits der Regierung Clinton vor, keinen stärkeren Druck auf den Iran ausgeübt zu haben. Das FBI beschuldigt die Hisbollah hinter den Bombenattentaten auf die Khobar Towers in Dhahran, Saudi-Arabien, gestanden zu haben. Bei diesem Anschlag wurden 1996 19 US-Soldaten getötet. Auch das Attentat in Riad vom 12. Mai 2003, bei dem 34 US-Bürger getötet wurden, soll vom Iran aus geplant worden sein.[65]

Die Verbindungen zur Al Qaida gibt es sicherlich, aber dennoch darf nicht vergessen werden, dass der Iran lange Zeit den Widerstand in Afghanistan gegen Al Qaida unterstützt hat. Die Taliban und Al Qaida wollten ein saudi-arabisch-wahabitisch dominiertes puristisches Afghanistan und gingen vor allem gegen die Hazara vor, die überwiegend der schiitischen Glaubensrichtung angehören. Nicht vergessen haben die Iraner die Ermordung der iranischen Diplomaten durch die Taliban und Al Qaida in Mazar-e Scharif, als diese die Stadt im August 1998 erobert hatten. Iran zog in der Folge nahezu 100.000 Soldaten an der Grenze zu Afghanistan zusammen und drohte den Taliban mit Gegenmaßnahmen. Nur die Intervention der USA und Russlands hielten den Iran von einem Waffengang ab. Iran und Saudi Arabien sind konkurrierende Regionalmächte und die Al Qaida schien nicht nur in der Wahrnehmung Irans der verlängerte Arm einer aggressiven saudi-arabischen Expansionspolitik zu sein. Iran änderte seine Politik nach dem 9. September 2001. Als sich ein US-amerikanisches Engagement in Afghanistan abzeichnete, traf die iranische Regierung Vorkehrungen, Taliban- und Al Qaida-Mitglieder, die im Westen Afghanistans mit ihnen kooperiert hatten, zu evakuieren. Das Camp Miles 45 in Nimruz wurde eigens als Auffanglanger für Familienmitglieder hochrangiger Taliban- und Al Qaida-Mitglieder vom iranischen Roten Halbmond eingerichtet, und iranische Offiziere überwachten deren Evakuierung. Bis heute operieren wichtige Taliban-Kommandeure von iranischem Gebiet aus und unternehmen via Pakistan Aktionen in den südlichen Provinzen Kandahar, Helmand und Zabul sowie in den westlichen Provinzen Farah und Herat. Ein Teil der Bewaffnung und des Schmuggels, der zur Finanzierung von Waffen etc. dient, wird mit Duldung staatlicher und halbstaatlicher iranischer Institutionen über den Iran abgewickelt. Die Unterstützung, die Al Qaida und die Taliban von Iran aus erfahren, ist aber marginal zu der, die aus Pakistan und Saudi-Arabien kommt. Dennoch haben die verschiedenen iranischen Regierungen in der Vergangenheit terroristische Anschläge ausgeführt und iranische Oppositionelle getötet, z.B. in Berlin, Wien, Paris und Buenos Aires. Die meisten Anschläge und Auftragsmorde geschahen während der Regierungszeit des vom Westen so geschätzten „Pragmatikers“ Rafsandschani.

65 Glick, Caroline B., Column One: The road to a nuclear Iran, Jerusalem Post, 23.5.2003.

Michael Pohly

Das iranische Militärpotential als mögliche Bedrohung Israels

In diesem Zusammenhang sind aus Israel seit längerem Stimmen zu hören, die Irans potenzielles Nuklearsenal als eine Bedrohung ihrer Existenz ansehen. Yuval Steinitz, Vorsitzender des Auswärtigen Ausschusses und des Verteidigungskomitees, fand deutliche Worte: „The Iranian nuclear program is of course a strategic threat to Israel. ... The Iranians are now enhancing their ballistic missile capabilities to cover not only Israel but targets throughout Europe. A nuclear armed Iran, cabable … of bombing Israel … will be a force of global instability and will significantly change the global balance of power."[66] Eine potenzielle Atommacht Iran,[67] ausgerüstet mit Mittelstreckenraketen chinesischer und koreanischer Bauart, die Reichweiten von 1.300 bis 1.500 km haben, kann bereits heute Israel und Teile des Balkans erreichen. Iran stellt als einer der wichtigsten Unterstützer der Hisbollah im Libanon zudem eine Gefahr für den gesamten Nahostprozess dar, insbesondere für Israels Nordgrenze zum Libanon. Während der Iran die Hisbollah als die legitime Vertretung der libanesischen Schiiten betrachtet, sieht Israel in der Hisbollah eine terroristische Organisation. Eine ähnliche Argumentation ergibt sich in der Bewertung der Unterstützung des palästinensischen Jihad durch den Iran. Der Undersecretary of State, Bolton, ein Republikaner, äußerte während einer vom Aspen Institute organisierten Tagung im November 2003 in Washington, dass Irans Unterstützung des palästinensischen Jihad die Hauptursache des Scheiterns der „Roadmap" im Nahen Osten gewesen sei. Indyk, ehemaliger Botschafter der US-Regierung in Israel und Sonderbeauftragter für den Nahostprozess unter Präsident Clinton, unterstützte diese Position mit nur geringen Nuancen. Indyk hatte die am 23. Januar 1980 von Präsident Carter, einem Demokraten, formulierte Doktrin, „Jeder Versuch einer anderen Macht, Kontrolle über den Persischen Golf zu gewinnen, wird von uns als Angriff auf die Lebensinteressen der USA angesehen. Ein solcher Angriff wird mit allen erforderlichen Mitteln, einschließlich militärischer Gewalt, zurückgeschlagen werden," explizit unterstützt. Es war Indyk, der die europäische Politik des „kritischen Dialogs" massiv kritisierte. Der „kritische Dialog" sah einen Ausbau der Handelsbeziehungen und kultureller Kontakte vor, um die dabei entstehenden Kontakte für eine Änderung in der Innen- und Außenpolitik des Iran zu nutzen. Die US-Anwort, die Politik des „dual

---

66 Glick, Caroline B., Column One: The road to a nuclear Iran, Jerusalem Post, 23.5.2003. Die Meldung, dass Iran Lieferungen von Rodong-Raketen aus Nordkorea bekommen hat, schuf zusätzlich Verunsicherung. Siehe Jonas, George, Iran will test the left's mettle, National Post, 18.6.2003. Siehe auch die hier vorangehenden Ausführungen.

67 Iran wird von Nordkorea bereits seit 1984 mit Kurz- und Mittelstreckenraketen vom Typ Scud-B und Scud-C ausgerüstet. Die Rodong 1 oder Rodong Simun ist eine koreanische Weiterentwicklung. Siehe auch die hier vorangehenden Ausführungen.

containment“, hatte indes eine andere Zielsetzung: Nach Ende des Kalten Krieges sollte der gesamte Nahe und Mittlere Osten „neu gestaltet werden“. Die USA wollten sich nicht länger damit begnügen, das Gleichgewicht der Kräfte in der Region zu erhalten – konkret zwischen dem Irak und Iran –, sondern aktiv die Kontrolle über die wichtige Lebensader, den Persischen Golf, erlangen. Der Irak war durch den Zweiten Golfkrieg und die VN-Sanktionen gegenüber dem Iran deutlich geschwächt worden. Um das Gleichgewicht wieder herzustellen, sollten die Verbündeten verpflichtet werden, Sanktionen gegen den Iran zu verhängen. Der Druck auf andere Staaten wurde gesteigert. Die US-Regierung beschwerte sich bei befreundeten Staaten, dass diese die seit der Botschaftsbesetzung vom 4. November 1979 und der 444 Tage andauernden Geiselhaft verkündeten Sanktionsmaßnahmen einseitig und zu Lasten der US-amerikanischen Wirtschaft umgingen. Clinton unterzeichnete am 6. Mai 1995 eine Regierungsanweisung, die mit einem Schlag jeden Handel und alle finanziellen Transaktionen und andere Geschäfte mit dem Iran verbot. Bereits am 5. August 1996 folgte der Iran-Lybia Act (ILSA), in dem gefordert wurde, sofort diplomatische Bemühungen einzuleiten, sowohl im geeigneten internationalen Rahmen wie den vereinten Nationen als auch auf bilateraler Ebene mit den Verbündeten der USA, um ein multilaterales Sanktionsregime gegen den Iran durchzusetzen. Im Wesentlichen war dieses Gesetz darauf ausgerichtet, die iranische Energiewirtschaft und vor allem die erdölverarbeitende Industrie zu treffen. Jeder Vorgang, der über US $ 20 Millionen an Investitionen vorsah, war davon betroffen.

Bush verschärfte den ILSA Ende 2006, was vor allem das russische Engagement im Iran betraf.[68]

Iran als Regionalmacht

Iran besitzt jedoch nicht nur Einfluss im Süden des Libanon, sondern auch unmittelbar im Irak, in Afghanistan, Tadschikistan und in den Golfstaaten. Wie am Beispiel Irak sehr deutlich wird, ist Iran nicht an einer Destabilisierung der US-Kräfte im Land interessiert. Die Übergriffe gegen alliierte Streitkräfte im Irak sind im Wesentlichen in Bagdad und in den von arabischen Sunniten bewohnten Gebieten zu verzeichnen. In den von Schiiten bewohnten Gebieten in Bagdad und im Süden des Landes ist die Sicherheitslage gegenüber den US-amerikanischen und britischen Streitkräften stabiler. Es war der 2003 ermordete Sohn von Ayatollah Khois, der während des US-amerikanisch geführten Krieges gegen Saddam Hussein Fatwas veröffentlichte und die alliierten Streitkräfte nicht als Usurpatoren,

68 Mellenthin, Knut, Zur Geschichte der Beziehungen zwischen USA und Iran. Teil 2, in: Junge Welt, 18.10.2006.

sondern als Freunde bezeichnete und damit den Amerikanern und Briten den Rücken stärkte. Zwar sehen die irakischen Schiiten die Präsenz der US-Streitkräfte skeptisch, aber der gestürzte Saddam Hussein besaß keinerlei Sympathien bei den Schiiten. Den USA trägt man nach, dass sie den schiitischen Aufstand und dessen Niederschlagung durch die geschlagenen Truppen Saddam Husseins während des Zweiten Golfkrieges tatenlos mit ansahen, obwohl diese vorher von den alliierten Streitkräften zum Widerstand aufgerufen worden waren. Ohne ein mittelfristiges Engagement der Iraner und deren Einbindung in die Regionalstrategie des Westens wird es keine dauerhafte Stabilität geben. Der Iran versteht sich als Schutzmacht für alle Schiiten, die immerhin 60 % der Bevölkerung im Irak, in Bahrein und mehrheitlich auch in Kuwait ausmachen. Die Beteiligung von nahezu 60 % der Iraker schiitischen Glaubens an dem provisorischen Rat in Bagdad erfüllt die Iraner und die Schiiten Iraks durchaus mit Genugtuung. Zum ersten Mal seit Gründung des irakischen Staates durch die Briten und Franzosen nach dem Ersten Weltkrieg sind sie in die politischen Verantwortung einbezogen. Die Briten beförderten die sunnitischen Araber, eine Minderheit im Lande, an die Schalthebel der Macht. Die Übermacht der Schiiten im Irak befördert aber zugleich Ängste in den Golfstaaten, die z.T. nicht unerhebliche schiitische Minderheiten in ihren Ländern haben. Eine Hegemonie des Iran nach Wegfall des Gegengewichts des Irak, so die Befürchtung, werde ein neues Wettrüsten in diesem Raum hervorrufen, da die Regionalmacht Saudi-Arabien, eine schiitische Dominanz nicht akzeptieren wird.[69] In diesem regionalen Kontext muss auch der Besuch von Präsident Khatami betrachtet werden, der Kabul 2002 aufsuchte und damit der US-Regierung signalisierte, dass der Iran sehr wohl mit einer US-freundlichen Regierung in Kabul zusammenarbeiten kann und diese akzeptiert. Im Gegensatz zu anderen Staaten in der Region, wie z.B. Aserbaidschan, beansprucht der Iran keine fremden Territorien und ist darauf bedacht, bestehende Grenzen zu respektieren. Allerdings sind Bestrebungen im Gange, die Beziehungen zu Russland, China und Indien sowie zu den mittelamerikanischen Staaten Venezuela, Kuba und Nicaragua nicht nur wirtschaftlich auszubauen, sondern vor allem politisch zu vertiefen, um gegen die hegemoniale Strategie der USA gewappnet zu sein.[70]

---

69 Siehe Niethammer, Katja, Vertrackte Golf-Spiele. Die Staaten des Golfkooperationsrats und der Iran, in: SWP-Aktuell, 2006, A 26, Juni 2006, S. 4.

70 Mit Syrien und Tadschikistan besteht inzwischen ein Beistandsabkommen.

Der Feind meines Feindes ist...

Das, was mit China noch im Werden ist, scheint mit einem anderen regionalen Nachbarn bereits Wirklichkeit geworden zu sein. Der „kleine Scheitan“, wie Russland auch genannt wird, im Gegensatz zum „Großen Scheitan“ USA, sieht in Iran einen strategischen Partner in der Region. Da treffen trotz unterschiedlicher religiöser und politischer Vorstellungen Interessen aufeinander, die bereits in Südamerika und der Karibik zum Tragen kamen.

Adomeit beschreibt dies folgendermaßen: „Einer der Denkansätze im Moskauer außen- und sicherheitspolitischen Establishment ist dem Vorhaben verpflichtet, dem Streben der USA nach globaler Vorherrschaft Gegengewichte entgegenzusetzen und eine „multipolare Weltordnung“ herzustellen. Als Träger dieser Ordnung in Süd- und Ostasien werden China und Indien zu „strategischen Partnern“ stilisiert. Im Nahen und Mittleren Osten hat sich Russland bemüht, diese Rolle an Iran zu vergeben. Iran, so Präsident Putin im Mai 2004, ist „seit langem unser stabiler Partner“.[71] Russland sieht die Expansionsbemühungen der USA in den ehemals zur Sowjetunion gehörenden Ländern mit großer Skepsis. Es versucht daher, die USA – wie auch Iran – aus den strategisch wichtigen Ländern um das Kaspische Meer herauszuhalten und eine Integration der beiden Länder Georgien und Aserbaidschan in die NATO zu verhindern. Dies betrifft ebenso die Anstrengungen der USA, der Türkei, Georgiens und Aserbaidschans eine 120.000 starke Einsatztruppe aufzustellen – die Caspian Guard – um die Öl-Pipeline Baku-Ceyan vor möglichen Terroranschlägen zu schützen, den Drogen- und Waffenhandel zu unterbinden. Russland setzte dem die Schaffung eines regionalen Sicherheitssystems entgegen, in dem eine eigene maritime Eingreiftruppe der fünf Anliegerstaaten des Kaspischen Meeres geschaffen werden sollte – die CasFor.[72]

Russland unterstützt durch weitere Einbindung Iran in dieser Hinsicht. So ist die von Moskau gewollte Aufnahme Irans als Beobachter in die Schanghai-Organisation für Zusammenarbeit (SCO), der außer Russland, China, Kirgisien, Kasachstan und Usbekistan angehören, ein weithin sichtbares Zeichen der neuen Partnerschaft. Vor allem sind das Vorteile, die sich für Russland bereits ausgezahlt haben, wenn man das Engagement Irans während des tadschikischen Bürgerkriegs und seine geänderte Politik in Bezug auf den Kaukasus (Tschetschenien) betrachtet. Entgegen der weit

---

71 Adomeit, Hannes, Russische Iranpolitik. Globale und regionale Ziel, politische und wirtschaftliche Interessen, in: SWP-Aktuell, A 07, Februar 2006, S. 1.

72 „Russland würde eine beherrschende Rolle in dieser Streitmacht spielen: Es verfügt mit seiner Kaspischen Flottille über mehr Kräfte als die vier anderen Anrainer zusammen, und im Gegensatz zu seinen verfallenen vier großen Flotten hat Moskau seine Marinestreitkräfte in dieser Region laufend modernisiert.“ Adomeit 2006, S. 2.

verbreiteten Propaganda hielt sich Iran weitgehend mit der Unterstützung der islamistischen Opposition in Tadschikistan zurück und half eher bei der Vermittlung zwischen den Bürgerkriegsparteien. Auch bei der Beurteilung des Vorgehens russischer Truppen gegen die wahhabitisch beeinflussten Militanten in Tschetschenien zeigt Iran auffallend viel Verständnis für die russische Politik und lässt dem tschetschenischen Widerstand kaum Unterstützung angedeihen. Umgekehrt ist auch eine gewisse Zurückhaltung im Kreml zu verspüren, wenn auf die massiven Menschenrechtsverletzungen in Iran hingewiesen wird. Erschwert werden könnte allerdings das neue strategische Bündnis dadurch, dass iranische Politiker erstmals Gebietsansprüche auf aserbaidschanisches Territorium gestellt haben, welches erst im ausgehenden 19. Jahrhundert von zaristischen Truppen erobert wurde.

Die neue Partnerschaft zeichnet sich auch auf wirtschaftlichem Gebiet aus. Das Warenaufkommen zwischen Russland und Iran betrug 2005 ca. zwei Milliarden US $. Der größte Teil steht in unmittelbarem Zusammenhang mit dem ehrgeizigen Nuklear- und Energieprogramm des Iran. Der Bau des Atommeilers Buschehr[73] und hydroelektrischer Kraftwerke stehen an erster Stelle, gefolgt von ca. 400 Mio. US $ an Waffenexporten[74] nach Iran. Insgesamt sollen noch weitere sechs Atomreaktoren folgen: vier davon in Buschehr und zwei weitere in Ahwas. Nahezu alle Nuklearanlagen liegen in geo-tektonisch gefährlichen Regionen.[75]

Russland will zwar eine strategische Partnerschaft mit dem Iran gegen die USA, aber auf keinen Fall einen „Partner“ an seinen südlichen Grenzen, der über das Wissen und die Möglichkeit verfügt, Atomwaffen herzustellen. Der russische Vermittlungsvorschlag in der Nukleardebatte mit dem Iran sah demnach auch eine „russische Treuhänderschaft“ vor. Zusammen mit der IAEA sollte darüber gewacht werden, dass Iran die Kernenergie ausschließlich friedlich nutzen kann. Der Profit wäre eindeutig auf Seiten der russischen Atomindustrie. Die Äußerungen Ahmadinedschads und

---

73 Alleine der Bau von Buschehr wird offiziell mit 840 Mio. US $ veranschlagt.

74 Anm.: Russische Waffenexporte folgen an dritter Stelle nach Indien und China. Sie beinhalten ältere MiG-29S-Kampflugzeuge (ohne Präzisionswaffen gegen Bodenziele), einige Su-24MK-Kampfflugzeuge älteren Datums, sowie S-200-Flugabwehrsysteme mit großer Reichweite, aber veraltetem Lenksystem. Wirbel verursachte im Herbst 2005 das auf ca. 700 Mio. US $ bezifferte Rüstungsgeschäft, welches 30 Boden-Luft-Raketen vom Typ Tor M1 einschloss, die eine Reichweite von 12 km und Objekte in bis zu 10 km Höhe treffen können. Sie sind in der Lage, Flugzeuge, unbemannte Drohnen sowie Cruise Missiles zu bekämpfen.

75 „Russland unterweist iranische Wissenschaftler am Moskauer Kurtschatow-Institut für Kernenergie und bildet Hunderte von Ingenieuren am AKW Nowoworonesch aus. Inspektoren der Internationalen Atomenergiebehörde (IAEA) haben entdeckt, dass sowohl russische Technologie zur Anreicherung von Uran als auch in Russland bereits angereichertes Uran in den von Iran fertiggestellten Zentrifugen verwandt wurde.“ Adomeit, 2006, S. 3.

die iranischen Beziehungen zu Syrien ließen die Grenzen dieser „strategischen Partnerschaft“ deutlich werden. Der russische Außenminister dachte öffentlich über den wirtschaftlichen Nutzen und eine reale Notwendigkeit für iranische Kernkraftwerke nach und ließ die Befassung des Sicherheitsrates in dieser Frage zu, sehr zur Enttäuschung der Iraner.[76]

Nach dieser Entscheidung ist eine deutliche Verstimmung in den iranisch-russischen Beziehungen festzustellen. Russland weigert sich seit längerem, den Reaktor in Buschehr zu bestücken, so dass dieser trotz Fertigstellung nicht hochgefahren werden kann, und begründet dies mit dem Ausbleiben von vereinbarten Zahlungen. Die iranische Regierung verweist auf die getätigten Geldtransfers und auf die Sicherheiten, die bereits hinterlegt wurden. Ferner haben die iranischen Militärs realisiert, dass die gelieferten Raketen-Abwehrsysteme eklatante Mängel in der Logistik und der Kommunikation aufweisen, so dass diese im Ernstfall nur bedingt einsatzfähig sind, gleiches gilt für Systeme der Luftwaffe, die aus Russland stammen.

Die Unterdrückung der eigenen Bevölkerung.

Die Liste der Vergehen an der eigenen Bevölkerung ist eine lange und schließt permanente Verletzungen der Menschenrechte, d.h. Verweigerung elementarer Bürgerrechte, Folter, willkürliche Verhaftungen bis hin zur Eliminierung[77] Andersdenkender ein. So sind alleine seit 1999 87 Zeitungen und Zeitschriften verboten worden. Etliche ehemalige Gefolgsleute Khomeinis haben sich abgewendet und stehen nun in offener Opposition zu den Regierenden in Iran. Ein herausragendes Ereignis 2002 war das Todesurteil gegen den Geschichtsprofessor Aghadschari, dessen Vergehen es war, in seiner Rede „Islamischer Protestantismus“ am 19. Juni in Hamadan, anlässlich des Gedenkens von Ali Shariati, einem der Ideologen der islamischen Revolution, eine religiöse Erneuerung zu fordern und gleichzeitig dazu aufrief, religiösen Führern nicht blind zu folgen. Das 39-seitige Manifest des Journalisten Akbar Ganji sorgte 2002 ebenfalls für Furore, da er Alternativen zur islamischen Republik Iran formulierte. Er publizierte aus dem Gefängnis heraus, nachdem er seit seiner Rückkehr von der Berlinkonferenz der Heinrich-Böll Stiftung im April 2000 und wegen seiner Veröffentlichungen zu den Serienmorden im Iran zu zehn Jahren Gefängnis

---

76 „Russland hat den Iran in einer sehr sensiblen Situation allein gelassen.“ Mortesa Bank im Gespräch mit chinesischen Verhandlungspartnern. Zitiert nach MEMRI Newsletter, 23.2.2006.

77 Vor allen wurden in den letzten beiden Dekaden viele unabhängig denkende Menschen beseitigt, darunter: Dr. Sami, Dariush, Foruhar, Parvane Eskandari, Majid Sharif, Jafar Muyandeh, Seyyid Sirjani, Pirus Dawani.

und zu weiteren fünf Jahren Verbannung verurteilt wurde. Zu erwähnen sind ferner das Verbot und die Verhaftung der Führung der Freiheitsbewegung und der National-Religiösen Allianz (eine vor 44 Jahren gegründete liberale Partei, deren Vorsitzender Mehdi Bazargan von Khomeini zum Premier der Übergangsregierung 1979 ernannt worden war). Der Rücktritt Ayatollah Taheris vom Amt des Freitagpredigers in Isfahan ist symptomatisch. Taheri hatte dieses Amt seit 30 Jahren inne und war einer der engsten Vertrauten des Verstorbenen Ayatollah Khomeini. Der 76-jährige begründete die Niederlegung des Amtes mit „Scham" und den „Qualen", die ihn erfüllen, wenn er mit ansehen muss, wie die Ideale der Revolution in ihr Gegenteil verkehrt werden. Bislang widersetzte sich Taheri allen Versuchen, seine Demission zu widerrufen. Die Verhaftung des Journalisten Siamak Purzand, der von Unbekannten verschleppt und zu hoher Haftstrafe verurteilt wurde, zeigt den schweren Stand, den kritische Medienvertreter in Iran inne haben. Nach monatelanger Folter im Gefängnis gab er vor Medienvertretern ein Geständnis ab, in dem er auch seine krebskranke Frau, die Frauenrechtlerin Mehrangiz Kar, des Verrats beschuldigte. Letztere war ebenfalls wegen ihrer Teilnahme an der Berliner Konferenz verurteilt worden, befand sich aber in den USA zur Behandlung. Erwähnt werden müssen die Verfahren gegen die Anwälte Seifzadeh, Soltani, Dadkhah, Ebadi, Zarafshan und Rahami, deren Vergehen es ist, die angeklagten Studenten aus den 1999 stattgefundenen Unruhen zu verteidigen. Alleine nach den Protesten im Sommer 2003 verschwanden über 4.000 Studenten und deren Sympathisanten. Trauriger Höhepunkt war der Tod von Zahra Kazemi, einer kanadischen Journalistin iranischer Herkunft, die den Sitzstreik protestierender Eltern am Tehraner Evin-Gefängnis am 23. Juni fotografierte und dort von Schergen der berüchtigten Teheraner Staatsanwalt und Richter Said Mortazawi verschleppt wurde. Als die Journalistin von diesen an den offiziellen Geheimdienst Vavak überstellt wurde, war sie bereits intensivpflichtig. Sie verstarb an den Folgen der Folter am 11. Juli, ohne das Bewusstsein wiedererlangt zu haben. Die offizielle Todesursache sollte zunächst vertuscht werden. Der untersuchende Gerichtsmediziner stellte einen Schädelbruch fest, der den Tod bewirkte und der durch äußere Gewalteinwirkung herbeigeführt worden war. Abschreckungen wie öffentliche Hinrichtungen und Amputationen sollen die Gewaltherrschaft des „velayate faqih" aufrechterhalten.

> „Diese Tage, sind schwarze und verlorene Tage für diejenigen Menschen, die nach einem hellen Morgen suchen, ein Morgen, an dem sie ihr Schicksal und ihre Regierung selbst bestimmen."[78]

---

78 „Offizieller iranischer Studentenverband appelliert an UNO", www.memri.de, The Middle East Research, Special Dispatch, 8.7.2003.

Irans innenpolitischen Probleme

Die Bevölkerung Irans hat sich in den letzten beiden Dekaden nahezu verdoppelt. Über 60 % der rund 70 Millionen Einwohner ist unter 30 und rund 50 % sind unter 20 Jahren. Kaum einer von diesen hat eine Vorstellung, wie es vor der islamischen Revolution 1979 war. Das Pahlevi-Regime war damals nicht in der Lage, ausreichende Zugänge zur Bildung und zu Beschäftigungsmöglichkeiten zu bieten, trotz der angelegten Reformmaßnahmen wie der weißen Revolution, der Landreform und des ehrgeizigen Industrialisierungsprozesses. Es sind erneut die Studenten, aber auch Frauen und Mädchen, die ihren Unmut über die herrschenden Zustände in Form von Demonstrationen und kritischen Beiträgen artikulieren. Es war eines der wenigen gelungenen Projekte der islamischen Revolution, das Bildungsprivileg des alten Regimes zu brechen und weit mehr Menschen Zugang zu Bildungseinrichtungen zu ermöglichen. Die demographische Entwicklung Irans verhinderte jedoch größere Optionen. Jetzt sollen diese Errungenschaften zurückgefahren werden.

Die politische Situation entzündet sich im Spannungsfeld zwischen Erneuerung und Diktatur. Iran mit seinen vielfältigen Machtzentren und Gruppen ist kein homogener Block. Mit dem Zugang zu den staatlich- und religiös verwalteten Ressourcen auch für die ärmeren Massen konnten größere soziale Unruhen bislang kanalisiert und abgefangen werden. Inwieweit das Establishment flexibel auf die neu aufgestellten Forderungen nach einem Plebiszit reagiert, bleibt abzuwarten. Zumal die Machtstrukturen im Iran längst nicht diejenigen sind, die sich offiziell abbilden. Neben Khamenei, dem Vorsitzenden des Wächterrats, ist nicht mehr der Präsident Ahmadinedschad der zweite Mann im Staate, sondern der ehemalige Präsident Rafsandschani und Vorsitzende des „Rats für die Feststellung der Interessen des Systems". Er ist es, der die „Fäden im Hintergrund" zieht und sich immer mehr Machtbefugnisse aneignet. – Und dennoch, das System „Islamische Republik" steht auf dem Prüfstand. Dabei verlaufen die aufgebauten Spannungen nicht nur zwischen „Reformern" und „Konservativen". Es sind viel mehr die Generationsunterschiede, die das eigentliche Konfliktpotential ausmachen und Zündstoff auch innerhalb von Familien bieten. Inwieweit die Redistribution der „Erdölrente" die Frustration der ärmeren Bevölkerungsschichten und der verarmten Mittelschicht in Zukunft noch auffangen kann, bleibt abzuwarten. Der Mehrheit der iranischen Bevölkerung geht es mehr als schlecht. Statt Wohlfahrt und Stabilität zu erfahren, wie die Protagonisten der „Islamischen Revolution" ihnen versprachen, durchlitten die Menschen die Übergriffe der islamischen Revolutionäre. In der ersten Phase der Revolution unter Khomeini und Blutrichter Khalkali wurden Tausende wegen fadenscheiniger Anschuldigungen zum Tode verurteilt. Schließlich fraß die iranische Revolution auch ihre Kinder. Bani

Sadr, der erste rechtmäßig gewählte Präsident, musste, in Frauenkleider versteckt, fliehen – und mit ihm seine Freunde, die Modjahedin-e Khalq. Diese hatten zunächst die islamische Revolution angeheizt und radikalisiert. Nachdem die linken dominierenden Parteien und Gruppen ausgeschaltet waren, fielen auch sie den Säuberungen zum Opfer. Zunächst dienten sie sich der Sowjetunion an und wurden später zur „fünften Kolonne" Saddam Husseins.

Der iranisch-irakische Krieg beförderte den Niedergang und blutete das Land nicht nur intellektuell aus, sondern forderte rund eine bis eineinhalb Millionen Tote. Der lange Krieg ging von irakischer Seite aus, um territoriale Ansprüche auf iranischem Gebiet durchzusetzen. Der Konflikt ging um die iranische erdölreiche Provinz Khuzestan und um den Verlauf des Schatt-al Arab. Bereits zwei Jahre nach dem Kriegsausbruch erkannte Sadam Hussein, dass sich seine Absichten nicht mit kriegerischen Mitteln umsetzen ließen, und bot der iranischen Regierung ein Friedensabkommen an. Doch Khomeini brauchte den Krieg, um seine innenpolitischen Gegner auszuschalten. Zudem unterlag er einer Fehleinschätzung seiner Revolutionsgarden, die ihn glauben machten, den Irak militärisch besiegen zu können. Erst 1988 einigten sich beide erschöpften Kriegsgegner in einem Waffenstillstandsabkommen auf den Status Quo.[79] Beide Kriegsparteien hatten sich in der Einschätzung der jeweiligen Minderheiten verschätzt. So sehr Saddam hoffte, dass die arabische Bevölkerung in Khuzestan zu ihm überlaufen würde, glaubte Teheran seinerseits an eine Massenerhebung der Schiiten in Irak – nur die jeweilige Bevölkerung dachte nicht daran.

Die iranische Wirtschaft hat sich seitdem nicht wieder erholt. Das amerikanische Embargo, verhängt seit der Geiselnahme der amerikanischen Diplomaten in Teheran, trug einen wesentlichen Faktor dazu bei. Die Konsequenzen müssen die Iraner tragen. Über 50 % verfügen heute über ein geringeres Einkommen als 1978. Das Versprechen der islamischen Revolutionäre, allgemeinen Wohlstand herbeizuführen, blieb unerfüllt. Die Angst des Establishments vor sozialen Unruhen ist daher mehr als verständlich. Zumal die Inflationsrate zwischen 30 und 50 % liegt. An der Spitze der Unzufriedenen finden sich inzwischen einige Vertreter, die 1978 bereits schon einmal an der Spitze der islamischen Bewegung standen. Mitglieder der Pasdaran und andere, die von der islamischen Revolution und ihren Ansprüchen enttäuscht wurden, sehen sich inmitten der Protestierenden. Auch an anderen Zahlen kann die Unzufriedenheit abgelesen werden: So kehren jährlich rund 180.000 gut ausgebildete Iraner dem Land den Rücken, um in Europa oder in den USA und in Kanada ihr Heil zu suchen.[80]

79 Auf der Grundlage des Abkommens von Algier vom 3.3.1975.

80 The International Monetary Fund report on brain-drain puts Iran at No 1 among 91 developing nations. Andere Quellen sprechen von 150 Personen täglich. Siehe: Liga Report,

Heute gibt es alleine in Kanada mehr iranische Ärzte als in Iran. Die Arbeitslosenquote von Jugendlichen liegt bei etwa 30 %. Auch die im Dezember 2006 vom UN-Sicherheitsrat verkündeten Verschärfungen greifen langsam. Nicht nur, dass die USA es geschafft haben, dass keine Mastercard mehr in Iran gültig sind und Konten diverser Banken eingefroren wurden, die internationalen Bestimmungen des „dual use" machen der iranischen Wirtschaft, die in weiten Teilen von Importen abhängig ist, sehr zu schaffen. Auch der internationale Zahlungsverkehr wurde deutlich erschwert und wird teilweise im Barverkehr abgewickelt.

Der iranische Staat ist einer der ältesten auf der Welt. Iran hat ein großes kulturelles und religiöses Erbe, und dessen Apparat hat geringe Absicht, sich in bigotte Frömmigkeit zu verstricken, im Gegensatz zu den Militanten, die die islamische Revolution weiter betreiben wollen. Auch Ahmadinedschad hat es nicht vermocht, die Freizügigkeit, die unter seinem Vorgänger Einzug gehalten hat, zurückzudrehen. Im Unterschied zu den Machthabern in Saudi-Arabien, die in den letzten Jahrzehnten ihre krude Vorstellung von Islam überall in der islamischen Welt umzusetzen versuchten, missionierten die Iraner kaum. Vergleicht man die zwölf Millionen zählende Stadt Teheran mit Riadh, der Hauptstadt Saudi-Arabiens, so finden sich in Teheran gerade mal 700 Moscheen, während in Riadh mit einer Bevölkerung von zwei Millionen ca. 1.500 Moscheen stehen.

Ein weiteres Ereignis, welches größte Beunruhigung im islamischen Establishment auslöste, war eine von einer staatlichen Agentur (Ayandeh) durchgeführte Meinungsumfrage bezüglich der Einschätzung der USA. Das Ergebnis war niederschmetternd: Bald 74 % der Befragten gaben an, ein positives Bild von den USA zu haben, und befürworteten einen Dialog mit den USA.[81] Dies, obwohl die islamische Propaganda seit 1979 die USA als den „großen Satan" bezeichnet. Die Umfrage bestätigte die Meinung aus vielen privaten Gesprächen, dass der Westen, insbesondere die USA, nichts von ihrer Faszination eingebüßt hat.

Eine andere Befragung im Jahre zuvor, die im Auftrag des Ministeriums für Islamische Führung landesweit durchgeführt wurde, erklärten gerade 6,5 % der Bevölkerung Teherans ihre Zufriedenheit mit dem Regime und über 40 % der landesweiten Bevölkerung lehnten das Regime ab.[82]

Nr. 23, Dezember 2002, S. 1; Liga zur Verteidigung der Menschrechte im Iran e.V., Berlin.

81 Ghazijan, Dozent und Leiter des Meinungsforschungsinstituts Ayandeh, und Behruz Granpajeh, Journalist und Leiter des nationalen Meinungsforschungsinstituts, Abbas Abdi, Journalist, sowie Mohsen Goudarzi, Direktor zur Einschätzung der Meinungen und Werte, wurden im Zusammenhang mit der Meinungsumfrage, die Ayandeh durchgeführt hatte und durch die staatliche Nachrichtenagentur IRNA am 22.9.2002 veröffentlich wurde, verhaftet. Siehe Liga Report 23, S. 10.

82 Liga Report, Nr. 23, Dezember 2002, S. 1, Liga zur Verteidigung der Menschrechte im Iran e.V., Berlin.

Die Indoktrinationsversuche der Religiösen müssen angesichts dieser Ergebnisse als gescheitert gelten.

Die Forderungen nach Veränderungen des politischen Systems liegen in der Luft. Immer wieder wird ein Referendum gefordert: Inhalt eines solchen Begehrens ist die Forderung, zwei Artikel aus der Verfassung zu streichen und sechs weitere abzuändern. Es geht darum, die Position des Obersten Rats (Wächterrat) abzuschaffen, dem Ayatollah Khamenei vorsteht, um Iran in eine Republik umzugestalten, mit Präsident und Parlament als politische Vertretung.

Auch innerhalb der Hardliner gibt es kaum noch jemanden, der das Prinzip des velayat-e faqih (Wächter der Geistlichkeit) verteidigt, welches einen Vertreter der Geistlichkeit vorsieht, als Stellvertreter des göttlichen Willens zu handeln, ausgestattet mit absoluter Gewalt.

Die Attacken Khameneis und Ahmadinedschads auf den Westen müssen vor dem Hintergrund der amerikanischen Präsenz in den Iran benachbarten Ländern gesehen werden. Besonders nach der Eroberung Iraks und Afghanistans wuchs die Angst in Iran, das nächste „Opfer" zu sein. Die besondere Rolle, die den USA in diesem geopolitisch sensiblen Raum zukommt, und die unausgesprochene militärische Bedrohung Irans durch die USA können sich durchaus negativ auf den Demokratisierungsprozess auswirken, indem sie einen iranischen nationalistischen „Reflex" auslösen und damit den Hardlinern in die Hände spielen.

„Kein bevorstehender Regierungswechsel im Iran", schreibt Johannes Reissner anlässlich eines Jour fixe zum Iran der Stiftung Wissenschaft und Politik am 18.6.2003. Ist das wirklich die Frage oder geht es eher darum, welche Weichen für die Zukunft in Iran gestellt werden?

Wenn man sich die Ereignisse, die der islamischen Revolution vorausgegangen waren, näher betrachtet, so gibt es mehr Parallelen, als den iranophilen Intellektuellen, wie Reissner, lieb sein kann. Es waren Studenten, die in der Vergangenheit Reformen erstritten und die dadurch gewonnenen Freiheiten zu weiteren Liberalisierungen nutzten. Bereits seit den Tagen Mossadeghs spielen Gedenktage eine wichtige Rolle, so z.B. der Shanzdahe Azar, der seit 1953 mit Demonstrationen begangen wurde. Ein Gedenktag der durch den Besuch des damaligen US Vizepräsidenten Nixon[83] in Iran ausgelöst worden war. Während seines Besuches in Iran kam es zu gewalttätigen Demonstrationen, bei denen drei Studenten zu Tode kamen. Auch am Vorabend der Islamischen Revolution waren es Studenten aus dem linken Spektrum, welche die kleinen Reformen des Schahs nutzten, um zu größeren Spielräumen zu gelangen. In einer Kaskade von schnellen Ereignissen, die freilich bereits 1977 in Studentenzirkeln mit kritischen Beiträgen und Literaturvorlesungen begannen, brach innerhalb kürzester Zeit

83 Es war kurz nach dem von den USA organisierten Putsch gegen die gewählte Regierung Mossadegh, der das iranische Erdöl nationalisierte und deshalb gestürzt wurde.

1979 die Pahlevi-Diktatur zusammen, nachdem der umstrittene Ministerpräsident Howeida das erste Bauernopfer in dem Spiel geworden war.

Das System schwankte. Die iranische Revolution benötigte eine Pause, die sie sich unter Khatami leistete. Während dieser Zeit wandten sich viele Getreue des Regimes ab und forderten Veränderungen. Auch die Autorität und Fähigkeiten Khameneis wurden öffentlich in Frage gestellt.[84] So wandte sich der offizielle Studentenverband „Büro zur Festigung der Einheit“, der an 30 Universitäten vertreten ist, in einem offenen Brief an den Generalsekretär der Vereinten Nationen, Kofi Anan, um die eklatanten Menschenrechtsverletzungen im Iran zu beklagen. Der Brief, der nicht namentlich unterzeichnet ist, sondern im Namen des Büros zur Festigung der Einheit geschrieben wurde, bedient sich einer Diktion, die ansonsten allenfalls Exilgruppen verwenden. „Wir, die Studenten und Mitglieder des islamischen Studentenvereins, die gewählten Vertreter der Universitäten des Landes, richten als einzige nicht verbotene derjenigen Organisationen, die in den vergangenen Jahren die Forderungen der Studenten vertraten und trotz des Druckes und der gegenwärtigen Auseinandersetzungen – aber .... in der Erkenntnis unserer Hoffnungslosigkeit bezüglich der Reformierbarkeit der existierenden Regierung – diesen Brief an Sie, damit sich angesichts des Berichts über die von der iranischen Regierung begangenen Menschenrechtsverletzungen, die Vereinten Nationen einschalten.“[85]

Alles mag äußerlich ruhig erscheinen, aber die jungen Menschen in den Städten leben schon längst ein anderes Leben, als es sich die Leute um Ahmadinedschad eingestehen.

Resümee

Das Wort vom Regimewechsel geht um in Washington, und die Falken der US-Politik, die über das Atomprogramm beunruhigt sind, drängen darauf, das System der islamischen Republik Iran zu stürzen. Die Art und Weise, wie dieses Ansinnen betrieben wird, ist der Vorgehensweise gegenüber dem Irak sehr ähnlich. Senator Sam Brownback brachte eine Vorlage ein, um den Iran zu demokratisieren. Er initiierte ein Gesetz, welches verdeckte Operationen in Höhe von 50 Millionen US $ finanzieren soll. Brownback ließ sich vom „Iraq Liberation Act“ von 1998 inspirieren. Damals entschied der Kongress, einen Regimewechsel in Irak herbeizuführen. Mit ähnlicher Argumentation plädieren Brownback und andere dafür, den Dialog im Iran mit den Reformern einzustellen und auf eine aggressivere

84 Savyon, Ayelet, 2 Iranian Intellectuals Against Khamenei – Dr. Qassem Sa’adi: ‚Your Foreign and Domestic Polities Are Failing and Despotic‘, Berlin, 2.3.2003, www.memri.de.

85 „Offizieller iranischer Studentenverband appelliert an UNO“, a.a.O., S. 1.

Gangart umzuschalten. Andere, wie Raymond Tanter, glauben, dass nur militärische Hilfe einen Regimewechsel herbeiführen kann. Sie gingen davon aus, dass innerhalb der nächsten Jahre Luftschläge gegen Iran durchgeführt werden.[86]

Doch neben all den Spekulationen über Absichten und Motive erscheint es klar, dass mit dem Antrag des Senators Sam Brownback „der den Umsturz der Regierung im Iran zum Ziel amerikanischer Politik erklären will", die Uhr für das iranische Establishment tickt. Die Weichen hin zu einer schleichenden Eskalation wurden damit gestellt. Ungeachtet der möglichen Optionen (militärisch-politisch), die zunächst in den Vordergrund gestellt werden.

Die Falken in der US-Politik verwechseln dabei den Iran mit dem Irak. Irak war unter Saddam Hussein eine Folterkammer für einen brutalen Diktator, der mit der Minderheit der sunnitischen Araber ein Schreckensregime errichtet hatte und alle anderen Minderheiten weitgehend von der Partizipation an der Macht ausschloss. Iran ähnelt, wie Taheri schreibt, eher einem doppelköpfigen Adler, der versucht, in entgegengesetzte Richtungen gleichzeitig zu fliegen. Im Unterschied zu Irak, ist die iranische Opposition weit entwickelt und in der iranischen Gesellschaft verankert. Die Auseinandersetzungen zwischen Hardlinern und Reformern sind hart und lebhaft, und darin besteht eine Chance, zu weiteren Veränderungen des iranischen Systems zu gelangen. Die iranische Bevölkerung ist sich bewusst, dass die kleinen Schritte zu mehr Freiheiten hart erkämpft werden müssen, und das macht die Qualität dieser Bewegung aus. Es ist nahezu ein Lebensgefühl geworden, sich der Willkür der Mollahs nicht mehr zu beugen. Zumal diese keinen monolithischen Block darstellen. Die Erosionserscheinungen des iranischen Establishment sind für jeden deutlich.

Der Populismus Ahmadinedschads verfängt nicht mehr. Die Iraner wollen eine qualitative Verbesserung ihrer Lebenssituation, und die ist mit Reformen am System nicht zu erreichen. Sie wollen einen Regimewechsel. Die Bevölkerung fordert auf unterschiedliche Art und Weise ihre Rechte ein und spätestens, wenn die unterschiedlichen demokratischen und reformerischen Gruppen die soziale Frage entdecken, wird die letzte Stunde des „velayat-e faqih" eingeleitet. Khatami ist in die Reihen des Establishment zurückgetreten, wie aus seinen jüngsten Äußerungen zu vernehmen ist. Rafsandschani, der ideologische Hardliner, aber durchaus politisch pragmatisch orientiert, ist das letzte Aufgebot zur Systemerhaltung, um dieses vor den populistischen Anwandlungen eines Ahmadinedschads zu schützen.

Iran durchläuft eine schwierige, aber spannende Phase der politischen Entwicklung, und es liegt an den USA und den Europäern, in wieweit die-

---

86 Wolffe, Richard, Stymied by Iran – George W. Bush has no clear idea how to tackle the country's twin threats of terrorism and nukes, Newsweek, 24.6.2003.

ser Prozess in eine Demokratie münden kann. Internationaler Druck auf Iran bezüglich des Nuklearprogramms, wegen seiner Unterstützung terroristischer Organisationen und vor allem wegen der Unterdrückung der eigenen Bevölkerung auf der einen Seite sollte in Unterstützung für die demokratischen Kräfte Irans münden. Zugeständnisse von Hilfen und Handelsabkommen sollten gepaart sein im Austausch mit Reformen.

Der Umgang mit den Strukturen in Iran erfordert Geduld und Fingerspitzengefühl, und es werden Fort- und Rückschritte zu beobachten sein. Es ist nicht zu erwarten, dass die Hardliner das Feld kampflos räumen werden. Weniger Brandreden gegenüber dem Iran wären durchaus hilfreich für die Opposition im Iran, denn für sie ist Ahmadinedschad keine Bedrohung des Weltfriedens, sondern ein „zahnloser Tiger".

Ahmadinedschad hat es vermocht, innerhalb kurzer Zeit vom ‚großen Unbekannten' zu einer fraglichen Popularität zu gelangen. Seine unsäglichen Ausführungen zum Holocaust führten dazu, dass er mit Adolf Hitler verglichen wird.[87] Der Verweis auf die historische Parallele, den seine zahlreichen internationalen Gegner, wie die Vertreterin der deutschen jüdischen Gemeinde, Frau Knoblauch, aber auch der ehemalige israelische Ministerpräsident Schimon Peres[88] wählen, zeigt die Dimension auf, die die öffentliche Debatte erreicht hat. Iran wird von der westlichen Politik auf das Atomprogramm reduziert. Der historische Vergleich mit Hitler impliziert und kategorisiert zugleich die verschiedenen Vorgehensweisen, sich dem Phänomen Ahmadinedschad zu nähern: Die Bemühungen der Europäischen Union (EU), vertreten durch die drei Staaten Deutschland, England und Frankreich, durch Verhandlungen mit dem Iran zu einer befriedigenden diplomatischen Lösung im Atomstreit zu kommen, werden damit indirekt in die Nähe der Chamberlain'schen Außenpolitik von 1938 gerückt. Suggeriert wird durch diese eindimensionale Betrachtungsweise von Geschichte, – das Nachgeben Europas vor der braunen Gefahr – die de facto-Zustimmung zur Umsetzung von Hitlers Vision vom 1000-jährigen Reich. Auf der anderen Seite stehen die Vereinigten Staaten von Amerika und Israel, die die drohende Gefahr sehen und deshalb jeglichen direkten Dialog mit dem Iran ablehnen – und die Krise um das iranische Atomprogramm nutzen, um den UN-Sicherheitsrat damit zu befassen. Die verschiedenen US-Regierungen müssen sich jedoch eklatante Versäumnisse und Untätigkeit vorwerfen lassen. Aufgrund ihrer Kenntnisse, die bis auf das Jahr 1992 zurückgehen, hätten sie die Aktivitäten des pakistanischen Atomwissen-

87 Auch Milosovic und Sadam Hussein wurden mit Hitler verglichen.

88 „Seit Hitler ist er der erste, der sich hinstellt und sagt, das jüdische Volk müsse vernichtet werden ... Hitler hat Vernichtungslager eingerichtet, er (Ahmadinedschad) will die Bombe für, wie er sagt, zivile Zwecke. Wir wissen genau, was er vorhat, und deshalb müssen wir seine Erklärungen ernst nehmen." 25.4.2006 Krakau, Israelischer Rundfunk, zitiert nach: Iran-Report, Nr. 05/2006, 5. Jhrg., S. 14.

schaftlers Abdul Qader Khan unterbinden können und müssen, wenn es ihnen wirklich um die Verhinderung der nuklearen Proliferation gegangen wäre.

Im UN-Sicherheitsrat brachten England und Frankreich[89] einen Entwurf ein, der dem Iran zwar das Recht auf die zivile Nutzung der Atomenergie einräumt, aber auch Maßnahmen nach Kapitel 7 vorsieht.[90] Nachdem der Entwurf auf Ablehnung der beiden Sicherheitsratsmitglieder Russland und China stieß, erklärten sich die USA überraschend bereit, sich an den Gesprächen mit dem Iran direkt zu beteiligen, allerdings unter der Bedingung, dass die Urananreicherung sofort ausgesetzt wird.

Iran fordert aber Gespräche ohne Vorbedingungen und lehnt bislang die Aussetzung der Urananreicherung ab. Was bleibt, ist das „Säbelrasseln“,[91] welches die internationale Debatte dominiert. Die iranischen Verhältnisse und Machtstrukturen sind aber komplexer, als es die eindimensionale Debatte um das iranische Nuklearprogramm suggeriert.

Nasrin Alavi fordert eine differenzierte Sichtweise der iranischen gesellschaftlichen Bedingungen und beurteilt die Figur Ahmadinedschad als schwach und zahnlos: „Yet there is no crowing about uranium enrichment among ordinary Iranians, who are more interested in whether Ahmadinedschad can deliver on his electoral promises. They don't speak in hushed voices as they go through a daily litany that makes up much of the conversations on busses and taxis: inflation, economic stagnation, unemployment, corruption, poverty and drugs. To them, Ahmadinejad is not an all-powerful head of a monolithic regime, but a toothless president that can be overruled at any time by figures and institutions that make up a fracturing elite.“[92]

---

89 Iran ist seit 1974 an der französischen Anreicherungsanlage Sofidif und Eurodif beteiligt und hat das Recht, 10 % der Urananreicherung für seine Kernkraftwerke zu erhalten. Siehe: Greenpeace Magazin, 2, 2007, www.greenpeace-magazin.de/magazin/tagesthemen /tt_list.php?p=71363&more=1.

90 „Auf der Grundlage des siebten Kapitels der UN-Charta ordnet der Sicherheitsrat darin das unverzügliche Ende der Urananreicherung an. Anderenfalls drohen ‚weitere Maßnahmen‘. Kapitel 7 ermächtigt den Sicherheitsrat zu Sanktionen bis hin zu Militärschlägen.“ Zitiert nach: „Neue Iran-Resolution von West-Staaten“, 3.5.2006, in: Netzeitung, www .netzeitung.de/ausland/396139.html.

91 „Supreme Leader Ayatollah Seyyed Ali Khamenei here Wednesday said Iran is the sole country, whose people and elite have unanimously and resolutely stood up to the bullying of hegemonic powers.“ Siehe: „Iran has unanimously stood up to hegemonic powers, says Supreme Leader“, in: Mehrnews.com, 28.7.2006; www.mehrnews.com/en/NewsDetail .aspx?NewsID=346096.

92 Alavi, Nasrin, Iran: the elite against the people, in: Open Democracy, 22.5.2006; www .opendemocracy.net/debates/article.jsp?id=3&debateId=138&articleId=3571.

Eine Betrachtung, die sich auch in den zahlreichen Karikaturen iranischer Zeichner wiederfindet und einen Blick hinter die aufgebauschten Wogen westlicher Berichterstattung ermöglicht, die teilweise an Propagandamanöver vergangener Zeiten erinnert. Nik Kowsar ist einer von denen, die die vorangehende Karikatur erstellten.[93]

93 Siehe www.sicknick.org/archives/04/iranian_reforms.shtml.

Anhang

Stichwortregister

Das nachstehende Register zeigt Stichwörter und ihre Fundstellen dann, wenn sich im Text der AutorInnenbeiträge eingehende Ausführungen finden. Es zeigt nicht jedes Vorkommen eines Stichwortes über alle Texte und auch nicht jedes erste Vorkommen innerhalb eines Beitrages. Mithin sind im Umfeld der bezeichneten Fundstelle weitere Aussagen zum Stichwort zu erwarten. Von Fall zu Fall werden Fundstellen mit einem Stichwort angezeigt, das sich im Text nicht unmittelbar wiederfindet. Hier wird versucht, verwandte Gegenstände mit Bezeichnungen anzusprechen, die aus anderen Kontexten – auch solchen anderer AutorInnen – gewonnen wurden.

1

A

B

C

D

E

F

G

H

I

J

K

L

M

N

O

P

R

S

T

AUTORINNEN UND AUTOREN

El Masry, Ingrid, Universität Marburg.

Gärtner, Heinz, Österreichisches Institut für internationale Politik (OIIP), Wien.

Ingber, Michael, freiberuflicher Bildungsreferent, Wien.

Johannsen, Margret, Institut für Friedensforschung und Sicherheitspolitik (IFSH), Hamburg.

Kneissl, Karin, Journalistin, Dozentin und Beraterin, Wien.

Meyer, Berthold, Hessische Stiftung für Friedens- und Konfliktforschung (HSFK) Frankfurt/Main, Universität Marburg.

Pohly, Michael, Freie Universität Berlin.

Ruf, Werner, Universität Kassel.

Sensenig-Dabbous, Eugene, Notre Dame University (NDU), Libanon.

Strutynski, Peter, Universität Kassel.

Tuschl, Ronald H., European University Center for Peace Studies (EPU), Stadtschlaining.

Globales Konfliktpanorama 2006[1]

GLOBALE ENTWICKLUNG

Im Jahr 2006 werden 278 politische Konflikte gezählt. Sechs davon sind Kriege und 29 ernste Krisen; damit werden insgesamt 35 Konflikte mit massivem Gewalteinsatz ausgetragen. 83 Konflikte werden als Krisen klassifiziert, was bedeutet, dass nur gelegentlich Gewalt eingesetzt wird. Insgesamt werden 118 Konflikte mit Gewalteinsatz ausgetragen. Dagegen gibt es 160 gewaltlose Konflikte, die in 100 manifeste und 60 latente Konflikte unterschieden werden können Im Vergleich zum letzten Jahr erhöht sich die Anzahl der Konflikte, die auf der höchsten Intensitätsstufe ausgefochten werden, signifikant von zwei auf sechs Kriege. Diese sechs Konflikte sind Somalia (verschiedene Rebellengruppen), Sudan (Darfur), Sri Lanka (LTTE), Afghanistan (Taliban), Irak (Rebellen) und Israel (Hisbollah). Zwei dieser Kriege, Sudan (Darfur) und der Konflikt im Irak (Aufständische) sind auch im Vorjahr, wie bereits 2004, auf derselben Intensitätsstufe geführt worden. Von den vier Kriegen, die 2005 nicht auf dieser höchsten Intensitätsstufe ausgetragen worden sind, sind Afghanistan (Taliban) und Israel (Hisbollah) im Jahre 2005 ernste Krisen gewesen. Im Vergleich dazu sind die Konflikte in Somalia (mehrere Rebellengruppen) und in Sri Lanka (LTTE) 2005 mit einem relativ geringen Ausmaß an Gewalt ausgetragen worden. Die Anzahl ernster Krisen erhöht sich 2006 leicht von 26 auf 29. Insgesamt steigt die Anzahl von Konflikten auf den zwei höchsten Intensitätsstufen von 28 im Jahre 2005, der niedrigsten Anzahl seit Jahrzehnten, auf 35 im Jahre 2006. Die Anzahl der Krisen, die Konflikte mittlerer Intensität darstellen, sind leicht zurückgegangen – von der seit 1945 höchsten Anzahl von 90 im Jahr 2005 auf 83 im Jahr 2006. Während dies einerseits auf Deeskalationsprozesse zurückzuführen ist, erkennt man andererseits, dass die sehr hohe Anzahl von Krisen 2005 ein klar erkennbares Warnsignal gewesen ist. Sie hatte angedeutet, dass die niedrigste Zahl hochgewaltsamer Konflikte aller Zeiten im Jahr 2005 nicht der Beginn eines Trends hin zu einer friedvolleren Welt gewesen ist, da acht Krisen in diesem Jahr zu hochgewaltsamen Konflikten eskalierten. Die Anzahl von Konflikten auf den nichtgewaltsamen Intensitätsstufen erhöht sich von 156

1 Das Globale Konfliktpanorama wurde uns freundlicherweise vom Heidelberger Institut für Internationale Konfliktforschung (HIIK) zur Verfügung gestellt. Die vollständige Version findet sich unter www.hiik.de zum Download.

auf 160 um vier. Während manifeste Konflikte von 93 auf 100 ansteigen, reduziert sich die Anzahl latenter Konflikte leicht von 63 auf 60. Die Gesamtzahl von Konflikten steigt von 274 auf 278, da fünf Konflikte 2005 geendet haben und neun neue Konflikte im Jahr 2006 entstehen. Diese verteilen sich wie folgt: In Europa sind 2005 zwei Konflikte beendet worden. 2006 endet mit der Unabhängigkeit Montenegros der Sezessionskonflikt zwischen Serbien und Montenegro [Serbien und Montenegro (Montenegro)]. Kein neuer Konflikt entsteht im Jahr 2006 in Europa. In Afrika haben 2005 drei Konflikte geendet, und drei neue entstehen 2006. In den Amerikas ist 2005 kein Konflikt beendet worden, es entstehen 2006 jedoch drei neue. In Asien und Ozeanien ist 2005 ebenfalls kein Konflikt beendet worden, 2006 endet jedoch einer. In dieser Region entstehen zwei neue Konflikte im Jahr 2006. Im Vorderen und Mittleren Orient endet kein Konflikt, dafür tritt ein neuer auf. Von den neun neuen Konflikten werden lediglich drei nichtgewaltsam ausgetragen, während vier als Krisen beginnen und zwei als ernste Krisen: Sudan (Nuer, White Army – SPLM/A) und Guinea-Bissau (MFDC-Sadio). Zum Zweck der Langzeitanalyse werden die fünf Konfliktintensitäten zu drei Kategorien zusammengefasst: Die zwei nichtgewaltsamen Stufen werden als Konflikte niedriger Intensität verstanden, Krisen als mittlere Intensität und ernste Krisen und Kriege als Konflikte hoher Intensität. Die Grafik[2] oben zeigt auch die Gesamtzahl der beobachteten Konflikte. Wie in der Grafik zu erkennen ist, hat sich die Anzahl der jährlich beobachteten Konflikte mehr oder weniger kontinuierlich von 74 im Jahre 1945 auf 78 im Jahr 2006 erhöht. Die meisten Konflikte sind Konflikte niedriger Intensität. Bei Betrachtung der Konflikte hoher Intensität fällt ein ständiger und zumeist gleichmäßiger Anstieg von sieben 1945 auf 42 im Jahr 2004 auf, der nur durch kurze Phasen der Deeskalation unterbrochen wird. Nach dem auffälligen Rückgang des vergangenen Jahres auf nur 28 steigt die Zahl 2006 erneut auf 35 an – wenn auch nicht auf den vorherigen absoluten Höchststand. Dieser höchste Stand ist 1992 kurz nach dem Zusammenbruch der Sowjetunion mit 46 Konflikten hoher Intensität erreicht worden. Vergleicht man die Graphen hoher und mittlerer Intensität, ist eine diametrale Entwicklung im Anstieg und Fall der Kurven zu beobachten. Nimmt die Anzahl der hochgewaltsamen Konflikte zu, nimmt die der Konflikte mittlerer Intensität ab und umgekehrt. Dies deutet an, dass deeskalierende hochgewaltsame Konflikte häufig auf einem gewaltsamen Niveau verbleiben, während Krisen häufig zu hochgewaltsamen Konflikten eskalieren. In vielen Fällen oszillieren einzelne Konflikte zwischen den Stufen einer Krise und einer ernsten Krise beziehungsweise eines Krieges.

2 Grafiken siehe in der Vollversion unter www.hiik.de.

Analyse innerstaatlich – zwischenstaatlich

Im Jahr 2006 werden insgesamt 196 innerstaatliche und 76 zwischenstaatliche Konflikte gezählt. Die Abweichung der Summe inner- und zwischenstaatlicher Konflikte von der Gesamtzahl aller Konflikte ist darauf zurückzuführen, dass bestimmte Konflikte nicht in dieses Schema passen. Diese Konflikte, die transnational genannt werden konnen, sind dadurch charakterisiert, dass eine der Konfliktparteien ein nichtstaatlicher Akteur ist, dessen Hauptoperationsbasis sich in einem anderen Land befindet als der Gegner, der ein staatlicher oder nichtstaatlicher Akteur sein kann. Von den sechs Kriegen und 29 ernsten Krisen sind ein Krieg und zwei ernste Krisen transnational: Der Krieg wird im Vorderen und Mittleren Orient zwischen der Hisbollah, die ihre Hauptbasis im Südlibanon ist, und Israel [Israel (Hisbollah)] geführt, die beiden ernsten Krisen finden in Afrika südlich der Sahara statt. Guinea-Bissau wird von senegalesischen Rebellen attackiert [Guinea-Bissau (MFDC-Sadio)], und sudanesische Janjaweed-Milizen überqueren die Grenze in den Tschad und greifen die Bevölkerung an [Tschad (ethnische Gruppen)]. Eine ernste Krise wird zwischen Staaten ausgefochten [Israel – Libanon], die übrigen 31 hochgewaltsamen Konflikte sind alle innerstaatlich. Von den 83 Krisen ist eine transnational [Kenia (ethnische Gruppen)], 77 innerstaatlich und fünf zwischenstaatlich [Armenien – Aserbaidschan; Bangladesch – Indien; Japan – Russland (Kurilen); Nordkorea – Südkorea; Tschad – Sudan]. Von den 100 manifesten Konflikten sind 64 innerstaatlich. Nur hinsichtlich latenter Konflikte übertrifft die Anzahl zwischenstaatlicher die innerstaatlicher Konflikte mit 35 zu 24. Die Langzeitanalyse, für welche ernste Krisen und Kriege zu einer Gruppe zusammengefasst worden sind, zeigt deutlich, dass innerstaatliche Konflikte hoher Intensität von Beginn des Untersuchungszeitraums an dominierten.

Regionale Entwicklungen

Mit insgesamt 90 Konflikten werden die meisten – etwa ein Drittel aller Konflikte weltweit – in Asien und Ozeanien ausgetragen. Diese Region weist mit 38 auch die höchste Anzahl von Krisen sowie mit 43 die meisten nichtgewaltsamen Konflikte auf. Hinsichtlich hochgewaltsamer Konflikte allerdings befinden Asien und Ozeanien sich nach Afrika südlich der Sahara und dem Vorderen und Mittleren Orient nur auf dem dritten Platz. Afrika bleibt wie in den Vorjahren die Region mit der höchsten Anzahl hochgewaltsamer Konflikte. Mit 15 – sechs mehr als 2005 – werden in diesem Jahr fast die Hälfte aller hochgewaltsamen Konflikte in Afrika geführt, während es sich hinsichtlich der Konfliktgesamtzahlen mit 74 nur auf dem zweiten Platz befindet. Mit 45 finden in Europa wie in früheren Jahren die drittmeisten Konflikte statt, von diesen jedoch nur einer auf der Stufe eines hochgewaltsamen Konflikts. Dies ist insbesondere im Vergleich zum Vorderen und Mittleren Orient bemerkenswert. Dort werden mit insgesamt 42 Konflikten drei weniger als im Jahr 2005 gezählt, aber neun von ihnen sind hochgewaltsame Konflikte. Daher ist der Vordere und Mittlere Orient die Region mit der zweithöchsten Anzahl hochgewaltsamer Konflikte. Und in den Amerikas, die wie Europa eine geringe Anzahl hochgewaltsamer Konflikte in diesem Jahr aufweisen, wird eine signifikant niedrigere Gesamtzahl von Konflikten ausgetragen, d.h. nur 27. Mit dieser Zahl bleiben die Amerikas die Region mit der niedrigsten Gesamtzahl an Konflikten. Wird die Anzahl von Konflikten in Beziehungen zur Anzahl von Staaten gesetzt, wird noch deutlicher, wie relativ friedlich die Amerikas und Europa mit durchschnittlich nicht einmal einem Konflikt pro Land sind. Die Anzahl hochgewaltsamer Konflikte pro Staat beläuft sich in diesen Region auf beinahe Null. Hinsichtlich einer solchen Konfliktquote haben Afrika und der Vordere und Mittlere Orient die traurige Führungsposition gegenüber anderen Regionen inne, allerdings in umgekehrter Rangfolge. Während Afrika in absoluten Zahlen die meisten hochgewaltsamen Konflikte aufweist, hat der Vordere und Mittlere Orient eine leicht höhere Rate solcher Konflikte per Staat. Interessant ist der wechselnde Rang Asiens, wenn die relative statt der absoluten Konfliktzahl berücksichtigt wird. In Bezug auf die absolute Anzahl hochgewaltsamer Konflikte bleibt Asien auf dem dritten Platz, aber bezüglich der relativen Gesamtzahl von Konflikten, bei denen Asien an erster Stelle steht, hat der Vordere und Mittlere Orient mit fast 2,5 Konflikten pro Staat die meisten. Afrika steht an zweiter, Asien an dritter Stelle, gefolgt von Europa mit immer noch nur fast einem pro Staat. Die Amerikas sind die konfliktärmste Region.

Dynamiken innerhalb einzelner Konflikte

Von 2005 auf 2006 sind 177 Konflikte auf derselben Intensitätsstufe verblieben. Insgesamt 46 Konflikte sind eskaliert, davon elf um zwei Stufen, 35 um eine. 46 Konflikte sind deeskaliert, sechs davon um zwei Stufen, 40 um eine. Von den elf Konflikten, die um zwei Stufen eskaliert sind, haben sich sieben von einem latenten Konflikt zu einer Krise entwickelt und zwei von manifesten Konflikten zu ernsten Krisen [Senegal (MFDC Sadio] und Israel-Libanon [internationale Macht)]. Zwei Krisen sind zu Kriegen eskaliert [Somalia (verschiedene Rebellengruppen) und Sri Lanka (LTTE)]. Von den 35 im Jahr 2006 hochgewaltsamen Konflikten sind 14 laufende Konflikte im Vorjahr nicht auf dieser Stufe ausgetragen worden. Zwei sind manifeste Konflikte gewesen (siehe oben), doch zwölf sind bereits als Krisen gezählt worden, was bedeutet, dass die Gewalt sich lediglich intensiviert hat. Zwei andere hochgewaltsame Konflikte sind im Jahr 2006 neu, d.h. sie sind bereits im Jahr ihres Entstehens hochgewaltsam. Insgesamt 46 Konflikte sind deeskaliert, sechs davon um zwei Stufen, 40 um eine. Von den sechs Konflikten, die um zwei Stufen deeskaliert sind, haben sich alle von gewaltsamen zu nichtgewaltsamen Konflikten entwickelt. Zwei sind von einer ernsten Krise zu einem manifesten Konflikt deeskaliert [Burundi (Hutu – Tutsi) und Kolumbien (ELN)] und vier von einer Krise zu einem latenten Konflikt.

Konfliktgegenstände

2006 werden die meisten Konflikte aufgrund ideologischer Differenzen beziehungsweise mit dem Ziel der Veränderung des politischen Systems (z.B. säkularer Staat vs. Theokratie oder religiöse Differenzen) ausgetragen (73), wie auch schon 2005. Der zweithäufigste Konfliktgegenstand ist wie 2005 das Streben nach nationaler Macht. Fast die Hälfte der ideologischen Konflikte und etwas mehr als die Hälfte der Konflikte um die nationale Macht werden mit dem Einsatz von Gewalt geführt. In den meisten Fällen wird Gewalt nur vereinzelt eingesetzt, aber jeweils zehn der ideologischen und nationalen Machtkonflikte sind hochgewaltsam. Sezession und regionale Vorherrschaft, beides innerstaatliche Gegenstände, sind sogar noch gewaltanfälliger, sowohl 2006 als auch 2005. Beide werden in mehr als der Hälfte der Fälle gewaltsam verfolgt und in fast einem Viertel der Fälle (Sezession) oder gar noch häufiger (regionale Vorherrschaft) hochgewaltsam. Autonomie, ebenfalls ein innerstaatlicher Gegenstand, wird in einem Drittel der Fälle gewaltsam verfolgt, zweimal sogar mit hoher Gewalt. Im Unterschied zu 2005 werden in diesem Jahr alle Konfliktgegenstände – außer dem faktisch nicht mehr existierenden Gegenstand der Dekolonisation – in mindestens einem Fall mit dem Einsatz hoher Gewalt verfolgt. Dies ist recht außergewöhnlich, da internationale Macht und Territorium zwischenstaatliche Streitguter darstellen und zwischenstaatliche Konflikte heutzutage meist ohne Gewalteinsatz geführt werden. Diese Ausnahme im Jahr 2006 ist auf den israelischen Einmarsch in den Libanon [Israel – Libanon] zurückzuführen, der um internationale Macht und Territorium ausgetragen wird. Es ist zu beachten, dass Konflikten sehr oft mehr als ein Gegenstand zugrunde liegt. Häufig vorkommende Kombinationen sind Ressourcen zusammen mit Territorium, nationaler oder internationaler Macht oder regionaler Vorherrschaft sowie System/Ideologie mit nationaler oder internationaler Macht. Zwischen den einzelnen Regionen bestehen auffällige Unterschiede in der Häufigkeit der Gegenstände. In Europa ist Sezession der häufigste Gegenstand, dicht gefolgt von Territorium. System/Ideologie und nationale Macht, der weltweit höchste Gegenstand, kommt nur sehr selten vor. Die hohe weltweite Häufigkeit dieser Gegenstände ist darauf zurückzuführen, dass System/Ideologie der häufigste Gegenstand in den Amerikas, Asien und dem Vorderen und Mittleren Orient ist und nationale Macht der häufigste in Afrika. Und während der Gegenstand regionale Vorherrschaft häufig in Afrika und Asien vorkommt, ist er in Europa unbekannt, sowohl 2006 als auch in den Vorjahren. Die unterschiedliche Verteilung der Gegenstände spiegelt auch den Umstand wider, dass zwischenstaatliche Konflikte in Europa sehr viel verbreiteter sind als in Afrika und Asien, wo innerstaatliche Konflikte deutlich dominieren.

Putsche

Nach dem letztjährigen Rückgang der Zahl beobachteter Putsche und Putschversuche von dem Höchststand von zehn Putschversuchen im Jahr 2004 auf drei erfolgreiche Putsche im Jahr 2005 finden 2006 nur zwei erfolgreiche Regierungsumstürze statt. Beide sind in der Region Asien und Ozeanien zu beobachten gewesen. In Thailand übernimmt General Sonthi Boonyaratglin am 19. September nach Monaten politischer Unruhen erfolgreich die Macht. Unterstützt von König Adulyadej wird eine Übergangsregierung ein- und werden Neuwahlen für 2007 angesetzt [Thailand (Putschisten)]. Seit dem 2. November droht das Militär der Fidschi-Inseln wiederholt einen Putsch als Reaktion auf ein Gesetz der Regierung an, das den Putschisten von 2000 Amnestie gewähren würde. Am 5. Dezember schließlich übernimmt Commodore Frank Bainimarama die Kontrolle über das Land. Obwohl dieses Datum außerhalb des Beobachtungszeitraums liegt, wird dieser erfolgreiche Putsch hier berücksichtigt [Fidschi (ethnische Gruppen)]. Im Allgemeinen werden in mehreren Fällen Anschuldigungen über geplante Putsche nach wie vor als Mittel zur Unterdrückung der Opposition benutzt. Dies kann unter anderem in Burundi [Burundi (Opposition)] sowie in Simbabwe [Simbabwe (Opposition)] beobachtet werden.

Terrorismus

Terrorismus ist kein neues Phänomen. Europa ist seit Jahrzehnten mit dieser Art von Gewalt konfrontiert worden, mit der ETA in Spanien oder der IRA in Nordirland. Doch mit den Ereignissen des 11. Septembers 2001 scheint der Terrorismus eine neue Qualität erreicht zu haben. Von fundamentalistischem religiösen Glauben angetrieben, plant das transnationale Al Qaida-Netzwerk Angriffe – üblicherweise Selbstmordattentate – weit im voraus, um große Effekte mit massivem Ausmaß an Zerstörung und vielen Opfern zu erzielen, die die größtmögliche öffentliche Aufmerksamkeit auf sich ziehen sollen. Dies kann auch dann erreicht werden, wenn die Angriffe nicht erfolgreich sind, wie besonders durch die gescheiterten Anschläge in Deutschland und Großbritannien in diesem Jahr deutlich wird.

Am 31. Juli wird in der Nähe der deutschen Städte Hamm und Mönchengladbach ein Anschlagsversuch unternommen. Zwei mit Sprengstoff gefüllte und in örtlichen Zügen platzierte Koffer detonieren aufgrund von Konstruktionsfehlern nicht. Am 21. August nehmen die deutschen Behörden die Libanesen Jihad Hamad und Yusuf al-Haj Dib fest. Diese sind durch Videoüberwachung auf den Bahnhöfen als diejenigen Personen identifiziert worden, die die Bomben in den Zügen platziert haben. Von beiden wird eine Verbindung zur radikalen Gruppierung Hizbut-Tahrir angenommen, die im Januar in Deutschland verboten worden ist.

Am 10. August vereiteln die britischen Behörden einen Terroranschlag, bei dem zeitgleich Bomben in zehn zwischen Großbritannien und den Vereinigten Staaten verkehrenden Flugzeugen detonieren sollten. Noch am selben Tag werden 23 Personen im Zusammenhang mit dem Anschlag verhaftet. Sieben weitere Personen werden einen Tag später in Pakistan festgenommen. Am 11. August klagen die britischen Behörden elf Personen für den versuchten Terroranschlag an.

In Jordanien, wo die Al Qaida im November 2005 Bombenanschläge auf Hotels der Hauptstadt Amman verübt hat, gelingt den Behörden die Verhinderung eines weiteren Selbstmordanschlags gegen eine belebte zivile Einrichtung, der angeblich von dem terroristischen Netzwerk geplant worden ist. Zwei Iraker und ein Libyer werden noch am selben Tag im Zusammenhang mit der Verschwörung festgenommen.

Karikaturenstreit

Am 30.9.2005 veröffentlicht eine dänische Zeitung der rechten Mitte, Jyllands-Posten, zwölf Karikaturen des Propheten Mohammed. Am 10.9.2005 verlangen die Führer von Dänemarks Islamischer Glaubensgemeinschaft, dass sich Jyllands-Posten für seine Entscheidung, die Abbildungen zu veröffentlichen, entschuldigt, da diese die religiösen Gefühle zahlreicher Muslime kränkten und als blasphemisch aufgefasst werden würden. Zusätzlich bitten zehn Tage später elf Botschafter muslimischer Länder den dänischen Ministerpräsidenten Fogh Rasmussen um ein Treffen. Dort sollen mögliche Reaktionen der dänischen Regierung auf die Karikaturen erörtert werden. Zu dieser Zeit demonstrieren bereits zahlreiche Menschen auf den Straßen von Kopenhagen und fordern eine formelle Entschuldigung der Zeitung. Als die Versuche des Sprechers der Islamischen Glaubensgemeinschaft scheitern, reist eine Delegation in den Vorderen und Mittleren Orient, um sich unter anderem in Ägypten, Syrien und dem Libanon mit Politikern, Journalisten und religiösen Führern zu treffen. Bei diesen Treffen präsentiert die Delegation ein Buch, das angeblich die in europäischen Zeitungen veröffentlichten Karikaturen des Propheten zeigt. Die religiösen Führer verurteilen diese Bilder als beleidigend und blasphemisch. In den folgenden Wochen eskaliert die Krise in vielen Ländern mit muslimischen Mehrheiten. Die Außenminister der Staaten der Arabischen Liga (AL) beschuldigen den dänischen Ministerpräsidenten, die Situation herunterzuspielen. Zahlreiche AL-Staaten ergreifen unilaterale Maßnahmen, etwa Handelsboykotte. Zusätzlich boykottieren viele arabische Verbraucher Produkte aus Dänemark, Italien und Großbritannien. Auf dem Höhepunkt der Krise im Februar 2006 kommt es bei Demonstrationen zu gewaltsamen Ausschreitungen. Die Flaggen europäischer Länder werden verbrannt. Menschen aus europäischen Ländern oder mit christlichem Hintergrund sowie europäische Botschaften sehen sich mit gewaltsamen Übergriffen konfrontiert. Mehr als 100 Personen werden getötet, noch mehr verletzt. Vier Argumente werden im Verlauf der Krise wiederholt vorgebracht: Viele Politiker, Journalisten und Intellektuelle, insbesondere der europäischen Demokratien, argumentieren, dass eine Reaktion der dänischen Regierung, wie sie sich mehrere arabische Länder erhoffen, einem zentralen Merkmal liberaler Demokratien widersprechen würde: der Pressefreiheit. Auf Grundlage dieses Arguments drucken auch weitere europäische Zeitungen die Karikaturen ab. Andererseits vertreten viele Politiker und Journalisten oder Intellektuelle aus europäischen und AL-Ländern den Standpunkt, dass die Veröffentlichung der Bilder Achtung vor den religiösen Traditionen des Islam vermissen ließen, negative Stereotype verbreiteten und Islamphobien in Europa schürten. Schließlich veröffentlicht Jyllands-Posten eine Erklärung, in der die Herausgeber sich für die durch die Karikaturen verursachte Kränkung entschuldigen. Dieser Schritt deeskaliert die Krise. Dennoch bleiben Spannungen zwischen Muslimen und Nicht-Muslimen bestehen sowie zwischen religiösen und säkularen Bürgerinnen und Bürgern europäischer Länder. Dies wird einmal mehr deutlich, als eine Rede von Papst Benedikt XVI in Regensburg, Deutschland im September 2006 zu erneuten Spannungen führt.

Der Karikaturenstreit und das Missverständnis, gefolgt von einem Zitat des Papstes zum Beweis vom „Kampf der Kulturen"?

Kommentar von Gerrit F. Schlomach

It seems that boycott calls, threats on Pope Benedict XVI's life as well as attacks on embassies and churches express Muslim feelings towards the cartoon controversy and the misunderstandings following a quotation by the pope. What circumstances are behind these so different incidences with so similar reactions in the Muslim Arab region? Based on the published opinions and the pictures from Arab streets, one could quickly get the impression that a „clash of civilizations" is under way. At least since 9/11, this view hovers around the region of the Middle East and Maghreb. Thus, Arabs and Muslims feel that they are usually identified as a threat by „Western" political leaders. Sometimes even regional actors claim that the regional economic backwardness was a result of alleged „Jewish Christian" hegemonic ambitions. With regard to the recent so-called Cartoon Crisis, the „West" has been accused of double standards. On one hand, the publication of cartoons depicting the prophet Mohammed, that Muslims all over the world felt insulted by, was justified by the freedom of speech and opinion. On the other, many Muslims feel that this right would have limitations when Judaism is concerned, giving rise to the accusation of anti-Semitism. However there are also some more moderate voices in the region. Among them the „Amman Message" presented by Sheikh Al-Tamimi in 2004, opposing the self-fulfilling hypothesis of Huntington and emphasizing tolerance and peaceableness of Islam. Also the open letter of 38 Islamic leaders to the Pope showed the same concern, explicitly referring to the Regensburg speech and stressing the need for inter-religious dialogue. It is inadequate to perceive „Islam" or „the Muslim world" as one homogenous conflict party because of its complex shape and its internal fault lines. Nevertheless, anybody can refute that an impartial analysis of the previous Pope's speeches and publications would have led to more balanced opinions in the region, based on considerations of plausibility. Finally, the authoritarian systems in the region face political pressure because of an increasing dissatisfaction of the populations and a rising violent fundamentalism. Rumors play a major role with regard to public opinion and strengthen already built opinions, in lack of free media committed to multi-perspective views. As a conclusion, one thing is evident in this complex situation, namely that the struggle with the "West" is the result of the self-perceived image usually used as a vent for regional and domestic politics.

Maßnahmen der Konfliktbearbeitung

Verhandlungen

In mindestens 31 der 278 aktuellen Konflikte finden im Jahr 2006 zumindest einmalig Gespräche, Verhandlungen und Konferenzen statt. Die Mehrzahl der Konflikte, in denen die Parteien verhandeln, sind Krisen und manifeste Konflikte. Es werden 33 Gesprächsrunden in manifesten Konflikten und 48 in Krisen geführt. Die meisten Verhandlungen finden in Moldau (Transnistrien) und Großbritannien (Nordirland) statt. In lediglich mindestens fünf der 35 hochgewaltsamen Konflikte werden Gespräche, geführt, insgesamt neun Runden – unter Konflikten ist der Krieg im Sudan (Darfur). Die meisten Gespräche enden jedoch ohne die Unterzeichnung eines Abkommens.

Verträge

Insgesamt 23 Verträge oder Abkommen werden im Jahr 2006 über Konfliktregelung unterzeichnet, drei davon in hochgewaltsamen Konflikten. Unter diesen Abkommen sind sechs Friedensverträge, einer davon wird im Krieg im Sudan (Darfur) zwischen der Regierung und einer der wichtigsten Rebellengruppen im Mai unterzeichnet. Allerdings gelingt es diesem Abkommen nicht, die Kämpfe zwischen den rivalisierenden Rebellenfraktionen zu beenden. In sieben Konflikten werden Waffenstillstandsabkommen unterzeichnet. Zwei von diesen betreffen auch hochgewaltsame Konflikte, namentlich die zwei zusammenhängenden Konflikte Israel vs. Libanon und den Krieg Israel (Hisbollah). Das Abkommen ist von der UN durch UNO-Resolution 1701 vermittelt worden, das am 14. August in Kraft tritt. Weitere Abkommen betreffen Verfahrensregelungen oder Konfliktgegenstände oder sind allgemeinerer Natur, wie Absichtserklärungen und Prinzipienerklärungen. Alles in allem erzielen die zwischen den Konfliktparteien erreichten unterschiedlichen Abkommen ungeachtet womöglicher Deeskalationen keine endgültige Beilegung der betreffenden Dispute.

Internationale Organisationen

Am Ende des Jahres 2006 unterhält die Organisation der Vereinten Nationen (UNO) 18 Friedensmissionen. Darunter sind zwei politische Missionen, UNAMA in Afghanistan und das Integrierte UNO Büro in Sierra Leone (UNIOSIL), das im Januar 2006 die friedenserhaltende Operation UNAMSIL ablöst. Abgesehen von UNIOSIL wird im Untersuchungszeitraum eine weitere neue Mission in Gestalt der Integrierten UNO-Mission in Osttimor (UNMIT) eingerichtet. UNMIT übernimmt am 25. August mit einem neuen, erweiterten Mandat das UNO-Büro in Osttimor (UNOTIL). Es soll die Regierung bei der Stabilitätskonsolidierung, der Stärkung der Kultur demokratischer Herrschaft und der Förderung des politischen Dialogs zwischen timoresischen Interessenvertretern unterstützten. Alles in allem unterhält die UNO mit UNMIT in Osttimor und der UNO-Militärbeobachtergruppe in Indien und Pakistan (UNMOGIP) nur zwei friedenserhaltende Operationen in Asien und Ozeanien – eine magere Ausbeute angesichts der Gesamtzahl an Konflikten und hochgewaltsamen Konflikten. Im Gegensatz dazu stellt Afrika erneut die Region mit den meisten UNO-Missionen dar (ONUB in Burundi, UNOCI in der Elfenbeinküste, UNMIL in Liberia, MONUC in der DR Kongo, UNMEE in Äthiopien und Eritrea, UNMIS im Sudan und UNAMSIL, die durch UNIOSIL in Sierra Leone abgelöst worden ist). An zweiter Stelle folgt der Vordere und Mittlere Orient mit fünf gleichzeitigen UNO-Missionen (die politische Mission UNAMA in Afghanistan, UNDOF auf den Golanhöhen zwischen Israel und Syrien, MINURSO in der Westsahara, Marokko, UNIFIL im Libanon und UNTSO in Israel). Wie in früheren Jahren unterhält die UNO drei Missionen in Europa (UNFICYP auf Zypern, UNOMIG in Abchasien, Georgien und UNMIK im Kosovo, Serbien) und mit der UNO-Stabilisierungsmission in Haiti (MINUSTAH) eine in den Amerikas. Gegen Ende des Jahres sind 76.726 Uniformierte aus 110 verschiedenen Ländern 16 friedenserhaltenden Missionen (die beiden politischen Missionen UNAMA und UNIOSIL nicht eingeschlossen) zugewiesen worden. Darunter sind 66.086 Soldaten, was einen erneuten Anstieg nach dem Rückgang auf 61.106 Soldaten aus 107 Ländern im Jahr 2005 bedeutet. Während nur zwei UNO-Missionen in Asien aktiv sind, stellen asiatische Länder das meiste Personal zur Verfügung. Pakistan (mit 9.790 bis 10.154 Uniformierten im Jahresverlauf), Bangladesch (mit 9.516 bis 9.655) und Indien (mit 7.339 bis 9.276) stellten mit Abstand die meisten uniformierten Mitglieder von UNO-Operationen. Im Vergleich zu 2005 hat Deutschland seinen Beitrag erhöht und setzt bis zu 1.191 Uniformierte in sieben Missionen (UNAMA, UNIFIL, UNMEE, UNMIK, UNMIL, UNMIS, UNOMIG) im Jahr 2006 ein, anstelle von bis zu 297 Deutschen in fünf Missionen im Jahr 2005. Eine allgemeine Beobachtung in Bezug auf UNO-Friedensmissionen ist, dass die internationale Gemeinschaft den Blauhelmen robustere Mandate gibt und ihre Anstrengungen in gewaltsamen Konflikten verstärkt, z.B. in der DR Kongo (verschiedene Konflikte) und Israel – Libanon. Zu keiner Zeit in der Geschichte der Friedenserhaltung sind so viele UNO-Peacekeeper gleichzeitig im Einsatz gewesen wie gegenwärtig.

Abgesehen von Friedensmissionen kann die UNO auch Maßnahmen zur Erhaltung oder Wiederherstellung des Friedens ergreifen, die nicht den Einsatz von Waffengewalt beinhalten. Zu derartigen Maßnahmen zählen Sanktionen. 2006 erhält die UNO Sanktionen gegen neun Staaten aufrecht: mit der Elfenbeinküste, der DR Kongo, Liberia, Ruanda, Sierra Leone, Somalia und dem Sudan gegen sieben afrikanische Staaten; gegen die DVR Korea seit 2006 sowie gegen die Al Qaida und die Taliban und verbundene Individuen und Gebilde.

Außer der UNO unterhalten einige Regionalorganisationen im Jahr 2006 Feldmissionen, z.B. die Wirtschafts- und Währungsgemeinschaft Zentralafrikas (CEMAC) in der Zentralafrikanischen Republik sowie die Afrikanische Union (AU), die immer noch 7.000 Mannschaften im Sudan (Darfur) im Einsatz hat, während ihre Mission in Burundi der UNO-Mission ONUB eingegliedert ist. In den Amerikas unterhält die Organisation Amerikanischer Staaten (OAS) ihre Sondermission für die Stärkung der Demokratie in Haiti, um die verschiedenen Wahlen im Jahr 2006 zu unterstützen. Die Organisation für Sicherheit und Zusammenarbeit in Europa (OSZE) führt insgesamt acht Feldmissionen durch, sechs von ihnen auf dem Balkan, eine in Moldau und eine in Georgien. Auf dem Balkan unterhält auch die Europäische Union (EU) EUFOR in Bosnien-Herzegowina, die Ende 2004 die NATO-geführten Stabilisierungstruppen (SFOR) abgelöst hat. Die Nordatlantische Vertragsorganisation (NATO) führt friedenserhaltende Missionen im Kosovo (KFOR) und in Afghanistan (ISAF).

Autoritative Entscheidungen des IGH

Drei neue Fälle werden 2006 an die Rechtssprechung des Internationalen Gerichtshofs (IGH) übergeben und kommen zu 26 bereits anhängigen Fällen hinzu. Am 9. Januar reicht Dschibuti eine Beschwerde gegen Frankreich wegen bestimmter Fragen gegenseitiger Unterstützung in Kriminalfällen ein. Dieser Fall steht mit der Ablehnung Frankreichs in Zusammenhang, ein internationales Rechtshilfeersuchen auszuführen. Am 9. August stellt sich Frankreich hinsichtlich der Beschwerde Dschibutis unter die Rechtssprechung des IGH. Am 26. April strengt Dominica wegen der Verletzung von Regeln in diplomatischen Beziehungen ein Verfahren gegen die Schweiz an. Der Fall wird jedoch am 9. Juni auf Antrag von Dominica von der Liste des IGH genommen. Am 4. Mai geht Argentinien gerichtlich gegen Uruguay vor und beantragt eine einstweilige Verfügung. Der Fall betrifft Uruguays angeblichen Bruch der Verpflichtungen unter dem Statut über den Uruguay-Fluss, den die beiden Länder 1975 unterzeichnet haben und der 1976 in Kraft getreten ist. Argentinien behauptet, dass der Bruch durch den Bau zweier Zellstoffmühlen am Flussrand zustande gekommen ist, die angeblich Auswirkungen auf die Wasserqualität und die vom Fluss betroffenen Gebiete haben. Am 13. Juli befindet der IGH, dass die Umstände keine einstweilige Verfügung erfordern. Am 29. November beantragt Uruguay eine einstweilige Verfügung, weil organisierte Gruppen argentinischer Staatsbürger eine lebenswichtige Brücke über den Fluss blockiert haben und dadurch kommerziellen und touristischen Verkehr von Argentinien nach Uruguay absperren [Argentinien – Uruguay].

Friedenszentrum Burg Schlaining

In der südburgenländischen Stadtgemeinde Stadtschlaining sind zwei Friedensinstitutionen beheimatet: das 1982 gegründete Österreichische Studienzentrum für Frieden und Konfliktlösung (ÖSFK) und das 1987 mit Hilfe von europäischen UNESCO-Organisationen gegründete Europäische Universitätszentrum für Friedensstudien (EPU). Beide Institutionen sind als private, gemeinnützige, überparteiliche und unabhängige Vereine organisiert, und beide werden von ihrem Gründer und geschäftsführenden Präsidenten Gerald Mader geleitet. Beiden Institutionen wurde 1995 von der UNESCO der Preis für Friedenserziehung verliehen.

Das ÖSFK hat das Ziel, zur weltweiten Förderung des Friedens und zur Förderung einer friedlichen Konfliktlösung auf allen Ebenen beizutragen. Entsprechend engagiert sich das ÖSFK in Forschung, Ausbildung und friedenspolitischer Praxis. Den Ausbildungsschwerpunkt bilden Programme zur Qualifizierung von Fachkräften für Regierungs- und Nichtregierungsorganisationen, die sich mit Friedenseinsätzen in Konfliktregionen beschäftigen, wie das „International Civilian Peace-keeping and Peace-building Training Program" (IPT), das „Mission Preparation Training Program for the OSCE" (MPT) und die „Summer Academy on OSCE". Die viel besuchte deutschsprachige Sommerakademie fand 2006 zum 23. Mal statt. Für die EU ist das ÖSFK ein wichtiger Koordinator zur Entwicklung von EU-weiten Ausbildungsstandards und Trainingsprogrammen für Fachkräfte, die in den Bereichen Rechtstaatlichkeit und zivile Administration in Krisengebieten eingesetzt werden.

Im Bereich Mediation in internationalen Krisenregionen konnten in den letzten Jahren Dialogworkshops und Vermittlungsprojekte in Kooperation mit dem österreichischen Außenministerium durchgeführt werden. Seit 1996 werden spezifische Programme in Südosteuropa und dem Südkaukasus durchgeführt und seit 1997 auch in Afrika. Seit 2001 engagiert sich das ÖSFK in Zentralasien und unterstützt die Friedensbemühungen in Sri Lanka.

Die EPU führt englischsprachige Studienprogramme in „Peace and Conflict Studies" auf postgraduiertem universitärem Niveau durch. Die EPU verbindet akademische Analyse mit Praxisorientierung und persönlichem Lernen, das durch die Dynamik einer internationalen und multikulturellen Studiengemeinschaft gefördert wird.

Seit dem Jahr 2000 betreibt das ÖSFK das Europäische Museum für Frieden. Das Museum wurde mit einem vom Ministerium für Bildung, Wissenschaft und Kultur verliehenen Anerkennungspreis im Rahmen des Museumspreises 2001 ausgezeichnet.

Das Friedenszentrum Burg Schlaining veröffentlicht u.a. die Reihe „dialog. Beiträge zur Friedensforschung“, die Zeitschrift „Friedens-Forum“ sowie die Publikationsreihe „workingpapers“. Das Institut verfügt über eine Infrastruktur mit den in der Burg Schlaining befindlichen Büroräumlichkeiten, dem „Haus International“, der Friedensbibliothek in der einstigen Synagoge, dem Hotel Burg Schlaining und dem Konferenz- und Seminarzentrum in der Burg.

Dialog – Beiträge zur Friedensforschung

In der Reihe *Dialog – Beiträge zur Friedensforschung*, herausgegeben vom Österreichischen Studienzentrum für Frieden und Konfliktlösung, erschienen jüngst:

Gute Medien – Böser Krieg? Medien am schmalen Grat zwischen Cheerleadern des Militärs und Friedensjournalismus; Projektleitung: Thomas Roithner, Dialog 52, 256 S., Münster 2007.

Konstruktiver Pazifismus im 21. Jahrhundert, Symposium zum 80. Geburtstag von Dr. Gerald Mader, Hrsg.: Dieter Senghaas, Dialog 51, 170 Seiten, Wien 2006.

Europa und die Dynamik der globalen Krise, Projektleitung: Ronald H. Tuschl, Dialog 50, 268 Seiten, Münster 2006.

Die Weltunordnung von Ökonomie und Krieg, Projektleitung: Thomas Roithner, Dialog 49, 300 Seiten, Wien 2006, 2. Auflage.

Der Krieg der Armen? Der internationale Terrorismus in der Neuen Weltordnung, Projektleitung: Ronald H. Tuschl, Dialog 48, 259 Seiten, Münster 2005.

„Die Wiedergeburt Europas". Von den Geburtswehen eines emanzipierten Europas und seinen Beziehungen zur „einsamen Supermacht", Projektleitung: Thomas Roithner, Dialog 47, 306 Seiten, 2005.

Pax Americana und Pax Europaea. Konsens oder Konflikt um eine neue Weltordnungskonzeption? Projektleitung: Ronald H. Tuschl, Dialog 46, 300 Seiten, 2004.

Neutralität im Neuen Europa. Österreichs Beitrag zur Finalität der Union, (gemeinsam hrsg. mit IIP Wien), Redaktion: Wolfgang Koch, Franz Leidenmühler, Peter Steyrer, Dialog 45, 150 Seiten, 2004.

Schurkenstaat und Staatsterrorismus. Die Konturen einer militärischen Globalisierung, Projektleitung: Thomas Roithner, Dialog 44, 240 Seiten, 2004.

Jihad vs. McWorld? Friedenspolitik im Spannungsfeld zwischen Globalisierung und fundamentalistischer Bedrohung, Projektleitung: Ronald H. Tuschl, Dialog 43, 288 Seiten, 2003.

Europa Macht Frieden. Die Rolle Österreichs, Projektleitung: Thomas Roithner, Dialog 42, 348 Seiten, 2003.

Ground Zero. Friedenspolitik nach den Terroranschlägen auf die USA, Projektleitung: Ronald H. Tuschl, Dialog 41, 271 Seiten, 2002.

Globe 2001. Friedenspolitik an der Schwelle eines neuen Jahrtausends, Projektleitung: Thomas Roithner, Dialog 40, 180 Seiten, 2002.

Nach der Jahrtausendwende. Zur Neuorientierung der Friedensforschung im 3. Jahrtausend, Projektleitung: Thomas Roithner, Ronald H. Tuschl, Wilfried Graf, Dialog 39, 345 Seiten, 2001.

Wie sicher ist Europa? Perspektiven einer zukunftsfähigen Sicherheitspolitik nach der Jahrtausendwende, Projektleitung: Thomas Roithner, Dialog 38, 236 Seiten, 2001.

Bezugsadresse:
im Buchhandel und über das Friedenszentrum Burg Schlaining.